BONHEUR FOU

Du même auteur

Aux Éditions du Boréal

La Note de passage, 1985.
Benito, 1987.
L'Effet Summerhill, 1988.
Corneilles, coll. Boréal JUNIOR, 1989.

François Gravel

BONHEUR FOU

roman

Boréal

Conception graphique: Gianni Caccia
Illustration de la couverture: Geneviève Côté

Dépôt légal: 2e trimestre 1990
Bibliothèque nationale du Québec

Diffusion au Canada : Dimedia

Données de catalogage avant publication (Canada)
Gravel, François
Bonheur fou
ISBN 2-89052-337-3
I. Titre
PS8563.R38B66 1990 C843'.54 C90-096291-7
PS9563.R38B66 1990
PQ3919.2.G72B66 1990

1

Bernard Dansereau avait toujours été préoccupé par la question du bonheur. Non pas le bonheur éternel promis par les curés à ceux qui savent accepter la souffrance et plier devant l'autorité, mais le bonheur terrestre, ici-bas, maintenant. Non pas tant le sien propre, encore qu'il ne l'aurait pas dédaigné s'il s'était présenté à lui sans détour, que celui de l'humanité entière, sans lequel le bonheur individuel n'est qu'une illusion. Il croyait fermement qu'il serait un jour possible, grâce à une découverte qui restait encore à faire, d'en trouver le secret. Au XIXe siècle, de telles idées n'avaient rien de particulièrement original, du moins chez les scientifiques.

Dès l'âge de cinq ans, il s'était mis à harceler ses parents de questions à ce sujet. Ces braves cultivateurs de la région de Louiseville lui parlaient alors de bonnes récoltes, d'hivers plus doux qu'à l'accoutumée, de la satisfaction du travail accompli et des grâces que le Seigneur nous accorde en récompense de nos actions vertueuses. Bernard était déçu : n'y avait-il rien d'autre à espérer que ces petites joies passagères? Pourquoi donc le bonheur n'aurait-il existé qu'au pluriel? Pour le bonheur au singulier, répliquaient ses parents, il faudra attendre l'éternité. Pourquoi? Parce que Dieu en a voulu ainsi. Et pourquoi Dieu en a-t-il voulu ainsi? On te l'expliquera à l'école.

Jamais un enfant de Louiseville n'avait attendu avec autant d'impatience la première journée de classe. Aussitôt assis à la place qu'on lui avait assignée, il avait demandé à l'institutrice, une jeune fille de seize ans qui était complètement affolée à l'idée de devoir enseigner à cinquante enfants, de lui expliquer sans plus tarder le secret du bonheur. La jeune fille avait bredouillé qu'il fallait d'abord apprendre à lire et à écrire, qu'il aurait mieux valu consulter le curé pour discuter de ces choses-là et qu'il fallait, avant toute chose, apprendre à lever la main avant de parler. Docile, Bernard s'était incliné. Pendant tout son cours primaire, il avait travaillé consciencieusement. Puisqu'on lui avait assuré que la lecture, l'écriture et le calcul étaient des préalables indispensables au bonheur, il avait fait l'impossible pour être toujours premier de classe. Il y avait parfaitement réussi.

À la fin de son cours primaire il n'avait toujours pas trouvé de réponses à ses questions; mais, durant ces quelques années, il avait au moins appris à se taire. Il savait déjà en effet qu'il était inutile de demander aux gens s'ils étaient heureux. Ses expériences à cet égard n'avaient réussi qu'à plonger les adultes dans un profond embarras. Pour quelque obscure raison, le secret du bonheur de même d'ailleurs que le mystère de l'origine des bébés semblaient être des sujets qu'on ne devait jamais aborder avec les enfants. Pour apprendre quelque chose en ces matières, rien ne valait l'observation de la nature, ce dont Bernard ne s'était pas privé.

Après avoir passé des heures à observer les poules, les vaches et les chats, il avait réussi à découvrir sans trop de difficulté l'essentiel du mécanisme de la procréation. Mais le mystère du bonheur restait entier. Pour en avoir le cœur net, il avait plusieurs fois disséqué les cadavres d'animaux qui lui étaient tombés sous la main, particulièrement des cochons, sans doute l'animal le plus heureux de la création. Peut-être le sentiment du bonheur était-il sécrété par quelque organe qu'il eût suffi de dénicher?

Cette manie de la dissection inquiétait les parents de Bernard. Un jour que le curé était venu leur rendre visite, ils lui avaient fait part de leurs craintes. Était-il normal qu'un enfant de douze ans passât ses grandes journées à tripoter des cerveaux de cochons? Le curé les avait rassurés : Bernard était un enfant éveillé et curieux, ses résultats scolaires étaient excellents, il ne fallait pas hésiter à lui payer un cours classique. Jamais il n'avait vu poindre une aussi belle vocation de médecin.

C'est ainsi que Bernard s'était retrouvé au séminaire. En classe d'éléments latins, son directeur spirituel lui avait enjoint, de sa voix la plus mielleuse, de lui livrer le fond de son âme, de lui faire part de ses moindres doutes, de se confier totalement à lui. Bernard, à qui on n'avait jamais demandé son avis à propos de sa prétendue vocation de médecin, était méfiant. Mais il avait tout de même tâté le terrain.

— Mon père, je me demande parfois si les poules, qui ne sont pas dotées d'une grande intelligence, peuvent être heureuses.

— Les poules ne peuvent pas être heureuses, mon enfant. Les poules n'ont pas d'âme, elles ne peuvent donc pas avoir de sentiments. C'est parce que les hommes ont une âme qu'ils ont des sentiments.

— Mais les poules sont vivantes, elles peuvent souffrir de la faim et être heureuses de trouver de la nourriture, elles peuvent avoir froid et se réjouir de rentrer dans leur poulailler...

— La Providence a donné aux poules, comme à tous les animaux, un instinct qui leur tient lieu d'intelligence et qui leur permet de survivre. Quand elles ont faim, l'instinct les pousse à se nourrir. Elles peuvent être repues, mais pas heureuses : le véritable bonheur vient de l'Esprit, jamais de la satisfaction de nos instincts.

— Est-ce que tous les sentiments viennent de l'Esprit?

— Les sentiments justes viennent assurément de l'Esprit, mais les mauvais sentiments, eux, nous viennent de nos bas instincts.

— Et comment notre cerveau s'y prend-il pour distinguer les bons sentiments des bas instincts?

Ces discussions étaient interminables. Avec le temps, Bernard avait découvert que les religieux avaient beaucoup plus de patience que les laïcs quand venait le moment de parler du bonheur; il en avait donc profité pour leur poser toutes les questions qui lui traversaient l'esprit. Leurs réponses étaient toutefois bien vagues, et la patience des religieux avait des limites: au bout de quelques heures, ils lui recommandaient invariablement de prier beaucoup et d'attendre jusqu'en classe de philosophie, où il apprendrait sans doute à distinguer la vérité de l'erreur. S'il voulait profiter pleinement de ses cours de philosophie, il devrait cependant s'appliquer dès maintenant à bien étudier le latin et le grec, sans quoi il risquerait d'éprouver de cruelles déceptions. Terrorisé à l'idée que la méconnaissance des langues mortes eût pu avoir d'aussi terribles conséquences, Bernard avait étudié comme un forcené.

En classe de philosophie, il avait enfin découvert les penseurs grecs. D'après Socrate, il était possible à l'homme d'accéder au bonheur ici-bas dans la mesure où il était vertueux. Mais le professeur mettait aussitôt en garde ses élèves : c'était un idéal magnifique, mais irréalisable sans les secours de la grâce. Pour Platon, le bonheur représentait le but suprême de l'existence. Le plaisir seul ne pouvait rendre heureux car il ne pouvait atteindre à la stabilité, à la pureté, à la plénitude. Le bonheur n'était pas non plus uniquement dans la science, car la science sans plaisir était sans intérêt. Le bonheur se trouvait plutôt dans la sagesse, à laquelle, cependant, il manquait encore la grâce, avait ajouté le professeur.

Bernard avait eu envie d'intervenir, mais ses études classiques lui avaient appris qu'il valait mieux garder ses réflexions pour soi. L'homme ne trouverait peut-être pas le bonheur dans la science, mais qui sait si la science n'arriverait pas à donner aux hommes les conditions nécessaires au bonheur? Platon pouvait-il se douter qu'on se promènerait dans le ciel en ballon dirigeable, que des bateaux à vapeur sillonneraient les mers du monde? La science, pensait Bernard, seule la science apporterait des réponses satisfaisantes.

Après les Grecs, on était passé à saint Thomas. Le bonheur allait être relégué dans l'au-delà et, pendant un millénaire, la philosophie allait faire comme s'il n'existait pas.

À la fin de son cours classique, Bernard était un peu déçu mais pas du tout désespéré. La prière et la philosophie ne lui avaient pas livré le secret du bonheur, mais au moins ses longues études lui avaient donné accès aux grands écrivains. Il s'était délecté des romans de Voltaire, qu'il avait pu se procurer grâce à la complicité d'un de ses compagnons de classe dont le père était libre penseur, et surtout des livres d'Auguste Comte, dont les idées rejoignaient en tout point les siennes.

Le soir, il lisait quelques pages de son auteur préféré, puis il se mettait à rêver: partout dans le monde, les savants multipliaient les découvertes à un rythme tellement rapide qu'on pouvait, sans risque d'erreur, penser que la science réglerait tous les problèmes. Quand on aurait réussi à identifier et à classer tous les éléments, il ne resterait plus qu'à trouver les bonnes combinaisons pour reconstituer tous les solides, les liquides et les gaz. Un jour, quand les microscopes seraient plus puissants, les physiciens isoleraient les atomes et n'auraient plus qu'à résoudre d'insignifiantes questions de mécanique. Il faudrait certainement plus de temps pour percer tous les mystères de la biologie, mais on y arriverait, ce n'était qu'une question de temps. Combien d'années? Vingt, trente, cinquante?

Une fois qu'on aurait tout compris des sciences naturelles, on s'attaquerait à la physique sociale : finis la pauvreté, les conflits, les guerres. Tous les pays ne passeraient sans doute pas en même temps du stade religieux au stade scientifique, il resterait encore quelques peuplades primitives en Afrique et en Asie, mais on y enverrait des missionnaires scientifiques qui remplaceraient les missionnaires religieux... Au milieu du XXe siècle, il y aurait bien encore quelques petites guerres chez les Sauvages, mais l'Europe, terre des Lumières, donnerait l'exemple de la paix et de la prospérité au reste du monde.

Auguste Comte ne péchait-il pas par excès d'optimisme? Certainement pas. Tous ceux qui avaient des yeux pour voir et des oreilles pour entendre étaient en mesure de constater que la marche du progrès était irréversible: les chemins de fer traverseraient le pays, les moteurs à vapeur multiplieraient par mille la force des ouvriers, le télégraphe nous permettrait de communiquer instantanément avec toutes les grandes villes américaines, qu'est-ce qui empêcherait alors la science de triompher?

Non seulement ses études lui avaient donné la chance de s'enrichir de ces stimulantes lectures, mais elles lui avaient ouvert les portes de la meilleure faculté de médecine de tout le continent. À l'Université McGill, il accéderait enfin à la Science. À force de décortiquer des cerveaux humains, il finirait bien par trouver quelque chose.

* * *

En septembre 1850, Bernard, frémissant d'enthousiasme et fermement décidé à percer tous les secrets de la vie, avait franchi le seuil de la prestigieuse université.

Comme il avait dû apprendre l'anglais en même temps que la médecine, il n'avait guère eu d'occasions, pendant les deux premières années, de réfléchir au bonheur, ni même de visiter Montréal. En troisième, il avait pu enfin s'accorder quelques loisirs. Il avait eu tôt fait de découvrir la merveilleuse bibliothèque de l'Institut canadien, dont il était devenu rapidement un habitué. Il ne ratait aucune conférence scientifique. Des professeurs européens venaient y parler d'astronomie, de physique ou de magnétisme; Bernard en retirait, outre de nouvelles connaissances, un profond sentiment de contentement. Il était devenu un homme de science et participait enfin à la grande marche du progrès. Il admirait tellement ces conférenciers qu'il imitait leurs moindres gestes, leurs moindres intonations, si bien qu'au bout de quelques mois seulement sa voix avait baissé d'une octave. Il s'était aussi laissé pousser la barbe, qu'il avait très forte et qu'il taillait bien carrée. Ces deux atouts allaient grandement contribuer à son succès.

Petit à petit, cependant, les conférences scientifiques devaient se faire plus rares, la politique occupant toute la place. Les Rouges proposaient d'annexer le Canada aux États-Unis, ce avec quoi Bernard était pleinement en accord. Puisque les Canadiens français étaient condamnés à vivre avec les Anglais, autant choisir des Anglais qui fussent démocrates. Bernard comprenait parfaitement qu'on s'enflammât pour la politique: après tout, la solution au problème du bonheur était soit biologique, soit politique; il n'y avait pas à sortir de là. Mais, était-ce une affaire de tempérament (il n'aimait pas les foules) ou de formation (la politique ne lui semblait avoir aucun fondement scientifique), jamais les grands discours ne l'avaient fait vibrer. Que le bonheur d'un peuple pût dépendre d'une loi, d'une constitution ou d'une annexion était certainement une perspective séduisante, mais forcément incomplète: dans le meilleur des cas, ces changements permettraient de supprimer les obstacles au bonheur, sans pour autant le créer. La liberté était une condition nécessaire mais non suffisante. Il était longtemps resté abonné à la bibliothèque; toutefois, on ne l'avait revu que rarement aux conférences.

* * *

En troisième année, les étudiants en médecine avaient eu à résoudre un grave problème: la dissection était obligatoire pour obtenir le diplôme, mais on disposait de peu de cadavres. Certains étudiants plus fortunés achetaient pour cinquante dollars un corps d'origine inconnue en s'adressant à des habitués d'une certaine taverne de la rue Saint-Denis, d'autres se rabattaient sur l'importation d'Américains de race noire, faciles à obtenir et peu coûteux. Ils arrivaient par chemin de fer, dans des ballots semblables à des sacs de farine. Les délais étaient cependant si longs que lorsque venait le moment de les disséquer, on avait du mal à distinguer le foie de la rate. Les étudiants qui n'étaient pas dotés d'une grande fortune et qui voulaient obtenir un cadavre convenable devaient donc se résigner à organiser des expéditions nocturnes dans les cimetières.

C'est ainsi qu'un jour de novembre Bernard s'était retrouvé au cimetière de la Côte-des-Neiges, un fanal à la main, auprès de trois de ses compagnons creusant la terre de la fosse commune, fraîchement recouverte. Ils avaient appris par le journal qu'un marin espagnol, mort dans une bagarre, venait d'y être enterré. C'était une occasion rêvée, d'autant plus qu'il avait commencé à neiger: le froid conserverait leur cadavre, et la neige effacerait les traces de pas.

Ils avaient creusé à tour de rôle, défoncé la tombe, traîné le fardeau jusqu'à l'entrée du cimetière, où une charrette les attendait. Quand ils étaient arrivés à l'université, ils avaient déposé le corps dans la salle d'autopsie et avaient passé le reste de la nuit à boire.

Le lendemain matin, ils avaient procédé à la dissection. Pendant que Bernard découpait les os du crâne avec une scie à métal, curieux de voir enfin cette masse de matière grise qui produisait les idées, ses collègues avaient fait une précieuse découverte: dans l'estomac du cadavre, ils avaient trouvé deux pièces d'or. Bernard avait proposé de prévenir les autorités, mais ses compagnons avaient plutôt suggéré d'aller boire quelques verres de bière en compagnie de ces demoiselles qui offraient leurs services à la sortie de la faculté. Ils avaient donc expédié la dissection et s'étaient retrouvés dans un petit hôtel où Bernard, pendant de trop brefs instants, avait oublié le cerveau, le seul cerveau humain qu'il eût jamais vu. Quand ils étaient revenus à l'université, quelques heures plus tard, le cadavre avait disparu. D'autres étudiants l'avaient sans doute volé. Tout était à recommencer.

Toute sa vie, Bernard allait rêver de cette expédition, et la pâle lueur du fanal dansant dans la nuit allait toujours lui rappeler cette occasion manquée. Au moment précis où il avait découvert une des petites joies de l'existence, on lui avait volé son cerveau, le seul cerveau humain qu'il aurait pu observer à loisir.

* * *

À la fin de son internat, en 1853, ses professeurs lui avaient conseillé de s'installer à Hochelaga, un petit village promis à une rapide expansion, en banlieue de Montréal. Le conseil avait été judicieux. Les ouvriers des tanneries et des abattoirs touchaient de maigres salaires; néanmoins Bernard avait rapidement réussi à se bâtir une solide clientèle auprès des riches propriétaires qui avaient commencé à se construire de somptueuses résidences secondaires en bordure du fleuve, jusqu'à Pointe-aux-Trembles, de même qu'auprès des riches fermiers de Longue-Pointe, qui nourrissaient tout Montréal. Ses parents lui avaient laissé un héritage de mille dollars, il en avait emprunté mille autres à la banque, et cela avait été suffisant pour acheter une maison rue Sainte-Catherine, des meubles, un cheval, une voiture, et de quoi équiper son cabinet: un bureau en chêne, quelques chaises pour la salle d'attente, des papiers d'ordonnance imprimés à son nom et de grands cahiers noirs pour tenir les comptes. À cinquante sous la consultation, un dollar pour les visites à domicile et un dollar cinquante pour les accouchements, il mettrait vingt ans à rembourser son emprunt.

Sa vision de la science triomphante allait cependant pâlir avec le temps. Il lui semblait qu'aucun des cas qui se présentaient à lui ne ressemblait, de près ou de loin, à ce qu'il avait étudié dans les livres, que les patients s'ingéniaient chaque jour à inventer des maladies nouvelles et qu'il n'avait ni le temps ni les connaissances pour les traiter correctement. Avec pour tout équipement un stéthoscope en bois, un thermomètre, un marteau à réflexes et un ruban à mesurer, comment aurait-il pu diagnostiquer et soigner les mystérieux maux de ventre, les pertes blanches et les crachats de sang? Cette prise de conscience de son ignorance avait été douloureuse, mais ayant depuis longtemps appris à masquer son jeu, il n'avait montré aucun signe de désarroi.

Comme la plupart des médecins de son époque, Bernard avait vite appris à écouter ses patients. À force de parler, ceux-ci finissaient parfois par donner un indice révélateur. Bernard palpait alors longuement le malade pour découvrir une rate enflée ou une vague tumeur, et tentait de deviner. Neuf fois sur dix, il ignorait tout du mal qui les affectait. Aussitôt l'examen terminé, il hochait la tête et rédigeait une ordonnance: compresses d'eau chaude, cataplasmes de moutarde, solutions iodées, séjours à la campagne… Quand les patients ne guérissaient pas, Bernard pouvait au moins se consoler à l'idée que ses remèdes, parfaitement inoffensifs, n'avaient pas empiré leur cas. Il arrivait heureusement assez souvent que, par quelque grand mystère, un remède prescrit au hasard fonctionnât au-delà de toute espérance. Ces succès, même immérités, lui remontaient le moral : il apprenait ainsi qu'il fallait compter le hasard parmi ses alliés et que l'efficacité nous dispensait souvent de la compréhension.

Il avait découvert un peu plus tard, en discutant avec ses collègues de l'Hôtel-Dieu, les vertus des poudres et des liquides. Les patients adoraient les poudres jaunes, et les vertes faisaient souvent des miracles. Le grand art était de varier les mélanges des mêmes médicaments à l'aide de colorants différents, ce qui permettait de prescrire une poudre verte une semaine, une jaune la suivante, de revenir ensuite à la verte, et d'ajouter, par-ci par-là, des rouges, pour faire changement. Il en était de même avec les liquides. Les colorés avaient toujours de meilleurs effets thérapeutiques que les incolores, et il fallait savoir varier les doses : quelques gouttes la première semaine, une cuillerée à thé la deuxième, deux cuillerées à soupe la troisième, en veillant toujours à ce que le goût des concoctions fût affreux : c'est en se punissant de leur maladie que les patients s'en sortaient le plus rapidement. Poudre ou liquide, ce qui était important c'était que le médicament portât un nom latin, qui le distinguait aussitôt des remèdes de bonnes femmes, et qu'il fût nouveau : un remède trop connu perd invariablement de son efficacité.

Un an seulement après son installation à Hochelaga, la clientèle de Bernard suffisait à assurer son avenir. Déçu par la science mais toujours préoccupé par le bonheur, il avait décidé de se marier.

* * *

Aux premiers jours du printemps 1855, il avait mis son plus beau costume et s'était présenté à la directrice du couvent d'Hochelaga, réputé pour la formation des meilleures épouses de médecins de tout le Dominion. La religieuse lui avait aussitôt déniché la candidate idéale: Viviane Gouin avait terminé première en économie domestique et en tenue de livres, ses pâtes feuilletées étaient un tel délice qu'on faisait toujours appel à ses services quand on recevait l'archevêque, elle était douée pour le chant et touchait divinement le piano. De plus, elle était issue d'une bonne famille de riches fermiers de Longueuil. On lui avait présenté Viviane le jour même, et Bernard avait été conquis par ses yeux en amande, sa peau blanche et ses dents légèrement avancées qui semblaient pousser malgré elle ses lèvres vers lui.

Il avait donc pris le bac pour Longueuil la semaine suivante et s'était présenté aux parents de Viviane. Chaque samedi, pendant tout l'été et jusqu'aux derniers jours de l'automne, il était retourné chez elle. Le soleil sur le fleuve, les brochets qui nageaient dans l'eau claire, les volées d'outardes qui écrivaient en majuscule l'initiale de sa fiancée dans le ciel, la pâte feuilletée de Viviane, le sucre à la crème de sa mère, le gin que lui servait généreusement son père... ce fut un merveilleux été pendant lequel il n'avait pas rêvé une seule fois de son expédition au cimetière.

Au début de l'automne, il avait fallu penser aux glaces qui empêcheraient bientôt le passage en bac jusqu'à Longueuil. Allaient-ils attendre jusqu'au printemps ou se marieraient-ils à temps pour Noël? La décision n'avait pas été longue à prendre. Ils s'étaient mariés dès la fin d'octobre et, immédiatement après la cérémonie, ils s'étaient installés dans la maison de Bernard.

Viviane avait sans doute eu un coup de foudre pour la belle maison de pierres grises au toit d'ardoise, les vitraux qui décoraient les fenêtres et la vaste galerie blanche qui faisait le coin de la rue. Au rez-de-chaussée se trouvaient le bureau, la bibliothèque, la cuisine et la salle à manger. À l'étage, la chambre principale, qui s'ouvrait sur un balcon donnant sur la rue, trois chambres, plus petites, et un salon dans lequel trônait un piano. Quand Viviane s'y était installée, Bernard avait sans doute pensé au bonheur: si seulement il avait pu trouver un moyen d'effacer tout ce qui encombrait inutilement sa mémoire pour ne garder que ce seul instant...

* * *

Bernard avait toujours su traiter Viviane avec respect, ne lui demandant son dû que lorsqu'il avait la ferme intention de procréer ou encore parce qu'il était poussé par des raisons d'hygiène élémentaire, jamais par ennui ou désœuvrement. Viviane, bien que toute menue, était visiblement en excellente santé et Bernard avait apparemment toutes les qualités requises pour procréer. Pourtant, sept ans plus tard, les petites chambres étaient encore vides. Viviane avait été examinée par le docteur Lacoste, qui avait étudié à Londres. Les trompes de Fallope étaient bloquées, les ovules ne quitteraient jamais leur nid. Un jour, la médecine découvrirait certainement un remède, mais en attendant...

En attendant, le petit village d'Hochelaga était devenu une ville, le cabinet de Bernard avait continué à prospérer, et Bernard lui-même avait enflé presque à vue d'œil: les excellents repas que lui préparait Viviane, de même que les quelques verres de brandy qu'il s'accordait à la fin de ses longues journées de travail, y étaient sans doute pour quelque chose. Quand Viviane lui faisait remarquer qu'il prenait du poids, il répliquait invariablement que son appendice abdominal avait toujours été un important facteur de la prospérité de son cabinet. Hippocrate n'avait-il pas dit que le premier devoir du médecin était d'être toujours en excellente santé, de manière à porter ainsi sur lui-même sa propre réclame? Avec son ventre rond, sa barbe de sage et ses lunettes de savant, les patients n'avaient qu'à le regarder pour aussitôt se sentir mieux. Si Viviane préférait les hommes maigres, que n'avait-elle pas épousé un pharmacien? Les pharmaciens ont le devoir de rester maigres, puisqu'ils font partie de la punition infligée aux malades. S'il en avait été autrement, comment auraient-ils réussi à vendre de l'huile de ricin? Viviane souriait, se remettait à son tricot...

Bernard n'avait jamais rien eu à reprocher à Viviane. Elle s'était occupée avec dévouement du bureau et de la maison, agissant à la fois comme infirmière, secrétaire et ménagère. Le soir, elle allait prier à l'église, s'occupait des bonnes œuvres ou bien jouait du piano. Une vie calme, bien remplie malgré les chambres vides. Il n'avait rien à lui reprocher, mais le mariage ne lui avait pas apporté le bonheur qu'il espérait. Plus il buvait de brandy, plus les images de son expédition au cimetière lui revenaient à l'esprit.

Un jour, à la veille du quarantième anniversaire de Viviane, une crise d'apoplexie l'avait frappée alors qu'elle flattait tout bonnement la vieille chatte grise. Elle était restée paralysée pendant deux mois, puis s'était éteinte tout doucement, un matin du printemps 1880. Elle était si délicate qu'on l'avait enterrée dans sa robe de noces.

* * *

Quelques jours après la mort de Viviane, Bernard avait engagé une bonne, madame Robinson, une pauvre Irlandaise qui avait vu ses parents mourir du typhus au cours de la pénible traversée qui les avait amenés au Canada. La pauvre femme ne savait ni lire ni écrire et n'était donc d'aucun secours en tant que secrétaire, mais comme les soirées de Bernard étaient souvent libres, il ne voyait aucun inconvénient à tenir lui-même ses livres de comptes. Elle était par contre une excellente ménagère, et une cuisinière passable. À l'exception de l'horrible poule bouillie qu'elle préparait invariablement chaque dimanche soir, ses repas, bien qu'ils n'eussent jamais effacé le souvenir de la pâte feuilletée de Viviane, étaient acceptables.

Il avait observé le deuil consciencieusement pendant un an, et s'était ensuite trouvé une bonne amie, Florence, à qui il rendait visite le dimanche et qui était disposée à prendre soin de son hygiène. Il n'avait pas eu à chercher bien longtemps: quand on est médecin, ce ne sont pas les occasions qui manquent.

* * *

Un verre de brandy, la bouteille à portée de la main, un fauteuil confortable, les jambes étendues, les pieds sur le pouf, un cigare cubain bien enveloppé dans sa mince feuille de cèdre, et le silence. Le samedi soir, le stéthoscope reste dans le tiroir, et les patients sont priés de prendre leur mal en patience. «Je ne suis là pour personne, j'ai besoin de réfléchir.» «Bien, monsieur», répond madame Robinson avant de refermer doucement la lourde porte matelassée de la bibliothèque et de s'effacer sur la pointe des pieds. Depuis la mort de Viviane, Bernard consacre tous ses samedis soir à la lecture. Il lit quelques lignes d'Auguste Comte, quelques lignes seulement, et il se surprend à rêver, comme au temps de sa jeunesse.

Oui, Auguste Comte a raison : la science continue sa marche triomphale. Mendeleïev a réussi à classer tous les éléments de la nature. Un Canadien a trouvé le moyen de faire passer la voix par les fils et, d'ici quelques années, on pourra téléphoner jusqu'à Pointe-aux-Trembles. Bientôt il sera possible, qui sait? de faire voyager la voix jusqu'à Londres, Paris, Rome... Depuis quelques années, la médecine a progressé si vite que tout ce que Bernard a appris à l'université est déjà dépassé. Quelques années encore et on découvrira le microbe du cancer, les femmes ne mourront plus en couches, on trouvera le moyen de désobstruer les trompes de Fallope, les humains vivront une centaine d'années, peut-être plus.

Et quand la science aura triomphé, les hommes seront-ils enfin heureux? La folie existera-t-elle encore? Étant donné qu'elle loge nécessairement dans le cerveau, il n'y a rien qui puisse empêcher d'en découvrir les causes. Si Koch a su isoler le bacille responsable de la tuberculose, pourquoi ne découvrirait-on pas celui qui déclenche l'hystérie et l'épilepsie? Et si la folie loge dans le cerveau, est-il absurde de penser que le bonheur y loge aussi?

Bernard a depuis longtemps posé son livre. Il coupe un bout du cigare avec un ciseau de chirurgien, l'humecte, le caresse avec la flamme d'une allumette pour qu'il ne retienne de la salive que le sel, craque une autre allumette, attend un bon moment pour que le soufre soit tout entier consumé, allume son long cigare, et un grand sourire apparaît sur ses lèvres. Il est veuf, sans attache, absolument libre. Pourquoi se tiendrait-il en retrait de la grande marche de la science, pourquoi n'entreprendrait-il pas enfin des recherches?

La pendule indique minuit moins vingt. Il faut être à jeun pour la messe du lendemain : Bernard range sa bouteille, puis se dirige vers la fenêtre, ouvre grand les volets, et l'air frais du mois d'août pénètre dans la bibliothèque, chassant aussitôt la fumée de cigare.

Dehors, la rue est vide. On entend quelques chiens qui s'appellent de loin en loin, des chevaux insomniaques qui s'ébrouent, des chats qui se battent.

Le bonheur, la science, le cerveau. À cinquante-trois ans, Bernard retrouve son vieux rêve, absolument intact. Mais par où commencer?

2

Bernard aimait bien les dimanches. Il se transformait alors, pour une journée, en médecin de campagne et profitait de sa tournée hebdomadaire pour aller rendre visite à son amie Florence, qui habitait le village de Longue-Pointe.

Il assistait toujours à la première messe, puis s'attardait quelques instants sur le perron de l'église où il donnait quelques consultations gratuites. Il rentrait ensuite chez lui, où il mangeait de bon appétit, puis attelait sa voiture pour entreprendre son circuit du dimanche. Il empruntait la rue Notre-Dame, toujours très achalandée, s'arrêtait dans le quartier de la filature Hudon, où quelques patients attendaient sa visite, et continuait son chemin jusqu'aux dernières rues d'Hochelaga.

Lorsqu'il atteignait l'endroit où la rue Notre-Dame devenait le chemin du Roy, Bernard donnait l'ordre à son cheval de ralentir. Il prenait de grandes respirations et admirait le paysage. De chaque côté du chemin s'étendaient des terres fertiles où poussaient l'orge et le houblon. Çà et là, en bordure du fleuve, des chemins ombragés menaient à de riches maisons qu'on apercevait à peine de la route. Parfois, le chemin se rapprochait du fleuve et on pouvait voir de grands navires quitter le port.

Après avoir cheminé ainsi pendant plus d'une heure, il s'était engagé à regret dans le chemin de terre qui menait à la maison Limoilou, l'ancienne résidence d'été de George-Étienne Cartier, qui avait été rachetée quelques années plus tôt par le propriétaire d'une savonnerie. Aussitôt installé dans la maison de ses rêves, celui-ci avait fait une malheureuse chute de cheval dont il ne s'était jamais remis. Cloué au lit, il souffrait d'horribles maux de tête qui le rendaient irascible, et sa mauvaise humeur atteignait par contagion toute la maisonnée. Bien que Bernard le visitât chaque dimanche, son état ne s'améliorait pas.

Quand Bernard entrait dans une maison où l'atmosphère était lourde, il avait l'habitude de se diriger tout droit vers le patient et de prendre immédiatement sa température. Le thermomètre coupait court à ses plaintes; la montre en or qu'il sortait de la poche de sa veste pour prendre le pouls du malade produisait le même effet sur le reste de la famille.

Quinze secondes lui auraient amplement suffi pour savoir si l'homme se trouvait dans un état stable, mais il avait à dessein prolongé son geste pendant plus d'une minute. Quand toute trace d'agitation avait eu disparu, il avait sorti de sa trousse une dose de morphine qu'il avait donnée à l'épouse de son patient: verser dans un grand verre de lait, administrer trois fois par jour, quatre si le patient le demande, tout ira bien, ce sera une piastre pour la visite, plus deux piastres pour la morphine. Il avait aussi conseillé de bien ouvrir les fenêtres pour que le patient respirât du bon air frais, et d'ajouter un oreiller pour que sa tête fût relevée de quelques pouces: sa folie était lourde, peut-être pouvait-elle descendre par gravité, allez savoir.

— Il ne s'en sortira pas, n'est-ce pas?

— Je l'ignore. Je peux le soigner mais, pour ce qui est de le guérir, Dieu seul a ce pouvoir. Est-il violent?

— De plus en plus. Hier encore il voulait mettre le feu à ses vêtements.

— Dans ce cas, il faut le faire admettre à Saint-Jean-de-Dieu, il y sera bien soigné. Voulez-vous que je m'occupe des formalités? J'ai affaire à Longue-Pointe, je pourrais en profiter pour demander son admission.

— Je vous en serais bien reconnaissante, docteur.

En sortant de la maison Limoilou, Bernard s'était mordu les pouces. Pourquoi donc avait-il eu pitié de cette dame? pourquoi avait-il offert d'aller à l'asile? n'aurait-il pas pu se contenter de signer un de ces formulaires qu'il avait toujours avec lui? Il aurait été tellement simple de remplir les cases, comme il l'avait fait si souvent. Quel est le métier ou occupation du malade, et, si c'est une femme, quel est celui de son père ou de son mari? À quel degré est-il instruit? Cette attaque d'aliénation mentale est-elle la première? Quelles sont ses habitudes quant au manger, au coucher, ou à la propreté? Quels sont les membres de sa famille, y compris aïeux et cousins, qui ont été atteints de folie? A-t-il reçu quelque coup à la tête? Vingt-sept cases à remplir, et on n'avait plus à y penser: le malade se retrouvait à l'asile.

Quand son cheval s'était arrêté de lui-même devant la maison de Florence, Bernard avait encore l'esprit tout embrouillé.

Florence l'attendait sur le balcon, comme elle le faisait depuis le début de leur relation. Quatre ans déjà! Au début, il avait résisté à ses avances. «Ton état ne te servira pas à corrompre les mœurs», disait le serment d'Hippocrate. Mais elle était si belle, la Florence, et ronde et blanche comme une pleine lune... Au moment où elle avait commencé son entreprise de séduction, Bernard était veuf depuis un an et il commençait à s'inquiéter de son hygiène personnelle. Pouvait-il courir le risque de devenir sourd? Aurait-il mieux valu qu'il imitât certains de ses collègues qui soignaient à domicile des créatures de petite vertu en échange de paiements en nature? Dieu n'accorderait-il pas sa miséricorde à un pauvre pécheur quotidiennement soumis à la tentation de par l'essence même de sa vocation? Il n'avait pas été long à se convaincre que ni Dieu ni Hippocrate ne trouveraient à y redire. Mais, si Dieu et Hippocrate étaient de bien lointains personnages, le souvenir de Viviane était, lui, encore chaud dans sa mémoire. Comprendrait-elle que ce n'était après tout qu'une question d'hygiène? Aurait-elle préféré qu'il se remariât, qu'une autre femme s'installât dans sa maison, dans son lit, au vu et au su de tous?

Les scrupules de Bernard n'avaient duré qu'une semaine. Depuis, il s'arrêtait chaque dimanche chez Florence, et il en ressortait quelques heures plus tard, soulagé, ragaillardi, prêt à affronter une autre longue semaine de routine.

* * *

En sortant de chez Florence ce jour-là, il avait laissé son cheval trotter tranquillement et il s'efforçait lui-même de ne penser à rien. Il s'était mis à regarder les vastes champs qui longeaient le fleuve ainsi que l'interminable clôture de pierre qui bordait l'asile. Le seul fait de voir cette clôture lui donnait des frissons : il avait peur de l'asile et se méfiait des religieuses. Il se disait, comme Pinel, le grand aliéniste français, que le catholicisme devait être l'une des causes de la folie.

Lorsqu'il s'était arrêté devant la grille de l'entrée principale, il avait subi un choc : la longue allée bordée d'ormes et d'érables, les jardins dans lesquels s'affairaient quelques patients, tout en blanc, les deux anges qui lui avaient ouvert la grille, et, tout autour de lui, ces êtres qui, dans la plus grande innocence, s'occupaient à pousser des brouettes jusqu'à la remise, à rentrer les chevaux dans l'écurie, ou encore à transporter des seaux de lait encore chaud et mousseux de l'étable jusqu'à la cuisine, tout cela n'évoquait-il pas le paradis? Des auxiliaires angéliques et silencieux, un lieu animé mais, malgré tout, assez calme – la ville enfin réconciliée avec la campagne – un endroit sain, comme le souhaitait Pinel, où, hors de la famille et loin de la vie urbaine, les patients vêtus de vêtements propres guériraient en respirant de l'air frais! Bernard s'était frotté les yeux : comment un asile pouvait-il revêtir un caractère paradisiaque?

Il avait aperçu au loin l'édifice que les sœurs avaient fait construire en s'inspirant du Mount Hope, à Baltimore : au centre, un immense corps principal, dont le rez-de-chaussée était en pierre de taille et les quatre étages supérieurs en brique : de chaque côté, deux longues ailes conduisant à deux autres corps de logis. On aurait dit un immense oiseau de pierre qui, après s'être posé en pleine campagne, n'aurait pas eu le courage de se relever.

La cloche de la chapelle avait sonné au moment où il descendait de sa voiture. Tous les anges avaient enlevé leur chapeau pour se recueillir. Le cheval de Bernard s'était ébroué, et Bernard avait fait de même : où donc son esprit l'avait-il mené? Quatre heures! il ne fallait pas s'attarder plus longuement. Il avait pénétré dans l'édifice et s'était dirigé tout droit vers le bureau des admissions, où il avait rempli le formulaire d'internement.

Ayant eu du mal par la suite à retrouver son chemin, il avait dû errer quelque temps dans les interminables corridors de l'asile. Procure, pharmacie, bureau des médecins, partout régnait un calme surprenant. Alors qu'il cherchait toujours la sortie, il s'était retrouvé par hasard en face de la morgue. Il s'était arrêté quelques instants, comme hypnotisé. Quand une religieuse qui passait par là lui avait demandé ce qu'il cherchait, plutôt que de s'enquérir de la direction à prendre pour sortir de l'édifice, il lui avait posé une série de questions sur l'établissement : Combien y avait-il de patients? Comment étaient-ils soignés? Y avait-il beaucoup de décès? Les cadavres retournaient-ils à la famille ou les enterrait-on à l'asile? La religieuse avait répondu de son mieux, mais comme il ne semblait pas vouloir arrêter son interrogatoire, elle lui avait suggéré de rencontrer la directrice, ce qu'il avait fait aussitôt. Cette rencontre allait provoquer un deuxième coup de foudre : lui qui avait éprouvé quelques heures avant une véritable fascination pour les lieux allait maintenant être grandement ébranlé par cette rencontre avec la directrice.

* * *

Bernard est assis bien droit sur une chaise de bois dur, dans le très sobre bureau de la révérende sœur Thérèse-de-Jésus, fondatrice et supérieure de l'hôpital Saint-Jean-de-Dieu. Sœur Thérèse est minuscule. Elle a les grands yeux tristes des enfants pauvres et un visage parfaitement rond (à moins que ce ne soit son costume ou encore la toute petite bande de toile blanche qui tient lieu de cornette, ou encore le bandeau qui recouvre son front, qui donne cette impression). Ses yeux sont tellement grands qu'ils semblent couvrir la moitié de son visage.

Il est difficile d'avoir une conversation soutenue avec elle, car à peine a-t-elle commencé une phrase qu'elle est déjà interrompue par une autre religieuse, qui vient l'informer du décès d'un patient. Sœur Thérèse recommande alors d'écrire à la famille du défunt, si famille il y a, de prévenir le vicaire pour qu'il dise une messe, et surtout de ne pas oublier le formulaire gouvernemental : l'hôpital a droit à un subside de trois piastres en pareille circonstance. L'autre acquiesce d'un hochement de tête, se retire discrètement, et une seconde religieuse entre aussitôt pour demander la permission de renouveler les provisions de teinture d'iode, de verser des honoraires au vétérinaire venu inspecter les chevaux et – à voix basse – d'accorder une dispense aux sœurs désireuses de permettre aux médecins d'utiliser les clés de l'asile. «Pas question! répond aussitôt la directrice, qu'ils dénoncent la loi Ross ou alors qu'ils se passent des clés!»

Ce que racontent les journaux est donc vrai? Les religieuses font la grève pour protester contre la volonté du gouvernement de prendre en charge les asiles? Pour éviter de paraître trop s'intéresser à leur conversation, Bernard feint d'avoir l'esprit ailleurs. Il regarde les images de la Vierge, les statues de plâtre sur les classeurs en bois et surtout les magnifiques fougères qu'une religieuse, plus menue encore que sœur Thérèse, arrose avec soin. S'avisant soudainement que les traits de son visage risquent de trahir sa curiosité, il fixe ensuite les pieds de la religieuse : par quel phénomène physique réussit-elle, avec d'aussi lourdes chaussures, à marcher silencieusement sur le plancher de bois franc? et comment se fait-il que les planchers soient toujours impeccables, jamais marqués?

Non seulement sœur Thérèse doit subir les allées et venues des religieuses, mais elle doit encore se lever à tout bout de champ pour répondre aux nombreux appels qui lui sont transmis au moyen d'un cornet acoustique fixé sur le mur, près de la porte. (Une magnifique invention, avait-elle dit à Bernard au premier appel, un système tout nouveau, moderne, qui a coûté cher à l'hôpital, et grâce auquel elle était instantanément en contact avec tous les coins et recoins de l'immense édifice. Après avoir répondu à quelques appels en provenance de la procure, de la pharmacie, de la cuisine ou de l'une ou l'autre des vingt-sept salles, elle avait nuancé son jugement : une magnifique invention, mais il faudra encore du temps avant que l'on sache l'utiliser efficacement.)

Comment arrive-t-elle à suivre sans difficulté ces conversations à deux étages et à se ressaisir ensuite aussi rapidement? Bernard, qui a toujours pensé que le fil qui réunissait entre eux les pans de conversation était plus ténu et plus lâche encore que celui qui tient ensemble les morceaux de bonheur dans la vie d'un honnête homme, admire sans réserve les prodigieuses capacités du cerveau de ce petit bout de femme.

Bernard est très intimidé par sœur Thérèse. Pour déjouer ce sentiment, assez inhabituel chez un médecin, il jette sur elle, à la dérobée, un regard clinique. Si on lui enlevait son crucifix de cuivre, le chapelet de Notre-Dame-des-Sept-Douleurs qu'elle porte à la taille, la ceinture de cuir qui doit l'aider à réprimer les mauvaises inclinations, et les vingt livres de vêtements qui l'étouffent, que resterait-il d'elle? Sous la lourde robe noire qui rappelle la naissance entachée du péché originel, sous la cornette immaculée destinée à appeler sur elle les multiples grâces nécessaires pour transcender sa nature et la rapprocher de la pureté de la Vierge, Bernard imagine une coiffe en laine du pays bien rugueuse, une jupe à huit épaisseurs de plis et de longs bas blancs, car la peau des religieuses ne doit jamais être en contact direct avec le noir... (Qu'est-ce qui est plus lourd: vingt livres de vêtements ou vingt livres de symboles?) Sous les vêtements il resterait encore, malgré toutes ces tentatives de dissimulation, un corps de femme, une peau lisse et parcheminée, non pas blanche, comme on pourrait s'y attendre, mais rose, de ce rose tendre qu'on retrouve sur les plaies nouvellement cicatrisées.

— Docteur Dansereau, je n'ai que quelques instants à vous consacrer, allons droit au but. J'avoue que je comprends mal. Vous habitez une maison confortable, vous jouissez d'une excellente réputation, d'une clientèle stable. Pourquoi donc laisseriez-vous tout cela pour venir travailler dans un asile d'aliénés? Si vous étiez en début de carrière, je comprendrais peut-être – ce ne sont pas les jeunes idéalistes qui manquent – mais à votre âge? Quelle mouche vous a donc piqué?

Bernard sort brusquement de sa rêverie et reste un moment interdit. Sa décision est si récente et ses motivations si peu avouables qu'il ne trouve rien de mieux à faire que de bafouiller quelque chose de confus sur le chemin de Damas et sur le Seigneur disant de laisser venir à lui les faibles d'esprit.

— Monsieur Dansereau, telle que vous me voyez, j'ai commencé ma carrière d'administratrice en dirigeant l'accueil des Irlandais, il y a trente-six ans de cela. Ensuite, j'ai administré une institution de charité à Burlington, j'ai assisté à la débâcle d'Oregon City quand tout ce qui s'y trouvait d'âmes a abandonné la ville pour participer à la ruée vers l'or, j'ai fondé et dirigé une autre institution de charité à Valparaiso, au Chili, et puis je suis revenue dans notre cher Canada pour mettre sur pied cet asile. Dieu me pardonnera mon orgueil, mais je pense connaître très bien les hommes. Je n'ai pas de temps à perdre, docteur. Alors laissez la religion aux spécialistes, et soyez sérieux un moment, voulez-vous? Avez-vous des problèmes avec la justice?

— Non, ma sœur! Qu'est-ce qui peut vous faire croire une chose pareille?

— Combien vous rapporte votre bureau de médecin, monsieur Dansereau? Mille piastres par année? peut-être même plus? Si vous voulez vendre ce bureau pour venir finir vos jours ici, c'est que vous avez quelque chose à cacher. Êtes-vous en règle avec le collège des médecins? Avez-vous pratiqué des avortements?

— Mais non, ma sœur, je vous jure que je désire tout simplement me rendre utile, aider ces pauvres gens...

— Avez-vous déjà vu une crise d'épilepsie, docteur Dansereau? Avez-vous déjà vu des hommes tellement ravagés par l'alcool qu'ils ne se rappellent même plus leur nom? Savez-vous qu'on doit mettre des camisoles de force à certains d'entre eux si on veut éviter qu'ils passent leurs journées à se fracasser la tête sur les murs? Avez-vous déjà vu le diable en personne, monsieur Dansereau?

— Non, ma sœur, je ne crois pas l'avoir jamais rencontré. D'ailleurs je dois vous avouer que je connais très mal la folie, et ce sont les corps bien plus que les âmes que je compte soigner.

La réponse de Bernard semble avoir rassuré sœur Thérèse, qui le regarde d'un air moins méfiant. Elle sort un instant pour parlementer à voix basse avec une religieuse, répond à quelques appels du cornet acoustique, puis elle revient bientôt à la charge :

— Que pensez-vous du contrôle des asiles par le gouvernement, docteur Dansereau?

Encore quelques questions comme celle-là et c'en est fait de la décision de Bernard, qui commence à penser que la poule bouillie de madame Robinson, les tournées du dimanche et les bras de Florence ne sont peut-être pas, après tout, le pire avenir qui se puisse imaginer. Que veut-elle laisser entendre, cette fois? Le plus simple est de dire la vérité.

— J'ai lu quelques articles à ce sujet dans les journaux : si j'ai bien compris, les protestants voudraient que l'État paie pour leur asile, dont les catholiques seraient cependant exclus. Le premier ministre a refusé, à juste titre, et ils construisent maintenant leur propre hôpital, à Verdun. D'après les journaux, il semble que le débat soit clos.

— Détrompez-vous, docteur Dansereau. Les asiles continuent d'appartenir aux communautés religieuses, mais le contrôle médical est tombé aux mains du gouvernement. Il a déjà nommé un surintendant, et un Anglais par-dessus le marché! Vous vous rendez compte! Bientôt il s'occupera lui-même d'engager les médecins, ensuite il fera une autre loi pour prendre en charge les cuisines, la buanderie, et dans quelques années tout l'hôpital lui appartiendra. Vous avez lu le rapport du docteur Tuke? Un torchon. Il décrit l'asile comme une ménagerie humaine. Et savez-vous qui est ce monsieur Tuke? Un Anglais d'Angleterre, un protestant! Je les connais, ces messieurs du gouvernement, je sais comment ils procèdent : une campagne de calomnies dans les journaux, ensuite une loi, on nomme ses petits amis, et le tour est joué. Le gouvernement est une pieuvre, docteur, une pieuvre venimeuse. Quand il aura mis la main sur les hôpitaux, il s'attaquera aux manufactures, aux banques, aux écoles même! Regardez ce qui est arrivé en France, jadis fille aînée de l'Église: elle est maintenant gouvernée par des protestants, des athées, des francs-maçons, voire même des juifs! Pauvre France! Vous êtes catholique, docteur?

— Évidemment, ma sœur.

— Vous êtes donc contre la loi Ross?

— Ma sœur, je suis médecin; je ne m'occupe pas de politique. Que les asiles soient dirigés par des religieuses ou par le gouvernement ne me regarde pas. Tout ce que je désire, c'est travailler avec les aliénés. Quand vous engagez des électriciens pour installer des ampoules ou des menuisiers pour construire vos édifices, leur demandez-vous leurs opinions sur la mainmise du gouvernement sur les asiles? Je veux soigner des patients, ma sœur, je veux soigner le corps des patients. Que je sois engagé par le gouvernement ou que ce soit plutôt votre congrégation qui retienne mes services ne changera rien à mon travail.

— Bon. Vous avez peut-être raison. Mais je vous aurai prévenu: à supposer que vous persistiez dans votre décision, vous relèverez officiellement du docteur Howard. N'oubliez jamais cependant que c'est moi qui dirige, et moi seule! C'est clair? Vous travaillerez de sept heures du matin à sept heures du soir, pour un salaire de quatre cents piastres par année. Vous aurez par contre le privilège de manger gratuitement au réfectoire des médecins. Je vous accorde une semaine pour réfléchir à tout cela.

— Est-ce que je devrai aussi travailler le dimanche?

— Évidemment. Vous vous imaginez peut-être que les patients attendent au lundi pour être malades? Mais nous vous laisserons le temps d'assister aux offices ici même, ne vous inquiétez pas. Vous pourrez aussi prendre un après-midi de congé par mois, si vous y tenez absolument.

Bernard sort ébranlé du bureau de sœur Thérèse-de- Jésus. Il parcourt les longs corridors sans remarquer les religieuses qui baissent les yeux devant lui, totalement indifférent cette fois aux planchers impeccablement cirés. C'est tout à fait machinalement qu'il sort de l'édifice, détache son cheval, monte dans sa voiture et s'engage sur la route de terre qui le conduit jusqu'à la grille. Encore abasourdi, il jette tout de même un dernier regard, pendant quelques instants, à un groupe de patients qui paraissent fort occupés à faire semblant d'arracher des mauvaises herbes dans le potager. À mesure qu'il s'approche d'eux, les malades se mettent à travailler avec plus de vigueur. Il arrête sa voiture à quelques pas du potager. L'un d'eux tourne la tête vers lui et le regarde. Bernard commande à son cheval de presser le pas. Quand il sera à bonne distance du groupe, il arrêtera de nouveau sa voiture, regardera derrière : leur rythme de travail sera de nouveau très lent, quelques-uns feront semblant de remplir leurs seaux, d'autres auront complètement cessé de travailler.

Deux patients lui ouvriront lentement, très lentement, la grille et les grincements du métal pénétreront dans toutes les cellules de sa mémoire.

Dans les champs, en bordure du fleuve, de pauvres innocents, portant chapeaux de paille, travaillent aux récoltes. Les fourches se lèvent en cadence, le foin s'accumule dans une charrette qui bientôt déborde. Un charretier fouette son cheval qui se décide enfin à partir lentement, bien lentement, une autre charrette vide vient prendre sa place, les fourches se lèvent à nouveau en cadence, la charrette se remplit... Une religieuse, une seule, semble surveiller tout ce monde. (Pourquoi porte-t-elle une robe noire, par cette chaleur? Et ces vêtements, tout imbibés de sueur!...) Les patients ne parlent pas entre eux, les charretiers n'abreuvent pas leurs chevaux d'injures. Un peu plus loin, un groupe de femmes lavent le linge dans l'eau du fleuve. Un lourd silence, à peine troublé par les cris des corneilles, enveloppe la scène.

Allez, vieux cheval, dépasse vite cette interminable clôture de pierre, emmène-moi loin de cet enfer. Cet enfer? Qu'est-ce qui se passe, Bernard, croyais-tu sérieusement trouver le paradis à l'asile? Ressaisis-toi, mon vieux Bernard, et analyse les choses froidement. Tu aurais voulu qu'on t'accueille comme un sauveur, toi qui ne sais même pas ce que tu veux sauver? Et si elle avait raison, la sœur Thérèse... si tu n'étais qu'un vieil idéaliste, si ta décision de venir travailler à l'asile n'était qu'une lubie de vieux fou, une toquade de riche en mal de battre sa coulpe? Qu'est-ce que c'est que cette idée de quérir le bonheur là où il existe le moins?

* * *

Ce soir-là, il s'était enfermé dans sa bibliothèque et, tout en buvant quelques verres de brandy, s'était remis à s'interroger: comment avait-il pu tomber sous le charme d'un site et de ses bâtiments? comment expliquer qu'il ait pris de pauvres aliénés pour des anges? N'aurait-il pas été plus sensé de les considérer comme des prisonniers?

Soyons raisonnables, Bernard. Les fous sont prisonniers de leur folie bien plus que des murs de l'asile. Comment pourrait-on vraisemblablement ne pas les interner? Seraient-ils plus heureux si on les laissait courir les rues? Tout de même! Nous sommes dans un pays civilisé. Et puis les murs mêmes de l'asile, en isolant les patients du reste du monde, ne sont-ils pas un remède contre la folie? On force les aliénés à travailler dans les champs, c'est vrai, mais n'est-ce pas plus sain que de les enfermer dans des loges, comme on le faisait encore il n'y a pas si longtemps? Et n'est-ce pas un miracle que des religieuses, ces petits bouts de femmes apparemment sans grande énergie, aient pu faire construire ce magnifique édifice moderne et s'occuper de mille patients, les nourrir, les loger, les vêtir, sans rien demander en retour? Pourquoi as-tu une dent contre les religieuses, Bernard? Est-ce que leurs prières t'empêchent de vivre, est-ce que, tout compte fait, leurs activités n'apportent pas plus de bien que de mal à l'humanité? La raison voudrait que les asiles soient gérés par le gouvernement, c'est vrai, mais tout n'est pas possible maintenant.

Mille patients. Pour chacun de ces patients, pense-t-il, en se remémorant chaque mot qu'avait utilisé sœur Thérèse, le gouvernement verse aux religieuses la somme dérisoire de cent piastres par année. Et avec un budget de cent mille piastres, elles ont réussi à construire leur asile, des étables, des écuries, des fabriques de chandelles, de sommiers, de matelas, de brosses, de balais, d'ustensiles, de vêtements, elles cultivent leurs fruits, leurs légumes, leur tabac. En moins de vingt ans, elles ont créé une municipalité autosuffisante, qui exporte même ses surplus et entretient des relations diplomatiques avec les autres asiles d'Europe et des États-Unis. Imagine un peu ce qu'il en coûterait au gouvernement pour prendre en charge cet hôpital. Le budget total du département de la Santé n'y suffirait pas. Et les religieuses contrôlent encore l'Institut des sourds-muets, le Quebec Lunatic Asylum, l'Hôtel-Dieu, les couvents, les écoles... En finirait-on avec la religion que les sœurs seraient encore là, par nécessité sociale. Alors?

Alors il ne reste plus dans l'esprit de Bernard que l'image d'un magnifique édifice, et la vision des mille patients. Mille fous, mille cerveaux de fous. Quel extraordinaire laboratoire. Découvrirait-il les traces des idées, des émotions, des sentiments? L'esprit produit-il des idées sur le modèle des machines qui produisent de l'énergie? Ne serait-il pas plutôt de nature chimique, et ne pourrait-on pas comparer les idées à des gaz volatils? À moins qu'il ne soit un élément physique, les idées pouvant alors être associées au courant électrique que produit le frottement des atomes? Et Florence qui habite tout près. Il suffirait de vendre la maison...

C'était décidé. Après une longue période de latence, Bernard reprendrait ses recherches là où il les avait abandonnées trente ans plus tôt. En s'offrant la plus belle collection de cerveaux qui se puisse imaginer, il reprendrait son rang dans la grande armée de la science triomphante.

3

En ce premier dimanche de septembre, Florence s'est levée avec le soleil pour assister à la première messe. Aussitôt rentrée à la maison, elle s'emploie à faire le ménage, passant quatre fois le chiffon sur le même guéridon, balayant son balcon chaque fois qu'une feuille y tombe, et fait brûler des bâtons de cannelle pour embaumer la cuisine. À midi, elle mange sans appétit un reste de pot-au-feu, puis va se bercer sur le balcon. Comme elle n'a rien d'autre à faire, elle songe, tout en attendant Bernard, au caractère singulier de leur association, qui ne peut encore porter le nom de couple et ne le portera sans doute jamais...

Florence ne se fait pas d'illusions: jamais ils n'ont échangé le moindre mot d'amour, pas même l'une de ces confidences intimes qu'on fait sans y penser dans les moments d'égarement, alors que tout est permis, et qu'on oublie sitôt les débordements terminés. Elle sait fort bien que si Bernard s'est pris d'affection pour elle, c'est qu'il était seul, qu'il ne voulait pas se remarier, et elle n'ignore pas que les hommes sont ainsi faits qu'ils ont besoin de ce curieux exercice qu'ils doivent pratiquer chaque dimanche pour maintenir leur estime d'eux-mêmes. Elle sait tout cela mais ne lui en tient pas rigueur. Comment le pourrait-elle alors qu'elle-même s'est attachée à lui pour des raisons identiques – à peu de choses près?

* * *

À seize ans, Florence, qui était née dans une ferme de Pointe-aux-Trembles, avait été mariée à René Martineau, un fermier de Longue-Pointe. Ses parents lui avaient évidemment demandé son avis avant de publier les bans, mais elle avait bien senti que ses désirs pesaient beaucoup moins lourd à leurs yeux que les quelques acres de bonne terre noire dont son fiancé disposait en bordure du fleuve. Elle avait accepté avec plus de résignation que d'enthousiasme, mais n'avait jamais eu à le regretter: si René Martineau n'était pas très futé, c'était par contre un bon diable, vigoureux, travailleur, et sobre. Même si la ferme lui appartenait en propre, il avait toujours demandé l'avis de Florence avant d'entreprendre quoi que ce soit, si bien que, après quelques années de vie commune, elle se considérait comme la partenaire de son mari plutôt que comme sa servante. Pendant les trente ans qu'avait duré leur union, les sentiments de Florence n'avaient pas changé: elle n'était pas follement amoureuse de René, mais elle avait développé pour lui une solide estime, mêlée peut-être, à certains moments, d'un brin de condescendance.

Après dix ans de mariage, n'ayant toujours pas d'enfants, elle était allée consulter le docteur Dansereau pour lui demander conseil. C'était la première fois qu'elle consultait Bernard, dont on disait beaucoup de bien dans le village. Au premier regard, elle avait su qu'elle pouvait avoir confiance en cet homme visiblement sage, très savant et en bonne santé.

Il lui avait posé, avec beaucoup de tact, quelques questions sur leur manière de procéder, puis, satisfait de ses réponses, lui avait prescrit une poudre jaune qu'elle devait diluer dans un verre d'eau et boire le soir, immédiatement avant de se mettre au lit. Quelques mois plus tard, comme le traitement n'avait pas eu d'effet, il avait remplacé cette poudre par une autre, de couleur verte cette fois et de très mauvais goût, qui devait encore être diluée dans de l'eau. Ce dernier traitement n'ayant pas eu plus de succès que le précédent, elle s'était résignée à subir un examen complet qui avait eu lieu chez elle, en présence de son mari. À la fin de l'examen, Bernard, après s'être longuement lavé les mains dans une bassine, avait prononcé son verdict: «Madame, vos trompes de Fallope sont obstruées, ce qui empêche toute nidification. Il n'y a malheureusement rien à faire. Je compatis à votre douleur.» Devant un diagnostic énoncé avec autant d'assurance, elle n'avait eu qu'à s'incliner – comme l'avaient fait plusieurs clientes du docteur Dansereau, cette année-là.

Le lendemain de la visite du docteur, Florence, prétextant qu'ils ne pourraient de toute manière jamais avoir d'enfants, avait parlé franchement à son mari: il était désormais inutile qu'ils continuent à remplir ce devoir conjugal que lui-même avait jusque-là tenu à accomplir avec zèle. À la grande surprise de Florence, René avait accepté sans discussion.

Cette décision avait eu un effet bénéfique sur René. Cherchant à canaliser ailleurs ses énergies, il s'était lancé corps et âme dans le travail. Non seulement il cultivait le blé et l'avoine, mais il avait entrepris d'élever des porcs et des moutons, qu'il allait vendre aux religieuses de Saint-

Jean-de-Dieu, de s'occuper de l'entretien et du déneigement d'une grande section du chemin du Roy et d'exercer le difficile commerce de la glace : l'hiver, il se levait avant l'aube pour aller tailler à la scie de gros blocs dans la couche de glace qui recouvrait le fleuve, les entreposait dans sa grange, sous une épaisse nappe de bran de scie; l'été venu, il parcourait les rues de Montréal pour les vendre aux ménagères, qui les utilisaient pour leurs glacières. Comme si toutes ces activités ne suffisaient pas, il s'était aussi occupé de la réfection du toit de l'église et avait accepté un poste de marguillier.

Florence n'avait pas le temps de s'ennuyer. Non seulement elle assistait son mari dans toutes ses tâches, mais encore elle s'occupait de la maison avec beaucoup d'entrain. Douée pour la décoration, elle passait ses longues journées d'hiver à faire et à refaire l'aménagement de chacune des pièces, occupant ses temps morts à exécuter divers travaux de couture. Sa réputation de couturière avait vite fait le tour du village, si bien que le curé était venu lui demander d'entretenir ses vêtements sacerdotaux. Satisfait de ses services, il avait recommandé Florence à ses collègues; certains d'entre eux se déplaçaient même de fort loin, parfois de Terrebonne ou de Vaucluse, pour lui apporter soutanes, surplis et chasubles. L'été, elle s'occupait des animaux et du potager et, en plus, elle entretenait autour de sa maison de magnifiques plates-bandes garnies de géraniums, de bégonias et de jacinthes. Ses fleurs étaient si belles que les gens qui passaient en voiture sur le chemin du Roy s'arrêtaient pour les admirer, ce qui la comblait d'aise.

Un jour, au lendemain de la Pentecôte, une bosse, pas plus grosse qu'un grain de maïs, était apparue sur le cou de son mari. Comme cette excroissance ne le faisait pas souffrir, René l'avait endurée pendant toute une année. La bosse avait presque deux pouces de diamètre quand il s'était finalement décidé à aller consulter le docteur Dansereau. Bernard la lui avait extraite à son bureau, et lui avait dit de ne pas s'inquiéter: ce n'était qu'un fibrome inoffensif, il n'aurait qu'à frotter la plaie avec un onguent verdâtre pour éviter tout risque de récidive.

Deux mois plus tard, René avait commencé à maigrir. Lui qui mangeait toujours de bon appétit s'était mis soudainement à éprouver du dégoût pour la viande, et il avait même cessé de fumer la pipe. Quand il se levait le matin, il se plaignait d'être aussi fatigué que la veille, malgré les toniques que lui avait prescrits Bernard. À Noël il n'allait plus se relever. Pendant d'interminables mois, Florence l'avait veillé jour et nuit. Le docteur Dansereau lui apportait chaque semaine des doses de morphine, de plus en plus fortes, jusqu'à ce qu'il s'éteignît finalement, deux ans plus tard. Les deux dernières années de vie de son mari ayant été des plus pénibles, Florence n'avait pas vraiment été chagrinée de son départ; cela avait été pour elle un grand soulagement.

Tout ce que le village comptait de fermiers était venu la trouver le lendemain de l'enterrement pour lui proposer d'acheter sa maison et ses terres. Elle avait refusé sèchement, leur faisant savoir qu'elle comptait demeurer chez elle aussi longtemps qu'elle vivrait. Pendant toute la période où elle avait porté le deuil, elle avait tenté de s'occuper seule de la ferme, et y avait réussi tant bien que mal. Au début, certains de ses voisins étaient venus lui donner un coup de main pour les travaux les plus difficiles, mais Florence avait fini par refuser toutes ces propositions, les jugeant bassement intéressées.

Ses vêtements noirs avaient à peine été rangés que les propositions d'achat s'étaient transformées soudainement en propositions de mariage, lesquelles, d'ailleurs, avaient toutes été rejetées. Florence ne voyait pas pourquoi elle aurait donné ce qu'elle s'était toujours refusée à vendre.

Un an après le décès de son mari, elle avait dû se rendre à l'évidence qu'il lui serait impossible de continuer toutes ses activités et avait réorganisé sa vie en conséquence. Elle avait d'abord abandonné l'élevage des porcs et des moutons; sœur Thérèse étant une dure négociatrice, le prix qu'elle lui avait offert ne lui avait laissé qu'un profit ridicule, sans commune mesure avec les efforts déployés. Ensuite, elle avait vendu quelques terres, en bordure du fleuve, à de riches propriétaires d'usines cette fois, qui voulaient y construire des chalets et qui lui avaient offert un bien meilleur prix que les religieuses. La charrette qui servait au commerce de la glace avait été cédée à un épicier qui voulait procurer du travail à son fils, et le reste des terres avait été offert en location, ce qui lui avait assuré quelques revenus qui, ajoutés à ceux qui lui provenaient de ses travaux de couture, avaient été suffisants pour vivre à l'abri du besoin.

Une fois que ses terres avaient été vendues ou louées et qu'elle s'était retrouvée seule dans sa vaste maison vide, où elle passait ses grandes journées à coudre, elle s'était mise à s'ennuyer de René; sa présence silencieuse, la chaleur qu'il laissait dans le lit quand il se levait avant elle pour aller couper la glace sur le fleuve et l'odeur de sa pipe, le soir, lui manquaient tout à coup.

Les prétendants ne manquaient pas cependant; Florence avait même accepté la compagnie de certains d'entre eux, sur la galerie, les soirs d'été. Ceux qui étaient mariés lui apportaient chaque semaine de petits cadeaux, dans l'espoir qu'elle leur accorderait ce que leur épouse leur refusait sans doute. Si elle acceptait ces gâteries avec plaisir, elle congédiait rapidement ses prétendants dès qu'ils réclamaient ce qui leur semblait dû. Comment osaient-ils imaginer qu'une statuette grossièrement sculptée dans du bois mou, quelques chapelets ou rubans achetés à la ville eussent pu leur ouvrir les portes de son domaine secret? Ces hommes frustrés avaient rapidement fait une mauvaise réputation à Florence. Partout dans le village, ils avaient raconté qu'elle se donnait au premier venu pour quelques sous, parfois même pour rien. Ces rumeurs non seulement l'isolaient de la communauté féminine, mais lui avaient causé de nombreux problèmes: les hommes, qui ne comprenaient pas pourquoi elle se refusait à eux alors qu'elle se donnait prétendument à tous, risquaient à tout moment de devenir violents.

Pour couper court à cette situation dangereuse, Florence avait accepté pendant quelque temps de se laisser courtiser par André Saint-Cyr, le boucher du village. Veuf depuis peu, André était l'homme le plus costaud de toute la pointe est de l'île, et celui aussi que l'on craignait le plus. Il avait trois fils aussi forts que lui; on faisait quelquefois appel à leurs services quand certains clients menaçaient de faire du grabuge dans les hôtels des environs. Ces vigoureuses interventions de la famille Saint-Cyr demeuraient cependant assez rares. Les propriétaires d'hôtels finissaient par remplacer les portes, les fenêtres et une bonne partie du mobilier de leur établissement, et ils avaient généralement la paix pendant une bonne dizaine d'années.

La fréquentation d'André Saint-Cyr avait été profitable à Florence, du moins à court terme. Placée sous sa protection, elle n'avait plus rien eu à craindre de ses prétendants frustrés. Mais, quelques mois plus tard, elle s'en était mordu les pouces. André multipliait ses demandes en mariage, mais Florence n'avait jamais éprouvé la moindre envie de l'épouser. Ne sachant comment se tirer de ce mauvais pas, et craignant à juste titre de provoquer la colère d'André en repoussant de façon trop cavalière ses demandes répétées, elle n'avait pu trouver mieux que de reporter sans cesse cette difficile décision.

La patience d'André était sur le point d'atteindre son terme quand Florence, assise sur son balcon un dimanche après-midi du mois d'août et cherchant désespérément à trouver une solution à son problème, avait vu passer Bernard. Elle l'avait invité à entrer chez elle et, bien qu'elle eût été en parfaite santé, lui avait demandé de lui faire subir un examen général, prétextant quelque fatigue et une vague douleur au ventre. Bernard s'était exécuté, et n'avait évidemment rien trouvé d'anormal. Il lui avait tout de même offert une petite fiole d'un tonique fortifiant, un liquide verdâtre et malodorant qu'elle lui avait acheté avec plaisir. Sur le balcon, elle lui avait demandé, mine de rien, s'il connaissait quelque maladie effroyable, qu'on eût pu invoquer pour rompre des fiançailles, par exemple.

Surpris par la question, Bernard, après avoir réfléchi quelques instants, avait néanmoins mentionné rapidement les cas de la phtisie, de la leucémie, du cancer, ajoutant qu'ils étaient plus tragiques que terrifiants. Il avait ensuite évoqué la syphilis, la chancrelle et la blennorragie : une jeune femme victime d'une de ces maladies honteuses n'eût certainement pu aspirer à se marier. Mais les maladies qui s'attaquaient au cerveau et à l'âme – épilepsie, tumeur cérébrale, folie sous toutes ses formes, et l'hystérie, maladie plus vague et typiquement féminine... – étaient à son avis bien pires encore.

Florence avait interrompu Bernard : comment reconnaissait-on une femme hystérique? C'était difficile, avait-il répondu : au premier abord, elle paraissait parfaitement normale. Par l'examen des organes génitaux, un médecin pouvait cependant déceler des malformations susceptibles de causer un dérèglement de l'organisme qui, tôt ou tard, attaquerait le cerveau. Les femmes hystériques avaient souvent un comportement infantile, et faisaient habituellement subir à leur entourage un véritable calvaire. Selon lui, l'hystérie était à l'origine de la méchanceté, du moins chez la femme. Ayant obtenu ce qu'elle voulait, Florence avait remercié Bernard, avec un peu plus de chaleur qu'il n'eût été convenable de manifester dans ces circonstances.

Bernard venait à peine de sortir qu'André avait rappliqué. Florence, qui s'était longuement frotté les yeux avec les poings afin de bien les rougir, lui avait aussitôt raconté que si elle avait reporté si souvent sa décision de l'épouser, c'était qu'elle craignait de souffrir d'une étrange maladie. Le docteur Dansereau venait d'ailleurs tout juste de confirmer ses craintes : il la croyait atteinte d'hystérie. Heureusement, il lui avait prescrit un tonique qui la guérirait à coup sûr, avait-elle ajouté, en montrant à André la petite fiole que Bernard lui avait demandé de respirer au besoin. Rien qu'à l'odeur, on pouvait être sûr que ce médicament serait efficace; plus rien, désormais, ne s'opposerait donc à leur mariage.

En humant le liquide, André avait fait la grimace, puis il avait déclaré qu'il vaudrait peut-être mieux attendre qu'elle fût complètement guérie avant de rencontrer monsieur le curé; rien ne pressait, elle devrait bien se soigner, il devait partir immédiatement mais il reviendrait sûrement la voir la semaine suivante. Tout de suite après le départ de son prétendant, Florence s'était empressée de jeter le tonique dans le ruisseau.

Le samedi suivant, André n'était pas revenu. Il avait délégué un de ses fils pour lui annoncer qu'il désirait prendre un peu de recul afin de mieux évaluer tous les tenants et aboutissants de l'importante décision qu'il devait prendre et que sa réflexion se poursuivrait sans doute pendant quelques mois, voire même une année. Pour qu'elle ne l'oubliât point, il la priait de bien vouloir accepter le cadeau que son fils lui apportait : une magnifique pointe de surlonge, provenant d'un quartier de bœuf qu'il s'était empressé de débiter pour elle aussitôt l'animal abattu. Florence avait accepté ce présent et avait invité le fils à entrer prendre un verre de vin; il avait bredouillé une excuse invraisemblable, avait rapidement enfourché son cheval et l'avait fouetté avec tant de force que la pauvre bête avait henni de douleur et s'était enfuie les quatre fers en l'air.

Quand Bernard s'était arrêté pour prendre de ses nouvelles, quelques heures plus tard, comme elle était assise sur le balcon à savourer son immense soulagement, elle l'avait accueilli avec beaucoup d'enthousiasme. Ne l'avait-il pas sauvée, involontairement? Elle allait merveilleusement bien, le tonique qu'il lui avait prescrit l'avait complètement guérie, boirait-il un verre de vin? Bernard avait accepté, ils avaient bu un verre, et un autre, puis il lui avait suggéré de procéder, par mesure de prudence, à un autre examen complet, en précisant que certains exercices pouvaient aussi avoir un excellent effet tonique, qu'ils étaient même nécessaires, autant aux hommes qu'aux femmes, pour l'hygiène générale de l'esprit...

La proposition de Bernard était à mille lieues de ses préoccupations, mais elle en avait été tellement étonnée qu'elle n'avait su que dire. En un éclair, elle avait revu tous les signaux qu'elle lui avait inconsciemment envoyés depuis deux semaines. Elle se sentait coupable d'avoir agi sans discernement, c'était sa faute, uniquement sa faute, c'est elle qui avait éveillé le désir chez cet homme. Elle n'avait pas eu le temps de poursuivre plus loin sa réflexion car Bernard, ayant déjà interprété son silence comme un acquiescement, s'était promptement dirigé vers elle. Florence, qui ne s'était pas laissé prendre par un homme depuis plus d'un quart de siècle, n'avait pas eu le cœur de le repousser et lui avait ouvert ses bras.

Quand il l'avait eu quittée, elle était restée longtemps dans son lit. Elle n'avait pas été transportée au septième ciel, loin s'en faut, mais, à sa grande surprise, la douleur qu'elle avait ressentie n'avait pas été trop vive. Quelques heures après le départ du docteur, les draps étaient encore chauds, et son esprit bien embrouillé.

Le lendemain, à travers la grille du confessionnal, elle avait confié au curé, sans cependant entrer dans les détails, qu'il lui arrivait parfois d'avoir des pensées impures. Le curé n'avait nullement besoin de tout savoir, et le Bon Dieu était assez intelligent pour comprendre à mi-mots. Ayant fait pénitence avec ferveur, elle s'était sentie ensuite tout à fait en accord avec sa conscience, et prête à recommencer. Mais Bernard reviendrait-il?

Le dimanche suivant, il était bel et bien revenu, exactement à la même heure, comme il le ferait chaque dimanche, presque sans exception, pendant quatre ans. Jamais il n'était question de mariage ni de ses terres ou de sa maison. Il arrivait vers deux heures, prenait un verre de vin, et ils allaient dans la chambre où Florence subissait, semaine après semaine, un «examen général». Bernard semblait très satisfait de ses découvertes, et Florence ne se plaignait pas.

Après son «examen», Bernard sommeillait quelques instants, puis se mettait à parler. À part monsieur le curé, qui parlait beaucoup pour ne rien dire et semblait ne pas avoir le moindre souci de se faire comprendre, Florence n'avait jamais rencontré un homme qui parlât autant, et de choses aussi surprenantes. Au début de leur relation, il avait passé des heures à lui expliquer que le système économique dans lequel ils vivaient était profondément injuste et qu'il serait bientôt remplacé par un autre système, basé non pas sur le profit, mais sur la Justice et la Raison; quand la Science, parvenue à sa maturité, aurait trouvé des moyens pour mécaniser entièrement les travaux agricoles et les usines, le travail salarié ne serait plus nécessaire, et chacun, les femmes autant que les hommes, pourrait vivre dans l'abondance. Il lui avait décrit patiemment tous les obstacles que l'humanité aurait à surmonter avant d'atteindre cet idéal, l'assurant qu'aucun d'eux – il en était profondément convaincu – ne serait infranchissable.

Souvent, quelques jours après sa visite, Florence tentait de se rappeler et de se répéter pour elle-même les merveilleux raisonnements de Bernard, mais elle n'y arrivait que très rarement. Comme si les arguments qui paraissaient si lumineux, si évidents quand ils sortaient de la bouche de Bernard, sonnaient toujours faux dans la sienne. C'était peut-être parce qu'il était médecin qu'il connaissait autant de mots rares, et qu'il savait si bien les agencer.

Il lui avait expliqué, au cours des semaines qui avaient suivi, que, si la médecine continuait à progresser au rythme où elle l'avait fait depuis quelques années, les maladies qui nous apparaissaient si terribles aujourd'hui seraient dans quelques années aussi bénignes que des rhumes, les femmes pourraient avoir des enfants quand elles le voudraient, et la souffrance disparaîtrait totalement. Florence l'écoutait chaque fois en rêvant, et elle continuait à rêver toute la semaine. D'un mois à l'autre, Florence avait l'impression de vivre une relation intime avec une encyclopédie. Bernard avait une telle façon d'expliquer les choses qu'il donnait à l'autre, l'espace de quelques instants, l'impression d'être prodigieusement intelligent; cette impression amplifiait d'autant plus l'envie de recommencer qu'elle était fugace.

Un jour, cependant, Bernard lui avait affirmé qu'il était parfaitement raisonnable, d'un point de vue scientifique, de penser que Dieu n'existe pas. À partir de ce moment elle avait commencé à ne plus le croire sur parole, tout en continuant à l'écouter avec intérêt, et parfois avec tendresse, comme on écoute un petit garçon raconter des exploits imaginaires. Étendue sur le lit, à ses côtés, elle avait l'impression de voyager dans le temps, de partager ses rêves. Ses belles phrases n'auraient-elles été que des chimères qui ne lui auraient servi, au fond, qu'à voiler ses véritables pensées? Et alors? Les êtres humains étaient-ils si différents les uns des autres qu'il eût valu la peine de passer des heures à essayer d'isoler ce qui les distinguait de leurs semblables? Rêve, mon petit bonhomme, mon immense petit bonhomme, rêve encore à voix haute, se disait Florence, du moment que tu me parles, tu peux bien dire n'importe quoi.

Bernard avait toutefois commencé à l'inquiéter lorsqu'il avait décidé de vendre son bureau pour aller travailler dans un hôpital de fous. Pourquoi parlait-il avec tant d'admiration de cette sœur Thérèse, celle-là même qui lui avait offert une somme ridicule pour ses terres? Florence avait-elle eu raison de le laisser venir s'installer chez elle, dans sa maison? Bien sûr... Il aurait sa propre chambre, à l'étage, il lui paierait un loyer de cinq piastres par mois – les apparences seraient sauves – et rien ne serait changé entre eux, s'était-il acharné à lui répéter. Rien? vraiment rien? Il serait là chaque jour, il descendrait dans sa chambre, à elle, quand il le voudrait, et il pensait qu'elle allait croire que rien ne serait changé!

Au cours des quatre années qu'elle avait passées à attendre Bernard, espérant le voir chaque dimanche que le Bon Dieu donnait, elle avait fini par découvrir combien cette attente justement jouait un rôle important dans sa vie. Quand elle repensait à René, elle ne s'attardait guère à ses conversations, franchement insignifiantes, ni à la chaleur qu'il laissait dans le lit, ni à quelque trait de son visage. Ce qu'elle appréciait dans cette relation, c'était qu'il avait toujours beaucoup travaillé et que, par conséquent, elle avait pu passer de longues journées à l'attendre. Il était agréable de se bercer sur le balcon en attendant quelqu'un; l'activité pouvait devenir franchement ennuyeuse toutefois quand on était vraiment seul. Il en était de même pour les repas à préparer et pour toutes ces petites choses qui faisaient que le mariage était préférable au célibat. Si elle s'était attachée aussi facilement à Bernard, est-ce que ce n'était pas justement parce que leur relation lui permettait de l'attendre toute la semaine?

Quand il était venu, la veille, prendre possession de sa chambre, il avait pendu ses vêtements dans la garde-robe, rangé ses chaussures sous le lit, ses livres sur la commode, mais Florence n'avait pas eu l'impression qu'il s'installait pour de bon. Il avait plutôt agi comme un voyageur qui s'apprête à passer quelques jours à l'hôtel: le toit ne coule pas, le lit est confortable, tout va bien. Dès que ses valises avaient été vidées, il avait demandé à voir la grange dans laquelle René entreposait la glace et il s'était mis à poser des questions bizarres: Combien de temps la glace se conservait-elle sous le bran de scie? Pourrait-on installer un système de chauffage dans une partie de la grange pour qu'il pût y mener des expériences, les soirs d'hiver? Avait-elle de bonnes provisions de bocaux de verre? Écouter un petit garçon parler de la machine volante qu'il rêve de construire est tout ce qu'il y a de plus agréable, se disait Florence, mais le voir sortir des planches et un marteau du hangar pour se mettre vraiment à la tâche est plus inquiétant. Qu'avait-il en tête?

* * *

Florence cesse soudainement de se bercer: elle vient d'apercevoir au loin la voiture de Bernard, et elle ne veut pas qu'il la surprenne en flagrant délit d'inactivité. Quand le cheval s'immobilise à côté de la galerie, elle fait mine d'arracher quelques mauvaises herbes autour des bégonias. Qu'a-t-il encore rapporté? Il décharge de sa voiture quelques petites valises rigides, qu'il manipule avec infiniment de précautions, et va les porter directement dans la grange, où il s'enferme, une fois le transbordement terminé. Elle l'entend cogner, scier et jurer.

À six heures, il est encore occupé à bricoler. Le repas étant prêt, Florence a un excellent prétexte pour aller y voir de plus près. Elle entre dans la grange au moment où Bernard vient à peine de terminer ses installations. Fier comme un paon, il exhibe ses étagères, feignant d'ignorer que les planches sont loin d'être parallèles, ainsi que son plan de travail, dont l'inclinaison est assez accentuée; à peine y a-t-il déposé un tournevis que celui-ci roule et tombe par terre...

— Qu'est-ce que tu en penses?

— C'est bien, mais pourquoi n'as-tu pas utilisé une équerre et un niveau?

— Inutile: j'ai l'œil.

— Bon. Si tu veux venir manger, c'est prêt.

Bernard mange de bon appétit, de très bon appétit même. Entre chaque bouchée, il multiplie les compliments: il y a longtemps qu'il n'a si bien mangé, c'est délicieux, tout à fait délicieux. Une soupe aux légumes, un petit rôti de porc aux échalotes, des légumes du jardin, ce n'est rien d'extraordinaire, pourtant, se dit Florence. Bernard semble sincère; elle en est toute contente. Il n'arrive pas à la cheville de René pour le bricolage, mais qu'importe! du moment qu'il n'est pas avare de bonnes paroles. Son dessert à peine avalé, il se lève et annonce qu'il a encore à faire dans la grange. Au moment où elle finira la vaisselle, elle l'entendra encore cogner, scier et jurer. Elle ira ensuite s'installer sur le balcon pour terminer des travaux de couture qui l'occuperont jusqu'au coucher du soleil.

L'horloge sonne dix heures, et Bernard est toujours dans la grange. Va-t-il y passer la nuit? Elle fait sa toilette et se met au lit. Incapable de s'endormir, elle attend jusqu'à onze heures. Elle entend finalement gémir la porte de la grange. Il entre dans la maison, monte à sa chambre, laisse tomber lourdement l'un de ses souliers sur le sol, puis l'autre, le sommier grince, le plancher craque, puis plus rien, rien d'autre que le tic tac de l'horloge, les chiens qui aboient à la pleine lune et les oiseaux de nuit qui se racontent leurs exploits de chasse. Florence, à demi rassurée, peut enfin s'endormir.

4

Le lundi matin, Bernard se présente au bureau de sœur Thérèse à sept heures précises. Dans la salle d'attente, cinq hommes plutôt costauds sont assis sur des chaises droites. Visiblement mal à l'aise dans leur costume du dimanche, ils gardent la tête basse et passent le temps en faisant tourner leur chapeau entre leurs doigts ou en se nettoyant discrètement les ongles, tels des enfants qu'on aurait convoqués au bureau d'un directeur d'école. À une religieuse, occupée à écrire à la plume dans un immense registre, Bernard demande:

— Serait-il possible de parler à sœur Thérèse?

— C'est au sujet du contrat de mazout?

— Non, je suis médecin.

— Dans ce cas, j'ai bien peur que sœur Thérèse ne puisse vous recevoir. Après avoir vu ces messieurs, elle doit signer les autorisations d'admission et les décharges, faire son courrier et accueillir des visiteurs de Baltimore.

— Cet après-midi, alors?

— Impossible: elle compte passer le reste de la journée à discuter avec des architectes de la construction d'une nouvelle buanderie. Je tiens à vous signaler que vous ne pourrez pas non plus lui parler demain, ni après-demain, car elle vient tout juste de m'annoncer qu'elle devait partir pour Québec. Mais peut-être puis-je vous aider?

— C'est que je dois commencer à travailler aujourd'hui...

— Vous êtes le docteur Dansereau? Sœur Thérèse m'a chargée de vous dire de vous adresser au docteur Howard, le surintendant médical. Vous tournez à gauche, descendez l'escalier jusqu'au sous-sol et suivez les tuyaux d'eau chaude. C'est au bout du corridor.

— Merci, ma sœur.

Au moment de quitter le bureau pour s'aventurer dans l'immense édifice, Bernard voit un soumissionnaire sortir de chez sœur Thérèse, l'air piteux.

— Vous devriez avoir honte, monsieur! dit la directrice. Je prierai le Seigneur de veiller sur votre santé. Je souhaite surtout que ni vous ni aucun autre membre de votre famille n'ayez jamais à être internés chez nous. Au suivant!

Tourner à gauche, descendre l'escalier... Pourquoi la religieuse a-t-elle souri du coin des lèvres quand elle lui a indiqué le chemin? Suivre les tuyaux d'eau chaude. Mais comment les distinguer de ceux dans lesquels passe l'eau froide? Le plafond est si bas que Bernard n'a qu'à les toucher du bout des doigts pour être fixé; il suit les tuyaux pendant de longues minutes avant d'arriver à l'extrémité du corridor. Une porte basse, un petit écriteau, rédigé à la main: *Docteur Howard, surintendant médical.* Si c'est là le bureau du surintendant, songe Bernard, où donc doivent loger les patients! Il frappe à la porte, une voix lasse lui dit d'entrer.

Le docteur Howard a le cheveu rare mais, comme par compensation de la nature, sa barbe est si longue et si fournie qu'elle recouvre entièrement l'échancrure de son veston croisé; la moustache forte, les yeux clairs, le ventre rond, la poignée de main ferme – cet homme, se dit immédiatement Bernard, mérite mon estime. Mais pourquoi est-il enfermé dans ce placard sans fenêtre que l'on ne saurait même utiliser comme cellule?

— Vous m'excuserez de ne pouvoir vous offrir de chaise, docteur Dansereau. J'ai dû attendre deux mois avant qu'on m'accorde ce bureau; quant au reste du mobilier, on m'a assuré que je l'aurais d'ici un an. Si je reste ici encore un siècle, on m'accordera peut-être le droit de recevoir un patient. Je devine vos questions: oui, je suis bien le surintendant médical, le grand patron, du moins en théorie. Mon tort est d'avoir été nommé par le gouvernement. Les religieuses ont reçu l'ordre de ne pas m'adresser la parole; elles refusent donc de me donner les clés de la pharmacie et m'interdisent l'accès aux salles et aux chambres des aliénés. Tant qu'elles continueront leur grève, je serai condamné à passer mes journées ici. Si je m'entête, elles finiront peut-être par céder.

— Mais soigne-t-on les patients?

— Bien sûr que oui. La grève du silence ne s'applique qu'aux médecins nommés par le gouvernement. Les autres, ceux que sœur Thérèse a engagés, peuvent travailler en paix, et ils travaillent plutôt bien, je dois dire. Les salles d'hydrothérapie sont très bien équipées, vous verrez. Si vous voulez un conseil, ne vous prononcez jamais sur l'intervention du gouvernement dans la gestion des asiles, ne dites rien qui puisse suggérer que vous avez des idées libérales et, surtout, ne parlez jamais contre sœur Thérèse. Cette femme sait tout ce qui se passe dans l'hôpital avant même que la moindre chose ne se produise. Si elle vous a envoyé ici, c'est uniquement pour vous mettre en garde contre ce qui pourrait vous arriver si vous ne filez doux. Voilà, c'est tout ce que je peux vous dire. Si vous voulez travailler, allez donc voir le docteur Villeneuve, au bureau des médecins, il vous dira ce que vous avez à faire. Et passez me voir de temps à autre pour me donner des nouvelles. Un de ces jours, je vous présenterai le docteur Perreault, premier médecin, et le docteur Paquette, le second assistant. Ils ont été nommés en même temps que moi, mais ils n'ont pas encore de bureau.

Suivre les tuyaux d'eau chaude dans le sens inverse, monter les escaliers, tourner à droite après la pharmacie, à gauche au bout du corridor... Bernard est inquiet : on peut se défier d'un sentiment de pitié trop prononcé envers les patients, mais comment aurait-il pu s'attendre à éprouver un tel sentiment envers le surintendant médical? Florence avait raison : les religieuses sont de très dures négociatrices. Mais comment seraient-elles arrivées à construire cet immense édifice s'il en avait été autrement? Il est compréhensible qu'après avoir tout bâti, à partir de rien, elles s'inquiètent des visées gouvernementales. Tourner encore à droite après la chapelle... nous y voilà : *Bureau des médecins.*

Le docteur Villeneuve est tout en rondeur, bon visage et juste embonpoint. Sa barbe en collier est bien taillée, il porte des petites lunettes de métal et son cerveau doit peser dans les mille huit cents grammes. Peut-être un peu moins : l'homme semble assez âgé. Le cerveau se ratatine-t-il avec le temps? Ou pèse-t-il plus lourd, écrasant ainsi la colonne vertébrale?

— Dieu vous bénisse, docteur Dansereau! Sœur Thérèse m'a dit beaucoup de bien de vous. Trente ans de métier, médecin de ville autant que de campagne, nous aurons grand besoin de votre expérience pour soulager nos pauvres innocents. Je vais vous faire visiter les lieux, mais je veux d'abord vous présenter sœur Jeanne-de-l'Esprit. Chaque matin, elle vous fera une liste des patients qui auront besoin de votre aide.

Sœur Jeanne? Bernard suit le regard de son collègue jusqu'à une haute muraille de formulaires, sur un comptoir. Une tête apparaît soudainement en haut d'une pile de paperasses : «Dieu vous bénisse, docteur Dansereau! Et vous aussi, docteur Villeneuve!» puis disparaît aussitôt. «Dieu vous bénisse, ma sœur!»

— Allons-y, dit le docteur Villeneuve. Nous sommes ici dans le pavillon principal. L'administration, la chapelle, la procure, la pharmacie, les parloirs, le bureau des médecins, la cuisine centrale, la morgue et la salle d'hydrothérapie, que je vous réserve comme dessert. À gauche les ailes des hommes, à droite les femmes. Dans chacune des ailes, le principe est le même : les chambres privées d'abord, les salles des patients du gouvernement ensuite. Les mélancoliques et les persécutés sont regroupés dans la première salle, les épileptiques et les idiots dans la deuxième, puis les agités dans la troisième. Au milieu de l'aile se trouve une infirmerie, et aux extrémités les salles des protestants. À l'étage supérieur, on trouve les dortoirs et les cellules. Au bout de chaque aile, il y a quatre chaudières, vingt chevaux chacune, et trente mille pieds de tuyaux, mais ne vous inquiétez pas, on ne vous demandera pas de les réparer! Allons d'abord visiter une salle, du côté des hommes. Une seule suffira, elles sont toutes semblables.

Corridors, corridors, corridors. Chaque fois que le docteur Villeneuve croise quelqu'un, religieuse, gardien ou patient chargé de quelque commission, il lance un «Dieu vous bénisse!»

— Vous devriez vous aussi prendre cette bonne habitude, dit-il à Bernard à voix basse, vous serez jugé sur votre piété autant que sur vos compétences médicales. Vous auriez aussi intérêt à ce qu'on vous voie de temps à autre à la chapelle. J'y vais moi-même chaque matin mais, je dois vous l'avouer, la prière et le souci de sauver les apparences me motivent bien moins que le repos que j'y trouve... Voici la salle Saint-Étienne. À ce temps-ci de l'année, la plupart des patients sont occupés aux travaux des champs. Ceux qui restent dans les salles sont incapables de comprendre ni de faire quoi que ce soit, et certains refusent tout simplement de travailler. Vous avez déjà visité le parlement de Québec au milieu d'une session? C'est un peu la même chose.

Pour tout mobilier, une table de billard au tapis écorché, un piano fermé où s'étalent de magnifiques fougères et quelques étagères qui laissent apercevoir des jeux de cartes et de dames. Aucun patient ne joue. Quelques-uns se bercent fébrilement, comme s'ils étaient chargés d'actionner une immense dynamo, d'autres font les cent pas tout en se racontant des histoires invraisemblables ou en répétant quelques mots, toujours les mêmes, d'autres encore restent assis à ne rien faire, les yeux dans le vague, comme s'ils fixaient une image terrifiante qu'eux seuls peuvent voir.

— Venez que je vous présente notre Roméo!

Le docteur Villeneuve s'approche d'un patient qui, tout en se promenant de long en large, répète régulièrement, d'une voix douce: «Véronique! Véronique!»

— C'est un drôle de cas. Le patient s'appelle Oscar Parent, il vivait dans une ferme, près de Joliette. Jusqu'à l'âge de vingt ans, il était tout à fait normal. Il a même appris à lire et à écrire... pour son grand malheur. À vingt et un ans, il rencontre Véronique et en tombe amoureux, follement amoureux. Il cesse aussitôt de manger et de boire, et passe ses nuits à écrire des lettres d'amour. Quelques semaines plus tard, il s'arrache les cheveux par grosses poignées, se frappe la tête sur les murs et finit par se jeter à la rivière. Par bonheur, on a pu lui porter secours à temps. Ses parents pensent qu'il a perdu la raison.

— Comment le soigne-t-on?

— On a commencé par lui donner des bains chauds pour calmer son agitation, on en est maintenant aux douches froides. Les résultats sont lents mais encourageants. Quand il est arrivé ici, il était incapable de marcher ni de parler... Alors, Roméo, comment allez-vous ce matin?

Le patient regarde vaguement en direction du docteur Villeneuve et ne répond pas. Il semble irrité qu'on ait interrompu son interminable promenade, mais il reste là, les bras ballants, sans penser qu'il pourrait simplement contourner les médecins et poursuivre son chemin.

— Tenez, je vous ai apporté du papier!

Les yeux du patient s'illuminent. Il s'excite comme un enfant qui s'apprête à déballer un cadeau. Il s'empare du papier, sort de sa poche un crayon de plomb et va aussitôt s'asseoir à une table, sur la galerie couverte qui sert de préau.

— Il va passer le reste de l'après-midi à écrire des lettres d'amour, en pure perte. La belle Véronique ne lui a jamais répondu et ne lui répondra sans doute jamais. Si vous avez à la maison de quoi écrire – n'importe quel bout de papier fait l'affaire –, apportez-en. C'est fou le nombre de patients qui passent leurs journées à noircir du papier, habituellement pour se plaindre des mauvais traitements imaginaires qu'on leur fait subir. En voici un autre qui est intéressant, nous l'appelons le comptable. Émile! Venez ici, s'il vous plaît.

Émile est assis sur une chaise droite, parfaitement immobile. Dès qu'il entend son nom, il semble sortir d'un profond état hypnotique. Il s'approche en titubant un peu.

— Alors, comment ça va?

— Très mal, docteur, très mal, imaginez-vous donc que ce matin, au déjeuner, certaines personnes, que je ne nommerai pas, n'ont pas vidé leur assiette. Ils vont nous ruiner, monsieur, ils vont nous ruiner! Si sœur Thérèse savait ça, elle ferait certainement une syncope, elle qui fait tant pour nous.

— Bien sûr. Mais dites-moi, Émile, vous qui avez tellement à cœur les finances de notre hôpital, pourquoi n'allez-vous pas travailler aux champs?

— Parce que je travaille mal, et je me fatigue vite, et plus je suis fatigué, plus je mange, et plus je mange, plus ça coûte cher, et plus ça coûte cher, plus sœur Thérèse a de la peine. Elle me l'a dit.

— C'est bien, Émile, vous pouvez aller vous reposer, et que Dieu vous bénisse!

— Je ne me repose pas, monsieur, je surveille. Mais ne le dites à personne. Dieu vous bénisse aussi, docteur!

— Vous voyez, docteur Dansereau, ce brave homme était télégraphiste. Un père alcoolique, une tante hystérique, la solitude, les sons aigus qui mitraillaient continuellement ses cellules cérébrales, il avait tout ce qu'il fallait pour venir ici. Pourtant, ses quarante premières années se sont déroulées de façon tout à fait normale; il s'est marié, a eu sept enfants. L'année dernière, sa femme meurt en couches. En allant à l'hôpital, il glisse et se cogne le crâne contre un mur. Tous les ingrédients de la folie, jusque-là en attente, remontent à la surface: hypermanie dépressive compliquée d'érotisme. Depuis quelque temps, ses accès d'érotisme ont heureusement cessé et il ne parle plus que d'argent. Les religieuses trouvent qu'il y a un net progrès, mais je n'en suis pas si convaincu. Vous avez des allumettes? Profitez-en donc pour allumer quelques pipes, les patients vous en seront reconnaissants.

Bernard a à peine sorti de sa poche une boîte d'allumettes qu'une dizaine d'hommes se groupent en cercle autour de lui. Aussitôt leur pipe allumée, ils se dirigent vers la galerie, s'assoient sur les chaises de parterre et regardent la fumée s'envoler à travers le grillage.

— Comme vous pouvez le voir, le tabac leur offre une grande distraction; c'est pourquoi les religieuses ont décidé d'en cultiver un arpent. Il est excellent. Les femmes ne fument pas, mais elles prisent beaucoup. Ayez toujours sur vous des allumettes et du tabac à priser, et vous réussirez à amadouer les têtes fortes. Maintenant, retournons au pavillon central, je vous ferai visiter la salle d'hydrothérapie.

En sortant, Bernard salue une religieuse, qui surveille la salle: «Que Dieu vous bénisse, ma sœur! – Que Dieu vous bénisse, docteur!» Aussitôt la porte refermée, Bernard s'inquiète: une seule religieuse pour surveiller une vingtaine d'hommes?

— Ces patients-là sont calmes, elle ne court aucun risque. De toute façon, une religieuse vaut souvent plus qu'une équipe de fiers-à-bras. Il m'est arrivé maintes fois d'en voir une apaiser, par un mot ou un geste, un fou furieux que les gardiens, avec toute leur vigueur physique, avaient peine à contenir. Au fait, vous devriez retirer la chaîne de votre montre, on ne sait jamais ce que la vue d'un tel objet peut provoquer chez des êtres détraqués. L'usage des boutons de manchette est aussi déconseillé. Je vous suggère aussi d'éviter le tutoiement. Ce sont de petites choses qu'on apprend à la longue. Nous voici à la salle d'hydrothérapie. Attention, vous allez voir ce qui se fait de plus moderne au monde.

Le docteur Villeneuve ayant ouvert avec cérémonie deux grandes portes matelassées, Bernard entre dans une salle aussi grande qu'un gymnase: sur les murs et le sol courent des tuyaux de fer à multiples manettes, valves, contrôles et cadrans; autour de la salle on compte douze baignoires, où s'affairent des religieuses; au fond, une salle de douches. Le docteur Villeneuve mène Bernard jusqu'à la première baignoire, dans laquelle repose une femme entre deux âges.

— Celle-ci souffre de manie simple. Quand elle est arrivée à l'asile, il y a deux ans de cela, elle était souvent déprimée et parfois hyperactive. Elle parlait si vite que les mots étaient inintelligibles, et d'une voix si rauque qu'elle était devenue incapable de produire de la salive. Ses fonctions génitales étaient aussi déréglées, il va sans dire. Au début, on lui donnait chaque jour des bains chauds, qui se prolongeaient souvent pendant cinq heures. Six mois plus tard, on a réduit les bains à deux heures par jour. Maintenant, elle ne revient plus qu'une fois par semaine. Nous avons beaucoup de succès avec les maniaques. Vous avez vu le thermomètre? Il est muni d'un flotteur en liège qui lui permet de rester à la surface, seul son réservoir plonge dans le liquide. On maintient toujours l'eau à quatre-vingt-quinze degrés Fahrenheit. De temps à autre, une religieuse vient lui faire des ablutions sur la nuque et le front pour éviter la congestion de la tête.

— On ne lui donne aucun médicament?

— Cinq grammes de bromure de potassium le matin et deux grammes de chloral au coucher. Mais ce sont surtout les bains qui agissent sur son esprit. Il ne faut pas une longue expérience pour se convaincre de l'inanité des moyens pharmaceutiques dans le traitement de la folie. Les médicaments provoquent d'ailleurs bien plus souvent la folie qu'elles ne la guérissent. Ah... je viens de voir quelque chose qui devrait vous intéresser, suivez mon regard.

Au fond de la salle, deux religieuses enduisent de vaseline le corps d'une femme. Elle est jeune, a le teint sombre et de longs cheveux noirs noués en tresses, qui lui tombent jusqu'au bas du dos.

— Elle s'appelle Angélique. Angélique Téteki... Tatiké... je ne sais plus. Elle est Iroquoise. Sœur Thérèse a fait toute une histoire lors de son admission. Comme Angélique vivait dans une réserve, la directrice refusait de l'accueillir, à moins que le gouvernement du Dominion ne payât sa pension. Le Québec n'a aucune juridiction sur les sauvages. En tout cas, je peux vous dire qu'aucun médecin ne s'est jamais plaint d'avoir à la soigner, et j'en connais même qui étaient prêts à payer sa pension de leur poche... Si j'ai attiré votre attention sur ce cas, c'est pour vous montrer qu'il n'y a aucun risque d'hypersécrétion des glandes sébacées: enduite de vaseline, la peau est bien protégée.

— De quoi souffre-t-elle?

— De folie circulaire. On a commencé par lui administrer des douches froides, mais on s'est vite aperçu que les bains tièdes, au tilleul, étaient préférables. Une fois par semaine, on lui donne un bain de vapeur chaude térébenthinée, suivi d'une immersion dans l'eau froide et d'une douche en éventail. C'est dommage, mais il faut parfois utiliser la contention. Vous voyez ce tablier qu'on met autour de sa tête? On le fixe aussi à la baignoire, au moyen d'une série d'œillets; le malade ne peut plus en sortir, ni projeter de l'eau à l'extérieur, ni s'enfoncer la tête pour se noyer. Comme l'évaporation est limitée, la température de l'eau est aussi plus facile à contrôler. Bon, laissons la salle d'hydrothérapie à nos distingués aliénistes. Si vous soignez les corps, vous n'aurez pas affaire ici très souvent. Maintenant, je vous amène visiter la pharmacie. Je vous avertis, vous allez être étonné.

— Pourquoi cela?

— Vous connaissez comme moi les pharmaciens : des rats à lunettes, toujours enfermés dans leurs boutiques crasseuses à concocter leurs potions... Ici, c'est tout à fait différent. Nous y voici. Vous en jugerez par vous-même.

Ça, une pharmacie? La salle est immense, bien aérée, et éclairée par huit fenêtres. Sur une grande table on trouve les instruments de chimie les plus modernes – microscopes à trois objectifs, éprouvettes graduées, balances ultra-sensibles –, sur les murs de grandes armoires vitrées, où sont rangés, dans un ordre impeccable, des bocaux contenant tout ce dont un médecin peut rêver : belladone, ginseng et salsepareille, cultivés sur place, huile de castor, opium, iode, éther, chloroforme, camphre, arsenic, laudanum, racines de cataire, ciguë – tout cela à portée de la main! Il suffit de s'adresser à une religieuse au teint rose, sœur Marie-de-la-Visitation, qui se fait un plaisir de composer pour vous les mélanges de votre choix. Même la pharmacie de l'Université McGill n'est pas aussi bien équipée. Finies les discussions interminables avec les pharmaciens acariâtres qui croient tout savoir et se mêlent de discuter vos prescriptions, finies les éternelles erreurs d'interprétation, finies les plaintes des patients concernant les prix de rapine! Et le plus beau dans tout cela, c'est ce que sœur Marie-de-la-Visitation sort d'une grande armoire de bois: une bouteille de brandy et trois verres.

Qui n'a pas besoin d'un peu de cet excellent stimulant cardiaque avant d'entreprendre une journée de travail? Dieu vous bénisse, sœur Marie-aux-Joues-de rose!

Une fois sortis de la pharmacie, tous deux de fort bonne humeur, les docteurs Dansereau et Villeneuve retournent au bureau de sœur Jeanne-de-l'Esprit, qui leur remet une liste de patients.

— Vous saurez vous débrouiller, docteur? Si vous avez besoin de quoi que ce soit, n'hésitez pas à vous adresser aux infirmières; elles savent tout!

Les infirmières! Oui, bien sûr! Rappelle-toi, Bernard, les premiers patients que tu as dû traiter à l'Hôtel-Dieu, alors que tu étais tout jeune médecin. En face de cette vieille dame toute recroquevillée, qu'on avait amenée sur une civière, tu t'étais senti totalement impuissant. Pourquoi les symptômes ne ressemblent-ils jamais à ceux qu'on décrit dans les livres de médecine? Tu savais par cœur des centaines et des centaines de pages mais les lignes se brouillaient, tu avais tout oublié, pourquoi avoir choisi ce métier de fou, tu ne serais toujours qu'un médecin minable, à peine plus savant que le dernier des *rebouteux*. Tu faisais semblant de réfléchir depuis dix minutes, quand une vieille infirmière était venue prendre le pouls de la patiente.

— Qu'est-ce que vous en pensez, docteur? De l'arthrite, n'est-ce pas?

De l'arthrite, évidemment! Tu avais hoché la tête, et la bonne infirmière avait poursuivi:

— Croyez-vous qu'une pastille de camphre la soulagerait?

— J'y pensais justement. Dans son état, on pourrait lui donner sans risque deux pastilles.

— Vous avez raison, docteur. Croyez-vous qu'on devrait aussi lui donner un sirop opiacé, pour atténuer sa souffrance?

La leçon avait porté. Pendant des années, tu avais perfectionné ton attitude songeuse, caressant longuement ta barbe jusqu'à ce qu'une infirmière vienne te donner son diagnostic et te suggérer un traitement que tu modifiais ensuite toujours un peu, pour la forme: quelques gouttes de plus ou de moins, une saignée supplémentaire, une ventouse ici et là...

Redevenu médecin débutant, il allait découvrir dès sa première journée de travail que chacune des religieuses-infirmières de Saint-Jean-de-Dieu valait à elle seule autant que des tomes et des tomes de manuels médicaux, autant que tous les médecins d'Écosse réunis. Il suffisait de se présenter à la salle indiquée par sœur Jeanne et d'aller trouver l'infirmière.

— Que se passe-t-il avec ce patient, ma sœur?

— Voilà deux jours qu'il n'avale rien, pas même sa salive. Il a très mauvaise haleine et je crains qu'il fasse une gingivite. Il faudrait lui rincer la bouche avec une solution d'eau boriquée et vérifier s'il n'a pas d'ulcérations. Si tel était le cas, il faudrait le traiter à la teinture d'iode. Si vous voulez, je peux commencer le traitement ici même et je le ferai transporter à l'infirmerie si les choses empirent. Qu'en pensez-vous, docteur?

— Vous avez mille fois raison, ma sœur.

— Pendant que vous y êtes, je voudrais aussi vous demander votre avis sur ce patient. Il a toujours été un grand fumeur, et depuis quelque temps ses crachats ont une couleur inquiétante. J'en ai gardé un spécimen pour vous le montrer.

Bernard prend le mouchoir que lui présente la religieuse, le déplie délicatement, et le referme aussitôt.

— Gangrène pulmonaire, n'est-ce pas?

— Vous avez encore raison, ma sœur. Il faut le faire transporter à l'infirmerie immédiatement, il n'en a plus pour bien longtemps.

— Je vous remercie, docteur, et Dieu vous bénisse.

— Dieu vous bénisse aussi, ma sœur.

De salle en salle, de patient en patient, d'infirmière en infirmière, Bernard découvre les nombreux avantages du travail en asile. Plus jamais il n'aura à concurrencer les charlatans ni à dénoncer les remèdes de bonnes femmes ou de sauvages, trop souvent plus efficaces que les siens; plus jamais il n'aura à se demander quels honoraires réclamer de ses malades ni à s'inquiéter des comptes en souffrance; plus jamais il n'aura à se réveiller au milieu de la nuit pour aller faire un accouchement difficile à l'autre bout du village ni à se boucher le nez avant de procéder à une opération, car les patients de Saint-Jean-de-Dieu semblent être d'une propreté exemplaire. Non seulement ceux qui suivent des traitements d'hydrothérapie, mais aussi les idiots incurables, à qui l'on donne un bain de propreté toutes les deux semaines, paraît-il. Seuls les nouveaux patients peuvent poser quelque problème. Certains, à ce qu'on dit, arrivent avec des poux de corps jusque sur les cils, d'autres sont atteints de la gale, d'autres encore ont tant de puces que, s'ils ne sont pas déjà fous, ils le deviendront sûrement à force de se gratter. Les religieuses s'occupent de tous avec un esprit de sacrifice qui force l'admiration. Bernard a pu les voir aujourd'hui même donner des bains sulfureux, désinfecter les vêtements, couper les cheveux – et laver ce qui en reste avec une solution de xylol qui laisse les doigts aussi blancs que s'ils avaient trempé toute une journée dans l'eau de javel – et même couper les ongles et enlever les cors. Merci mon Dieu de nous avoir donné les religieuses!

En rentrant chez Florence après sa première journée de travail, Bernard est fatigué mais content de lui, et surtout profondément soulagé, comme on peut l'être quand on se rend compte que, dans une situation difficile, on a fait le bon choix. Dès qu'elle aperçoit la voiture de Bernard sur le chemin, Florence quitte le balcon et se dirige vers la cuisine. Elle brasse un peu la soupe, ajoute du sel, met le couvert, et retourne se bercer. La voiture est tout près maintenant, elle peut voir son Bernard, toujours si élégant avec son chapeau noir, qui parle à son cheval. Mon Dieu, serait-il devenu fou?

Il mange de bon appétit en racontant sa journée et ses propos sont cohérents. Florence est rassurée. Immédiatement après le repas, il s'installera sur le balcon pour fumer un cigare et tiendra des propos qui fourniront à Florence une autre occasion de s'inquiéter.

— Dis-moi, Florence, est-ce qu'il t'arrive de prendre un bain?

— De temps à autre, oui. J'ai une cuve dans la remise. Chaque samedi, je fais chauffer de l'eau et je l'installe dans la cuisine.

— Parfait. Aurais-tu aussi une grande toile de caoutchouc, de la vaseline et un peu de tilleul? J'aimerais bien faire une petite expérience.

Une heure plus tard, à la nuit tombée, la cuve est remplie d'eau chaude et Florence enduit le corps de Bernard d'une épaisse couche de vaseline. Il restera deux heures entières étendu dans la cuve, presque entièrement recouvert d'une toile de caoutchouc, les yeux fermés, un grand sourire aux lèvres. À quoi peut-il donc penser? se demande Florence.

5

Assise sur la banquette du train qui la mène à Québec, sœur Thérèse récite inlassablement son chapelet, totalement indifférente au paysage qui défile devant ses yeux. Grâce à une dispense signée de la main même de monseigneur Bourget, elle a le rare privilège de voyager seule. À son départ de Montréal, elle a à peine esquissé un sourire à ses compagnons de route, deux hommes plutôt ternes, dont l'un, Henri Massicotte, est voyageur de commerce, et, apparemment, s'ennuie à mourir.

Ne pouvant plus compter les vaches depuis que l'obscurité est tombée sur les champs, il doit se contenter de regarder vaciller son propre reflet dans la vitre du train. Il vendrait son âme au diable pour un petit bout de conversation. Mais il n'a pas de chance: à côté de lui, sur la banquette, le député anglophone à qui, au départ de Montréal, il avait tant bien que mal essayé de poser quelques questions, lit son journal. Histoire de meubler le silence et de profiter de l'occasion pour lui montrer quelques échantillons de manchettes, faux cols et cravates qu'il traîne toujours avec lui au cas où..., il avait tenté de faire connaissance avec le député, mais celui-ci s'était aussitôt lancé dans une longue diatribe contre Louis Riel: il avait été condamné, c'était bien fait pour lui, il ne restait plus qu'à le pendre et le Canada serait enfin débarrassé d'un traître. De tous les métiers du monde, le commerce est sans doute celui qui expose le plus aux compromissions de toutes sortes, mais le commerçant le plus âpre au gain a tout de même des principes. Henri avait répondu que Louis Riel était un héros et que, si jamais il était pendu, ceux de sa race auraient la mémoire longue. Le député avait enfoui le nez dans son journal et n'avait plus ouvert la bouche de tout le voyage.

Henri avait alors regardé les vaches en ravalant sa colère, puis son besoin irrépressible de parler était revenu au galop: parler de tout et de rien, de la pluie et du beau temps, raconter quelques-unes de ces histoires salées dont il avait toujours eu le secret, parler pour déjouer le temps, pour se donner l'impression d'exister. Voyant en face de lui, toute seule sur la banquette, une bonne sœur de rien du tout qui n'a pas cessé de réciter son chapelet depuis le départ du train, Henri se résout, faute de mieux, à lui adresser la parole. S'il lui posait quelques questions, peut-être lui rendrait-elle la pareille?

— Pardon, ma sœur, puis-je vous demander ce qui vous amène à Québec?

— Je dois rencontrer le trésorier de la Province.

— Le trésorier de la Province! Vous devez avoir de lourdes responsabilités?

— En effet: je dirige un asile.

— Un asile de fous? Moi, ma sœur, on me paierait cent piastres par jour que je ne voudrais pas m'occuper d'eux.

— Moi non plus, monsieur. Je le fais gratuitement. Et maintenant, si cela ne vous ennuie pas trop, j'aimerais bien terminer mes prières.

Faites, ma sœur, faites, se disait le voyageur, et dites donc aussi quelques dizaines de chapelet pour moi. Et la petite bonne sœur avait continué à égrener son chapelet. Comment peuvent-elles répéter les mêmes paroles pendant des heures sans devenir folles? Henri Massicotte est peut-être un habile conteur d'histoires salées et sûrement un excellent vendeur de manchettes et de faux cols, mais en matière de prières il est le dernier des ignorants.

Autant la récitation du chapelet peut être un exercice ennuyeux quand elle est faite de façon routinière, autant elle peut devenir, entre les doigts d'un individu rompu aux exercices spirituels, une expérience proprement ineffable. Au premier chapelet, il faut y aller avec beaucoup de conviction, en fermant bien fort les paupières et en ne pensant à rien d'autre qu'au Seigneur : réussir à établir une communication aussi lointaine n'est pas une mince affaire, il faut y mettre les formes. À partir du deuxième rosaire, on sent sa respiration ralentir et parfois même un léger engourdissement gagner le bout de ses doigts. C'est bon signe. Au troisième rosaire, si on n'est pas grossièrement interrompu par quelque voyageur de commerce en mal de conversation, on continue à répéter les Ave et les Pater, mais on dirait qu'ils se récitent tout seuls. Les doigts passent d'un grain à l'autre, les paroles s'enchaînent, mais la voix intérieure n'est plus la même, comme si le Saint-Esprit, pour nous remercier de notre piété, soufflait les mots à notre place. Les phrases qu'Il récite ne sont plus alors qu'un agréable bruit de fond, le murmure d'une source, une légère brise dans les branches d'un saule, et agissent comme un filtre qui retiendrait toutes les poussières de la vie, laissant l'esprit grand ouvert. Notre tête, qui nous semble souvent si encombrée quand elle n'est occupée que par nos petits soucis quotidiens, devient soudainement vaste comme le ciel, et nos idées lumineuses. Nous pouvons alors nous ouvrir à Lui, nous savons qu'Il est là et qu'Il nous écoute. Il serait évidemment présomptueux de penser qu'Il nous adressera la parole, bien que cela arrive quelquefois, souvent même au moment où l'on s'y attend le moins. La plupart du temps, Il se manifestera autrement que par des mots: Il nous donnera du courage, nous fera voir certaines données sous un jour nouveau, éclairera quelque décision difficile.

«*Je vous salue Marie, pleine de grâce*... Vingt et une piastres et soixante-trois centins! Ça ne sait même pas lire, et ça m'accuse d'avoir fait une erreur de vingt et une piastres et soixante-trois centins, voilà pourquoi j'ai pris le train, Seigneur, il va entendre parler de moi, ce trésorier. Un coup de tête? Non, c'est une question de principes. Je veux leur montrer que les religieuses sont parfaitement capables d'administrer des hôpitaux, que le gouvernement n'a rien à voir là-dedans. Et puis, je n'ai tout de même pas abandonné mes patients, Seigneur, deux cents religieuses s'occupent d'eux, sans compter les gardiens et les médecins. S'il arrivait quelque chose, il resterait encore les trois insignifiants qui passent leurs journées à se tourner les pouces: ils pourraient se rendre utiles, non?

«*Notre Père, qui êtes aux cieux, que Votre nom soit sanctifié, que Votre règne arrive*... Je sais bien qu'ils ne peuvent pas faire grand-chose s'ils n'ont pas accès à la pharmacie, et comme toutes les religieuses refusent de leur adresser la parole... Mais n'est-il pas de mon devoir de protéger nos institutions catholiques contre les visées de l'État? Je suis née Cléophée Têtu, têtue je resterai.

«*Pardonnez-nous nos offenses comme nous pardonnons à ceux qui nous ont offensés*... Si Vous saviez comme je suis fatiguée, Seigneur, si Vous saviez à quel point j'aurais parfois envie de tout abandonner. Ils veulent avoir mon asile? Qu'ils le prennent! Et qu'ils paient les religieuses et ouvrent des écoles d'infirmières! Nous nous retirerons dans nos couvents, et nous prierons pour eux. Quand je pense que j'aurais pu me faire carmélite et avoir la paix, la Sainte Paix! Il y a pire, c'est vrai : j'aurais pu me marier avec un voyageur de commerce ou un député. Pardonnez-moi, Seigneur, je ne devrais pas me plaindre, je devrais plutôt Vous rendre grâce de m'avoir appelée, mais je suis si fatiguée que je me demande parfois si je suis digne d'être Votre épouse.

«*Gloire soit au Père, au Fils et au Saint-Esprit*... Est-ce que je ne gaspille pas mon énergie à faire de la politique, Seigneur? Regardez ce protestant, en face de moi : bientôt il quittera son poste et un autre prendra sa place. Si Vous vouliez bien donner un coup de pouce en ce sens, Seigneur, je ne m'en plaindrais pas. Les vocations ne manquent pas quand il s'agit de devenir député, mais quand vient le temps de faire la charité, c'est une autre paire de manches... Je suis fatiguée, Seigneur, si Vous saviez comme je suis fatiguée. Hier encore, j'ai failli me faire tuer par un pauvre innocent qui avait réussi à trouver un canif. Heureusement que Vous êtes intervenu, sinon j'y restais. Le docteur Dansereau m'a recousue, mais c'est Vous qui m'avez guérie, je le sais. Pourquoi cette épreuve, Seigneur? Voulez-Vous me signifier que j'en fais trop? Vous croyez que je pourrais m'occuper de l'asile tranquillement, en déléguant le contrôle médical au gouvernement? Après tout, le Ministre m'a promis que je demeurerais responsable de la direction et de la gestion des finances; la communauté resterait propriétaire de l'édifice, le contrat d'affermage serait maintenu, du moins jusqu'aux prochaines élections. Ensuite, quand le gouvernement de Ross serait battu, tout serait peut-être plus facile, on négocierait entre nous... Mais pas le docteur Howard, Seigneur. Promettez-moi de ne pas le laisser prendre en main le contrôle médical. Trouvez quelqu'un de ma race, un bon catholique, et je leur abandonne la partie.

«*Que Votre volonté soit faite sur la terre comme au ciel...* Au fait, Seigneur, je ne veux pas que Vous pensiez que je veux détourner la conversation, mais entre Vous et moi, le docteur Dansereau m'inquiète. En enquêtant sur son compte, j'ai appris qu'il avait parfois professé des idées païennes. Le curé de son ancienne paroisse m'affirme qu'il a toujours été un bon pratiquant, mais il le soupçonne d'entretenir des relations avec une certaine Florence Martineau, une femme de mauvaises mœurs, à ce qu'on raconte, et pas très charitable en plus: quand je lui avais demandé de me céder ses terres le long du fleuve, elle avait refusé d'une façon assez insolente... Et puis j'ai entendu dire que le docteur Dansereau avait été abonné à la bibliothèque de l'Institut canadien, qu'il était rouge... Ce ne sont pas des médisances, Seigneur, puisque c'est un prêtre qui me l'a dit. Bien sûr que les prêtres sont aussi des pécheurs, mais à qui se fier, Seigneur, à qui se fier? Faire confiance au docteur Dansereau? Vraiment? *Gloire soit au Père, au Fils et au Saint-Esprit...* Je m'en remets à Vous, Seigneur, Vous devez savoir ce que Vous faites. Mais délivrez-moi du docteur Howard, s'il Vous plaît, Seigneur.»

Henri Massicotte jette parfois un coup d'œil en direction de sœur Thérèse. Il remarque que ses doigts vont moins vite d'un grain à l'autre, jusqu'à ce qu'ils s'arrêtent complètement. S'est-elle endormie? Non, elle a les yeux grands ouverts, et semble maintenant complètement apaisée.

Le lendemain matin, sœur Thérèse se présente dès huit heures au bureau du trésorier de la Province. La jeune secrétaire qui la reçoit, tout occupée à retoucher son vernis à ongles, ne lève même pas les yeux sur la religieuse: monsieur le trésorier n'était pas encore à son bureau, il n'arriverait pas avant neuf heures, elle avait rendez-vous?

— Non, mademoiselle, mais le trésorier me recevra. Puis-je m'asseoir?

— Certainement, ma sœur, mais je préfère vous avertir: monsieur le trésorier est très occupé...

— Moi aussi, mademoiselle. Ça ne vous ennuie pas trop que je dise mon chapelet en l'attendant?

— Non, ma sœur, mais j'ai bien peur que monsieur le trésorier ne puisse vous recevoir...

— Je ne suis pas sourde, mademoiselle.

Ne sachant que répondre, la secrétaire hausse les épaules et insère une feuille dans sa machine à écrire. On n'appelle tout de même pas les policiers pour faire expulser une religieuse. Le patron se débrouillera. *Cher monsieur, en réponse à votre lettre du douze juin...* Quelle vie, tout de même, que celle d'une religieuse: toujours la même robe noire, été comme hiver, jamais de sorties ni de distractions, passer ses journées enfermée dans une cellule humide à prier... Regardez-moi aller ces doigts sur les grains du chapelet! Si je savais taper des lettres à la même vitesse, je ferais mon travail d'une semaine en une heure... Tiens, elle porte une alliance. Elle ne doit pas le voir souvent, son mari. Bon, concentrons-nous : *En réponse à votre lettre du douze juin, j'ai le regret de vous informer...*

«*Je crois en Dieu, notre Père tout-puissant, et en Jésus-Christ son Fils unique...* Faut-il être assez dépravé, mon Dieu, pour engager une femme comme secrétaire! Et puis elle n'est pas très rapide, je ne l'engagerais pas dans mon asile. Peut-être a-t-elle peur d'abîmer son vernis à ongles. Comment diable réussit-elle à taper avec des ongles aussi longs? Et regardez-moi cette robe, Seigneur! En voilà une qui n'a pas peur d'attraper des coups de soleil! Quelle vulgarité!

«Donnez-moi un peu de courage, Seigneur, comme Vous-même en avez eu sur la croix, un tout petit peu de courage pour affronter le trésorier, ensuite je retourne dans mon asile, c'est promis... Quelle heure est-il? Qu'est-ce qu'il peut bien fabriquer, ce trésorier? J'ai eu le temps de dire tout un chapelet, et la petite secrétaire n'a même pas terminé sa lettre. Bon, voilà qui est fait. Un grand coup de langue sur l'enveloppe, un autre sur le timbre, et la voilà obligée de se remettre du rouge à lèvres. Un petit peu de pétrole sur la lèvre supérieure, encore un peu sur la lèvre inférieure, les deux lèvres qui se chamaillent pour savoir laquelle va manger l'autre, un regard dans le miroir de poche, et on recommence. Je me demande bien ce que ça goûte... Et ce n'est pas fini. Du fard sur les paupières, de la poudre sur les joues, du parfum... Le trésorier ne devrait pas tarder maintenant. Regardera-t-il seulement sa secrétaire? A-t-il la moindre idée de tout ce qu'elle fait subir à son visage dans le seul dessein de lui plaire? Encore quelques années et elle épousera un voyageur de commerce qui lui fera une dizaine d'enfants. Il ira boire son salaire à la taverne et se fâchera quand elle voudra s'acheter un peu de parfum. Pauvre jeune fille. Merci, Seigneur, de m'avoir donné la vocation religieuse. Va-t-il finir par arriver, ce trésorier? Bon, le voilà enfin. Il fait semblant de ne pas me voir et s'adresse plutôt, à voix basse, à sa secrétaire: non, je n'ai pas de rendez-vous, mais vous allez me recevoir, monsieur le trésorier, et ne comptez pas vous débarrasser de moi avec deux pirouettes. Têtu je suis née, têtue je resterai.»

— Sœur Thérèse, quelle surprise! Vous êtes de passage dans la capitale?

— Non, monsieur, je suis venue exprès pour vous voir. Puis-je vous parler un instant en tête-à-tête?

— Certainement, ma sœur, certainement, mais je dois vous prévenir…

— …que vous êtes très occupé, je sais. Moi aussi, je le suis, et je vous prie de croire que je ne suis pas venue ici pour des bagatelles. C'est votre bureau? Je peux entrer?

— Je vous en prie. Que puis-je faire pour vous, ma sœur?

— La semaine dernière, j'ai reçu une lettre d'un de vos auditeurs. Selon lui, il y aurait eu dans mes comptes une erreur de vingt et une piastres et soixante-trois centins. Je suis certaine qu'il a fait une erreur, monsieur le trésorier. Mes comptes sont exacts.

— Une erreur de vingt piastres! Ne me dites pas que c'est pour cette broutille que vous êtes venue de Montréal!

— Je ne suis pas venue de Montréal, mais de Longue-Pointe. Et ce n'est pas d'une erreur de vingt piastres qu'il est question, mais de vingt et une piastre et soixante-trois centins. En tant que trésorier de la province, vous devriez être plus précis. Votre auditeur a fait une erreur, et je tiens à ce qu'elle soit corrigée sur-le-champ, si vous voulez bien.

— Écoutez, ma sœur, c'est ridicule, mes auditeurs auront fait un peu trop de zèle, c'est tout, nous n'allons pas nous brouiller pour quelques piastres…

— Vingt et une piastres et soixante-trois centins.

— Peu importe le montant exact, ma sœur, pour vous qui gérez admirablement bien un budget de plus de cent mille piastres, qu'est-ce que c'est qu'une petite erreur?

— Vous me voyez désolée d'avoir à insister, monsieur le trésorier, mais il n'y a pas eu d'erreur. Mon budget est de cent vingt-deux mille piastres et cinquante-sept centins, monsieur le trésorier, et je n'ai jamais fait d'erreur. Je vous ai apporté mes comptes, vous pourrez vérifier vous-même.

— Écoutez, sœur Thérèse, votre temps est aussi précieux que le mien, voici ce que je vous propose: je confie vos livres de compte à mes auditeurs qui les étudieront à fond. Si nous avons fait une erreur, nous la corrigerons le plus rapidement possible. Et si jamais c'était vous qui aviez fait l'erreur, je la rembourserai de ma poche!

— Il n'en est pas question, monsieur le trésorier. Je ne suis pas venue de Longue-Pointe pour rien, et d'ailleurs vous n'aurez pas à me rembourser, puisqu'il n'y a pas d'erreur. Allez chercher vos auditeurs, je ne sortirai pas d'ici tant que mes comptes n'auront pas été vérifiés. Si vos auditeurs sont aussi rapides que votre secrétaire, vous auriez intérêt à ne pas perdre de temps. J'aime autant vous prévenir que j'espère bien rentrer par le bateau qui part à cinq heures. Ça ne vous gêne pas que je dise mon chapelet en attendant?

Le trésorier a beau se répandre en excuses, explications et protestations, rien n'y fait: sœur Thérèse a déjà entamé sa première dizaine.

* * *

Trois heures plus tard, cinq comptables, visiblement épuisés, se présentent en bras de chemise au bureau du trésorier pour soumettre leur rapport: nous sommes confus, monsieur le trésorier, mais nous devons admettre que nous avons fait une erreur, les comptes de sœur Thérèse sont impeccables.

— Vous aviez raison, sœur Thérèse. Je vous prie d'accepter mes excuses, et je vous assure qu'une telle situation ne se reproduira plus…

— Je regrette de vous avoir causé tant d'ennuis, monsieur le trésorier, mais, comme vous le voyez, mes comptes sont bien tenus. Au fait, vous direz à monsieur Ross que je suis prête à abandonner le contrôle médical de mon asile au gouvernement et que les trois médecins qu'il a nommés pourront désormais travailler normalement. Cependant, vous conviendrez avec moi qu'il vaudrait peut-être mieux que les finances de notre établissement demeurent encore longtemps entre les mains des religieuses. Au plaisir de vous revoir, monsieur le trésorier. Je prierai pour que vos auditeurs ne soient pas trop distraits lors de l'étude du budget de la Province!

À six heures, sœur Thérèse est assise sur le pont du bateau qui la ramène vers Longue-Pointe. Encore quelques heures et elle retrouvera ses religieuses, ses patients, son hôpital, et reprendra le collier avec toute l'énergie dont elle est capable; mais d'ici là, elle ne veut penser qu'au vent qui lui caresse le front, aux oiseaux qui suivent les sillons du bateau, aux merveilleux poissons volants qu'elle a vus déjà au large de Valparaiso, à la jolie maison de Saint-Hyacinthe où elle est née, à la vaste véranda sur laquelle elle dansait à la corde quand elle était enfant... «Merci, Seigneur, de m'accorder ces quelques instants de vacances.»

* * *

Pendant que sœur Thérèse laisse aller ses idées au gré des vagues, Bernard est sur le point de terminer sa deuxième journée de travail. Quelques cas de picote volante, des prescriptions de salsepareille à des aliénées qui se plaignent de leurs maux de femmes et d'huile de castor à d'autres qui ont du mal à évacuer certaines matières, la routine s'installe tranquillement.

Ce matin, il a commencé sa journée en retirant des oreilles de certains patients les substances de toutes sortes qu'ils ont la fâcheuse habitude d'y enfoncer dans le vain espoir de ne plus entendre les voix qui les harcèlent. Après avoir réalisé cette délicate opération, il injecte de l'eau boriquée tiède à l'aide d'une petite seringue. Non seulement Bernard doit avoir du doigté et de la patience, mais il doit aussi faire preuve de psychologie: «Je vous assure, monsieur, que les voix se sont tues, nous avons beaucoup prié, la sœur et moi, et le diable va vous laisser tranquille, c'est promis.» À la douzième paire d'oreilles, la technique étant parfaitement au point, il peut l'appliquer tout en pensant à autre chose. Et si les patients qui agissent ainsi cherchaient inconsciemment à atteindre leur cerveau malade, à en extirper les cellules défectueuses?

Combien y a-t-il de ce type de cellules dans le cerveau d'Émilie Jolicœur, qui est décédée ce matin? Quand Bernard a été appelé à son chevet, il était malheureusement trop tard: son pouls était éteint, le miroir qu'il a placé devant ses narines ne s'est pas embué. Pendant que l'infirmière a fait la dernière toilette de la patiente, Bernard a rempli consciencieusement le formulaire d'avis de décès.

Émilie Jolicœur était idiote de naissance, elle avait été amenée à l'asile par des policiers qui l'avaient trouvée, à moitié morte de faim, dans une grange abandonnée. On avait essayé tant bien que mal de la remplumer, mais comme elle refusait toute nourriture, la tâche avait été difficile; elle avait passé les trois dernières années de sa vie étendue dans son petit lit de fer, à regarder le plafond.

En remplissant le formulaire, Bernard a hésité quelques instants devant la case intitulée «Cause probable du décès». L'infirmière a remarqué son hésitation et lui a suggéré d'inscrire *marasme*. Les autres cases n'ont pas posé de problèmes: elle était orpheline, il n'y avait donc personne à prévenir, elle avait reçu l'extrême-onction, le corps serait conduit à la morgue, l'autopsie ne serait pas nécessaire...

— Dites-moi, ma sœur, arrive-t-il souvent que l'on pratique des autopsies?

— C'est très rare, seulement quand la famille ou la police l'exigent.

— Merci, ma sœur, Dieu vous bénisse, et Dieu bénisse cette pauvre femme.

— Dieu vous bénisse aussi, docteur Dansereau.

Toute la journée, Bernard a pensé à Émilie. Son cerveau n'ayant jamais eu à travailler, peut-être s'était-il atrophié, comme un muscle jamais utilisé? peut-être avait-il durci? peut-être aussi s'était-il asséché...? Personne ne viendrait jamais réclamer le corps, alors pourquoi ne pas aller vérifier?

À la fin de sa journée de travail, Bernard remet son rapport à sœur Jeanne-de-l'Esprit, passe par la pharmacie pour boire quelques verres de brandy, puis en ressort, une scie à la main. Un peu de courage, Bernard, il faut bien commencer quelque part.

* * *

Quand Bernard rentre, Florence remarque que son ami est anormalement pâle. Il mange en silence, sans appétit, et va ensuite s'enfermer dans le hangar. Qu'a-t-il rapporté dans son sac et pourquoi a-t-il cet air inquiet qui lui creuse de profondes rides dans le front? Si la folie n'est pas contagieuse, comme il le répète toujours, pourquoi donc a-t-il passé tant de temps à se laver les mains avant le repas?

Tandis que Florence essuie la vaisselle, Bernard pose sur la table de son laboratoire le cerveau d'Émilie. C'est une masse d'apparence tout à fait normale, un ovale presque parfait, d'une belle couleur nacrée, plissé de circonvolutions et qui pèse mille quatre cents grammes, ce qui est tout à fait dans la moyenne, pour un cerveau de femme du moins. Au toucher il semble mou, sa consistance rappelant un peu le ventre d'une salamandre ou d'une grenouille, et le scalpel s'y fraie facilement un chemin. Les dimensions de l'hémisphère gauche paraissent plus réduites que celles du droit; il a pourtant sensiblement le même poids... Se pourrait-il qu'il y ait là quelque chose de prometteur? Combien de cerveaux faudra-t-il étudier avant de pouvoir formuler des conclusions valables? Peut-être la solution se trouve-t-elle plutôt dans les circonvolutions? Tous ces plis, renflements, motifs et sillons seraient-ils affectés par l'humeur des patients? Seraient-ils uniques, comme les empreintes digitales ou les lignes de la main? Quelle surface totale obtiendrait-on si on les dépliait, y verrait-on les empreintes des idées? Et si les caractères de ces circonvolutions n'étaient nullement déterminantes? Si c'était plutôt la profondeur des sillons qui importait? Comment les idées réussissent-elles à ne pas se perdre dans ce labyrinthe? Faudra-t-il étudier au microscope chaque cellule de la substance blanche, chaque cellule de la substance grise?

On a toujours l'impression, lorsqu'on pense, que c'est le devant du cerveau qui travaille : les idées nous semblent prendre naissance quelque part entre l'os du front et le cerveau lui-même; jamais on ne se sent penser par la nuque ou par l'arrière de la tête. Peut-être y a-t-il là une piste? Les idées germeraient à la surface des lobes frontaux, les instincts dans le cervelet, les principes moraux dans les profondeurs de la scissure de Rolando, et le sentiment du bonheur serait un petit courant électrique qui se promènerait sur le pont de Varole...

Pourquoi ne me parles-tu pas, espèce de masse de gélatine, pourquoi nous communiques-tu tant d'idées folles et si peu d'éclairs de génie, tant de superstitions et si peu de science, tant de soumission et si peu de résistance, tant de jalousie et si peu d'amour? Pourquoi tant de politique et si peu de vérité? Pourquoi ton horloge tombe-t-elle toujours en panne dans les périodes de désespoir et tourne-t-elle si vite quand tout va bien? Pourquoi nous faire entendre des voix alors que personne ne nous parle, faire ressentir aux amputés des douleurs fantômes? te laisser ronger par les scrupules et les remords? me faire aimer le brandy et détester la poule bouillie? Pourquoi veux-tu que je lève les yeux au ciel pour regarder des étoiles que je n'atteindrai jamais? Comment fais-tu pour que le bébé naissant se tourne d'instinct vers le sein de sa mère, pour que seuls restent aux vieillards les souvenirs d'enfance ou pour penser à tant de choses futiles, alors que tu n'es même pas capable de m'expliquer comment tu fonctionnes? Vieille chique! Oui, tu n'es rien d'autre qu'une vieille chique que l'on jette à la poubelle quand elle n'a plus aucun goût...

Mais pourquoi est-ce que je m'énerve ainsi? Ce n'est après tout que le cerveau d'une pauvre idiote. Aurais-je en face de moi celui du plus grand savant de tous les temps qu'il demeurerait tout aussi muet. Il ne faut pas que je m'attende à ce qu'il me livre des secrets qu'il a cachés aux plus grands chirurgiens et aux plus illustres philosophes. Il me faudra des années et des années de patience. Dresser une carte des circonvolutions, mesurer la profondeur des sillons, examiner les cellules une à une, peser les hémisphères, découper les lobes, me tromper et recommencer, encore et encore, jusqu'à ce qu'un petit morceau de vérité fasse surgir à nouveau une infinité de questions...

Peut-être inventera-t-on un jour un petit rouleau de cire qu'on greffera au cerveau à la naissance pour enregistrer toutes les conversations, les pensées, les rêves? Au moment du décès, ce rouleau ira d'abord au médecin, qui n'aura plus à pratiquer d'autopsie, ensuite au curé, qui pourra savoir avec certitude si l'âme est au ciel, en enfer ou au purgatoire, et enfin à la famille, qui pourra s'entre-déchirer en connaissance de cause. Il faut se débrouiller en attendant avec une masse de cellules mortes.

— Bernard? Il est onze heures, qu'est-ce que tu fabriques?

— Je termine une expérience et je rentre, ne t'inquiète pas.

Comment as-tu fait encore pour me faire entendre la voix de Florence à travers la porte? Comment peux-tu associer aussitôt à cette voix inquiète un doux parfum, une chaleur pénétrante? Salut, vieille chique, dors bien dans ton beau bocal de verre. Tiens, je te colle une étiquette: *N° 1. Idiote– 56 ans– Cause du décès: marasme–7 septembre 1885*. Bonne nuit, vieille chique! et Dieu bénisse l'âme d'Émilie.

6

Comme chaque matin depuis un peu plus de deux ans, Bernard se présente à sept heures pile au bureau des médecins.

— Quoi de neuf ce matin, sœur Jeanne?

— Beaucoup de travail, docteur Dansereau : il y a eu une bagarre cette nuit du côté des hommes. L'infirmerie est remplie.

— Qu'est-ce qui s'est passé?

— Je l'ignore. Tout ce que je peux vous dire, c'est qu'il y a autant de protestants que de catholiques et que vous aurez besoin de beaucoup de fil: les protestants avaient des couteaux, et les catholiques des fourches.

— Il y a des morts?

— Non, du moins pas encore. Sœur Marie est déjà sur place avec les pansements et le fil, le docteur Villeneuve aussi; on l'a réveillé dès que les blessés sont arrivés, ils vous attendent.

— J'y vais tout de suite. Dieu vous bénisse, sœur Jeanne.

— Dieu vous bénisse aussi, docteur Dansereau.

Une bagarre? Qu'est-ce qui a bien pu se passer? D'habitude, ils se battent à coups de poing, parfois avec des couteaux volés aux cuisines, mais avec des fourches... en plein mois de janvier! Bernard court jusqu'à l'infirmerie.

— Dieu vous bénisse, docteur Dansereau! Pouvez-vous m'aider à recoudre celui-ci? J'en ai pour un bout de temps à lui réparer le crâne; si vous vous occupiez de son ventre?

— Dieu vous bénisse aussi, docteur Villeneuve. Donnez-moi du fil, je m'en occupe. Les organes internes ont-ils été touchés?

— Je ne sais pas, il était inconscient quand je suis arrivé. Les infirmières ont paré au plus pressé en arrêtant les hémorragies, mais il avait déjà perdu beaucoup de sang. Un de ses frères est interné ici, j'ai pensé en profiter pour faire une transfusion, mais les chances de réussite sont si faibles, même entre frères... Il me semble robuste, je pense qu'il va en réchapper. Essayez de faire des points lâches, nous aurons sans doute à le découdre quand il aura repris des forces.

Tandis que le docteur Villeneuve recoud le cuir chevelu, Bernard enlève un des trois pansements qui recouvrent l'abdomen. La blessure semble heureusement superficielle. Le sang, d'un rouge foncé, s'écoule en un flot constant: quelques petites veines ont été sectionnées, mais aucune artère n'a été touchée. Pendant qu'une infirmière essuie la plaie, Bernard enfile son aiguille et entreprend son travail de suture. Bientôt, les mains des deux médecins montent et descendent au même rythme.

— Comment vont les autres?

— Blessures superficielles, on a paré au plus pressé. Heureusement que les gardiens sont intervenus à temps et que les infirmières ont bien fait leur travail, sinon nous en aurions perdu quelques-uns. Dieu bénisse les infirmières. Mais... dites-moi donc, qu'est-ce que vous avez au doigt?

— Ça? C'est un dé à coudre. En observant une couturière, l'idée m'est venue de m'en servir: je n'aime pas me piquer les doigts. J'en ai plusieurs autres à la maison; si vous voulez, je peux vous en apporter.

— Ce serait gentil de votre part. Est-ce la même personne qui vous a montré à faire vos points? C'est très bien fait.

— Oui, je me suis inspiré des boutonnières, c'est plus joli, et c'est aussi plus solide. Mais racontez-moi donc comment a commencé cette bagarre?

— C'est celui que vous êtes en train de recoudre qui a ouvert le bal. Il s'appelle Clifford Harvey; c'est un protestant issu d'une vieille famille orangiste des Cantons de l'Est. Une forte tête, mégalomane, meneur d'hommes... Voudriez-vous tenir mon nœud un instant, le temps que j'enfile une autre aiguille? Merci... Clifford s'étant lui-même persuadé qu'il a été interné à cause de sa religion, que l'asile est, en fait, une prison papiste et qu'il est un prisonnier de guerre, il a facilement convaincu quelques-uns de ses coreligionnaires de préparer leur évasion. Ils avaient même déjà commencé à se constituer une réserve de vivres et de munitions. Rien de bien dangereux: un peu de pain, des fruits, des cordes, des couteaux... Un Irlandais catholique a eu vent de l'affaire, il a cru qu'une insurrection se préparait et il est allé prévenir Romuald Séguin, l'ancien zouave pontifical. À partir de ce moment-là, les choses ont commencé à se corser. Vous savez que Romuald se croit encore à Rome, à la tête des troupes de zouaves qui résistèrent bravement aux assauts répétés des troupes de Garibaldi. Fort en gueule, il suscite la colère des Canadiens français lorsqu'il leur rappelle que Clifford a applaudi à la pendaison de Louis Riel – ce qui est exact, soit dit en passant –, et il arrive même à enrôler dans son bataillon quelques créoles en leur racontant que le même Clifford a déjà joint les rangs de l'armée sudiste – ce qui est aussi exact – et qu'il voulait tuer tous les nègres de l'asile – cela, c'est moins sûr. Ce matin, vers cinq heures, les protestants, après avoir réussi à attacher leur gardien, se préparaient à s'enfuir. Malheureusement pour eux, l'armée des zouaves les attendait à la sortie de la salle. À cinq heures trente, une religieuse est venue me réveiller, et depuis ce temps-là je couds. La dernière fois que j'ai vu une telle boucherie, c'était à une partie de hockey, au Victoria Skating Rink; le National affrontait le Shamrock... Comment va l'abdomen?

— Ça va, j'ai bientôt fini. Comment se fait-il que les autres médecins ne soient pas venus vous aider?

— Nos distingués aliénistes sont beaucoup trop importants pour soigner d'insignifiantes petites blessures, voyons! Quand on a étudié à Paris, on ne fraye pas avec le menu fretin. Ils doivent être en conférence quelque part... Voudriez-vous me prêter vos ciseaux? Merci. Quand vous en aurez fini avec vos boutonnières, pourriez-vous examiner Romuald? Il se plaint de douleurs à l'abdomen, mais j'ai plutôt l'impression que notre zouave se cherche un prétexte pour ne pas travailler. Pendant ce temps-là, je m'occuperai de Clifford; le pauvre homme a les jointures en compote. Ensuite, si vous le permettez, je vais aller me recueillir à la chapelle. Voilà presque trois heures que je couds; mes doigts ont besoin de prières. Il faudrait aussi examiner notre Roméo, il a reçu un coup de couteau à la cuisse.

— Roméo? Ne me dites pas qu'il s'est battu?

— Non, ce n'est pas dans son tempérament. Il s'est tout simplement trouvé là par hasard et aura été pris entre les deux camps. Une victime innocente de la guerre...

Comme l'avait deviné le docteur Villeneuve, Romuald n'était pas vraiment mal en point. Bernard s'est donc contenté de se livrer à quelques palpations, pour le moins mystérieuses, avant de lui prescrire, en faisant un clin d'œil à l'infirmière, une forte dose d'huile de ricin. Tandis que le zouave se purge, Bernard se dirige vers Roméo.

— Alors, Roméo, qu'est-ce qui s'est passé?

Roméo regarde le plafond, comme s'il n'avait rien entendu. Bernard écarte le drap, enlève le pansement, désinfecte la plaie et commence à coudre une boutonnière.

— Ce n'est pas grave, Roméo, mais vous devrez rester étendu au moins une semaine; j'ai bien peur que le muscle ait été atteint.

Roméo ne réagit toujours pas.

— Vous pourrez en profiter pour écrire. Je vous ai justement apporté du papier et un crayon. Il faudra faire attention à ne pas appuyer trop fort, c'est du papier de soie. Vous serez capable de ne pas le déchirer?

— Du papier? Merci, docteur Dansereau, merci beaucoup. Je ferai bien attention, docteur Dansereau, j'écris tout doucement. Si vous saviez comme j'écris doucement; en fait, je n'écris même pas, je caresse le papier. Dieu vous bénisse mille fois, docteur.

— Attention, ne bougez pas pendant que je ferme la plaie. Aussitôt que ce sera terminé, je vous donnerai votre papier, c'est promis... Où avez-vous appris à écrire, Roméo?

— À l'école, chez les frères du Sacré-Cœur. J'ai même commencé mon cours classique.

— Et pourquoi avez-vous abandonné?

— Mon père est mort, j'étais l'aîné... j'ai dû reprendre la ferme.

— Et comment avez-vous rencontré Véronique?

— Quelle Véronique?

— Comment, quelle Véronique, n'est-ce pas à elle que vous passez votre temps à écrire? N'est-ce pas à cause d'elle que vous êtes ici?

— Ah oui, je vois ce que vous voulez dire. Je l'ai beaucoup aimée, c'est vrai, mais c'est fini, maintenant, elle est mariée.

— Et vous, qu'est-ce que vous faites ici?

— Moi? Je suis ici parce que je suis malheureux. Quand je me suis jeté à la rivière, tout le monde a pensé que c'était à cause de Véronique. Le médecin a pensé que j'étais devenu fou à cause d'une peine d'amour, le curé aussi d'ailleurs; alors j'ai fini par le croire. C'est plus facile d'accepter le malheur quand on a une bonne raison d'être malheureux, n'est-ce pas? Maintenant, je sais que ce n'était pas sa faute: elle ou une autre... Non, le malheur, il est dans ma tête, il ne veut pas sortir; c'est comme des coups de marteau...

— Où est-ce que ça cogne? En avant, sur les côtés, en arrière?

— En arrière, près de la nuque.

— Prenez-vous des bains?

— Seulement pour la propreté. Le docteur Paquette dit qu'il n'y a plus rien à faire avec moi. Pourtant, j'aimais bien les bains chauds.

— Quand vous reviendrez dans votre salle, essayez de fixer les fougères le plus longtemps possible.

— Pourquoi?

— Pour voir. Peut-être que ça peut calmer le mal. Bon, il faut que je parte, maintenant, voici votre papier. N'oubliez pas les fougères. Vous m'en donnerez des nouvelles.

— Merci, docteur. Avant que vous partiez, est-ce que je peux vous demander une faveur?

— Laquelle?

— Ne m'appelez plus Roméo, s'il vous plaît. Je m'appelle Oscar, Oscar Parent.

— Oscar Parent, je te jure solennellement que si jamais je réussis à trouver un vaccin contre le malheur, c'est d'abord sur toi que je vais l'essayer.

— Qu'est-ce que vous avez dit?

— Rien, rien, je pensais tout haut.

* * *

À midi, le réfectoire des médecins est désert. Bernard est déçu car, depuis plus de deux ans qu'il travaille à l'asile, il a pris l'habitude de manger avec le docteur Villeneuve, puis de fumer en sa compagnie un énorme cigare en devisant de choses et d'autres. À la longue, Bernard a appris à apprécier cet homme au tempérament floride, qui ne pose jamais de questions indiscrètes et qui, lorsqu'il se permet une affirmation ou une prise de position – ce qui ne lui arrive que très rarement – , a toujours la délicatesse de les pondérer par une de ces locutions qui permettent à l'autre de se prononcer à son tour sans provoquer d'escalade : «à mon avis», «il m'arrive de penser que...», «je n'y connais pas grand-chose, mais il me semble que...» Le seul reproche que Bernard pourrait faire au docteur Villeneuve est son infidélité : il lui arrive parfois de ne pas se présenter au réfectoire du personnel et de le laisser seul avec le docteur Paquette...

Contrairement au docteur Villeneuve, le docteur Paquette ne semble pas connaître le doute. Qu'il s'agisse de politique, de santé mentale ou de religion, il y va toujours d'affirmations péremptoires entremêlées d'énoncés de grands principes indiscutables et d'arguments spécieux; ses interlocuteurs sont alors forcés, à un moment ou à un autre, de répliquer. Le docteur Paquette éprouve une véritable jouissance à les voir ainsi tomber dans le piège : comme une araignée affamée qui sent sa toile vibrer, il se précipite sur son adversaire et l'entoure du fil gluant de ses arguments avant de le paralyser en le piquant d'une de ses preuves définitives. Bernard n'est pas du genre à braver un chien enragé ou une bande de voyous : il préfère changer sagement de trottoir; et quand il rencontre quelqu'un qui a étudié à Paris, il change de table.

Les événements du matin risquent fort d'entraîner la conversation sur le terrain de la politique... Le docteur Paquette ne devrait pas tarder à arriver... Il critiquera la cuisine des religieuses, ironisera à propos du vin de gadelle... Pourquoi ne pas manger en vitesse et profiter du temps doux pour aller marcher dans la cour? Merci, sœur Berthe, je ne reprendrai pas de dessert, votre tarte au sucre était délicieuse, mais je préfère aller marcher un peu. Dieu vous bénisse, sœur Berthe.

* * *

Dans la cour, Bernard s'attarde quelques instants à regarder la patinoire. Quelques aliénés achèvent, avec de larges pelles, d'enlever la neige qui s'est accumulée sur la glace tandis que d'autres essaient laborieusement, à l'aide de longues mèches, de fixer à leurs bottes les cercles de tonneaux recyclés qui leur servent de lames. Le temps a beau être doux, ils n'arrivent pas tous à manipuler avec aisance ces matériaux; certains se voient forcés alors de demander l'aide des religieuses.

Quel spectacle étonnant que de les voir évoluer en silence sur la glace. Les plus maladroits ont toutes les peines du monde à se tenir debout et leurs bras dessinent dans l'air de grandes et vaines spirales tandis qu'autour d'eux les plus adroits glissent avec élégance, malgré leurs patins de fortune et leurs lourds manteaux. Ils tournent en rond, absolument indifférents aux pirouettes et aux chutes spectaculaires des débutants, ils tournent en rond autour de leur malheur. Bientôt quelques religieuses viendront enfin les rejoindre; on leur donnera le droit, pour quelques instants, de retomber en enfance... Les lourdes robes noires, les belles joues rouges, quelques éclats de rire, comme des éclaboussures de grâces, des prières adressées à l'hiver.

Bernard marche encore un peu, s'engage dans l'allée bordée d'ormes qui mène au cimetière. L'asile est récent, et pourtant le cimetière est déjà rempli. Mais qui se tient là, tout près du calvaire? Cette silhouette ronde et trapue, un peu voûtée, ce chapeau de castor ridicule, ça ne peut être que le docteur Villeneuve. Sur quelle tombe vient-il se recueillir? Ça ne te regarde pas, Bernard, rebrousse chemin discrètement, rentre à l'asile, laisse-le en paix. Bernard voudrait bien rentrer, mais ses pieds restent enfoncés dans la neige, ses yeux ne veulent pas quitter la silhouette du docteur Villeneuve. Celui-ci, qui a senti le regard de son collègue comme une tape amicale sur l'épaule, se retourne.

— Dieu vous bénisse, docteur Dansereau. Vous connaissez quelqu'un au cimetière?

— Non, je ne faisais que prendre l'air, pardonnez-moi de vous avoir dérangé.

— Je vous en prie, j'allais rentrer. Chaque semaine, je viens me recueillir sur la tombe de ma mère. Vous voyez la petite croix, dans la deuxième rangée, à gauche du mauvais larron? Une petite croix de rien du tout: c'est tout ce qui reste d'une des premières patientes de l'hôpital. Elle avait d'abord été recueillie par sœur Thérèse, au couvent Saint-Isidore... C'était une femme exceptionnelle, une mère dévouée et attentive qui aurait bien mérité un époux chrétien. Au lieu de cela, elle s'est fait engrosser par un jeune charretier, qui, aussitôt son méfait accompli, s'est enfui aux États-Unis et n'a plus jamais donné signe de vie. Un jour, nous avons appris la nouvelle de sa mort par des parents. Son foie avait éclaté.

— Rien ne vous oblige à tout me raconter, docteur Villeneuve.

— Je sais. C'est justement parce que rien ne m'y oblige que j'ai envie de vous en parler. Vous allez comprendre beaucoup de choses.

Tais-toi, Bernard. Regarde la petite croix, toi aussi, et tais-toi.

— Quand je suis né, ma mère aurait pu m'abandonner, comme tant d'autres l'ont fait, mais elle a voulu me garder. Toute sa vie, elle a travaillé comme une bête, le jour dans une manufacture de tabac, et le soir à faire le ménage chez des gens riches. Pour me garder plus souvent près d'elle, elle m'y emmenait; tandis que je m'amusais avec de vieilles bobines de fil, elle frottait les planchers. «Regarde bien, mon petit bonhomme, regarde bien autour de toi; quand tu seras grand, tu auras une maison aussi belle que celle-là.» Je posais un moment mes bobines, je regardais les planchers de bois cirés, les pièces immenses, les tentures de velours, la bibliothèque, le piano, et je me disais qu'elle était folle, que jamais je ne serais aussi riche.

Folle, elle l'était en effet, mais je ne le savais pas encore. Comment elle avait réussi à me mettre sous la protection du bon monsieur Gamelin, ça, je l'ignore. À sa mort, en 1827, il a laissé à ma mère de quoi payer mes études. J'avais alors cinq ans. C'est madame Gamelin qui a géré l'héritage. Non seulement elle s'est occupée des fous, mais elle a pris soin de moi. Une sainte femme, cette madame Gamelin. Saviez-vous qu'elle s'est fait connaître comme «l'ange des prisonniers politiques», pendant les troubles de 1837?

— Non, je l'ignorais. Mais pourquoi dites-vous que votre mère était folle? D'après ce que vous m'avez raconté, elle me semblait au contraire tout à fait saine d'esprit.

— Elle souffrait pourtant de dégénérescence mentale, une maladie qui met du temps à faire son apparition. Jusqu'à ce que j'aie terminé mes études de médecine, elle était quelquefois incohérente, mais je pensais que c'était attribuable à la fatigue, au surmenage. C'était aussi ce qu'elle disait, même si elle savait fort bien qu'elle était atteinte d'une maladie incurable. Quand mon avenir a été assuré, les digues ont lâché: en l'espace de quelques mois elle était devenue méconnaissable. Elle qui avait toujours fait preuve d'une parfaite réserve, elle s'est mise à dire des grossièretés, à oublier mon nom, puis le sien, elle a cessé de se laver... C'est mère Gamelin qui l'a accueillie. Voilà. Maintenant, vous savez pourquoi je ne me suis jamais marié, pourquoi j'ai passé ma vie à soigner les fous, moi qui suis pourtant convaincu qu'on ne trouvera jamais de traitement contre la folie.

— Qu'est-ce qui vous empêchait de vous marier?

— Mon père était alcoolique, ma mère était folle. Si j'avais donné naissance à des enfants, ils auraient été fous eux aussi. L'hérédité, docteur Dansereau, l'hérédité est la seule cause de la folie. Lisez l'histoire des patients: l'alcoolisme et la pauvreté se transmettent de père en fils aussi sûrement que l'hystérie se transmet de mère en fille. Il y a de rares exceptions, je vous l'accorde, mais quand les deux parents ont des problèmes, la folie ne relève plus des probabilités, elle est inévitable. Un père alcoolique et une mère peu instruite engendreront invariablement des idiots; si c'est le père qui est peu instruit et la mère alcoolique, les enfants seront imbéciles; quand le père est un bâtard et la mère une hystérique, les enfants seront à coup sûr maniaques. Il n'y a pas de solution à la folie. On peut soulager les symptômes, mais on ne guérit pas les tares héréditaires. La seule solution, c'est que les gens qui se savent atteints, comme moi, s'interdisent de procréer.

— Mais votre propre exemple réfute vos arguments, docteur Villeneuve: malgré vos antécédents, vous êtes parfaitement sain d'esprit.

— En matière de santé mentale encore plus que de santé en général, il n'y a pas de différence de nature entre la santé et la maladie, tout n'est qu'une affaire de degrés. Qui vous dit que je ne serai pas atteint, moi aussi, de dégénérescence? Et vous savez comme moi que l'hérédité joue parfois à saute-mouton avec les générations. Non, il ne faut pas prendre de risques. C'est dommage... car j'avais du succès avec les femmes, je savais les faire rire.

— Vous n'avez donc jamais... Je veux dire que...

— Rassurez-vous, je me débrouille avec mon hygiène. J'ai un après-midi de congé par mois et je sais où aller; je prends mes précautions. Que voulez-vous que je fasse d'autre de mon argent? Je vis à l'asile, j'y prends tous mes repas... Bon, il serait temps de rentrer travailler, maintenant. Je vous remercie de m'avoir écouté.

— Je vous en prie, c'était très intéressant.

— Vous n'êtes pas obligé de me croire, docteur. Si vous saviez à quel point je préférerais ignorer tout cela sur moi-même... Au fait, tandis que j'y pense, saviez-vous que Berthe est morte ce matin? Vous savez, celle qui était dans la salle Sainte-Cunégonde, cette pauvre idiote qui rendait toujours service avec le sourire? S'il existait de par le monde une folle heureuse, c'était bien elle. Vous vous intéressiez beaucoup à son cas, je crois?

— En effet. Son corps est-il déjà à la morgue?

— Sans doute. La pauvre femme n'avait pas de famille, ça m'étonnerait qu'on vienne réclamer son corps. Ça fera une croix blanche de plus dans le cimetière... Avez-vous parlé à sœur Thérèse, récemment?

— Non, pourquoi?

— Elle m'a chargé d'un message à votre intention: elle vous demande d'aller la trouver à son bureau demain matin, à la première heure. Elle m'a dit qu'elle s'intéressait beaucoup à vos recherches.

— Mes recherches? Elle n'a rien dit d'autre?

— Non. Cela ne me regarde pas, docteur Dansereau, mais je ne savais pas que vous effectuiez des recherches.

— Ça m'arrive, oui, à temps perdu, mais j'ignorais que sœur Thérèse était au courant.

— Sœur Thérèse sait tout. Et en plus elle s'organise pour qu'on le sache. Pourquoi croyez-vous qu'elle m'a chargé de vous transmettre ce message?... Mais ne vous inquiétez pas pour moi, docteur Dansereau. Vous me tiendrez au courant si ça vous chante, et si vous ne le faites pas, je ne vous en tiendrai pas rigueur. Dans un cas comme dans l'autre, je n'en dirai rien à nos distingués collègues.

— Merci, docteur Villeneuve. Je vous tiendrai au courant, c'est promis, si jamais je reste à l'emploi de l'asile...

— Vous n'avez rien à craindre de sœur Thérèse. Si elle avait voulu vous renvoyer, il y a longtemps qu'elle l'aurait fait. Bon, au travail.

* * *

Cher petit cerveau de mille trois cents grammes, tu es peut-être le dernier de ma collection, alors essaie de collaborer un peu, veux-tu? Livre-moi tes secrets, parle-moi de Berthe... Comment réussissait-elle à garder le sourire malgré son idiotie? À être insensible aux sarcasmes en dépit de sa laideur? À être incapable de la moindre méchanceté? Sois autre chose qu'une vieille chique molle, pour une fois. Aide-moi, je t'en prie, fais-moi trouver des cellules-fougères à la base de la nuque, et d'autres aussi près du nerf optique, et celles qui se cachent dans le creux de l'oreille interne. Sois gentil, petit cerveau. Si tu me laisses extraire quelques cellules, je les conserverai dans un immense bloc de glace, et un jour, peut-être, je pourrai les injecter à Oscar, ce pauvre Oscar, qui est condamné au malheur...

Comment ai-je pu être si naïf, comment ai-je pu croire que je pourrais enlever tant de cerveaux de leur écrin sans que personne ne s'en aperçoive? Deux fois, trois fois par semaine, descendre à la morgue avec une scie à métal, ça ne pouvait pas durer. Sœur Marie-de-la-Visitation aura eu des doutes, elle en aura parlé avec sœur Thérèse, peut-être quelqu'un m'a-t-il vu sortir avec mon petit sac...

Deux cent soixante-quatre fois je suis descendu à la morgue, la scie à la main et quelques verres de brandy dans le corps, j'ai découpé le crâne d'une tempe à l'autre, sous les cheveux, en prenant bien garde de ne pas abîmer la peau du front, j'ai ouvert la tête tout doucement, comme une fiancée soulève le couvercle d'un écrin à bijoux, j'ai brisé l'os du front, coupé les nerfs optiques et la moelle épinière, retiré délicatement le cerveau, puis j'ai refermé le couvercle, replacé la peau du front et les cheveux, et je suis rentré à la maison, ni vu ni connu. Ma technique étant sans faille, personne ne peut se douter que les têtes que je laisse sont vides, que les corps que viennent parfois chercher les familles sont plus légers de deux ou trois livres.

Des heures et des heures à rester enfermé dans la grange; à parler à mon vieux cheval; à mesurer la profondeur des sillons avec un instrument de mon invention, à reproduire les circonvolutions sur des papiers de soie afin de les comparer par transparence – en pure perte d'ailleurs. Si j'avais pensé plus tôt à étudier les animaux, je n'aurais pas gaspillé six mois de ma vie à dessiner. Les moutons, les chevaux et les bœufs ont des circonvolutions très compliquées et très profondes, les rats et les oiseaux un cerveau parfaitement lisse. Or, si les chevaux sont plus intelligents que les poules, les moutons eux sont plus sots que les rats; c'est l'évidence même. Et même si on admettait que les circonvolutions sont un facteur de l'intelligence, ça n'avancerait à rien : à part les idiots, les fous sont tout aussi intelligents que les personnes normales; mais leur intelligence est faussée, c'est bien différent.

Des heures à peser des vieilles chiques, hémisphère par hémisphère, lobe par lobe, cellule par cellule presque. J'aurais dû savoir, dès mes premières expériences, que c'était parfaitement inutile. Bocal numéro seize: Clara Pontbriand. Une pauvre servante qui avait été internée pour monomanie religieuse. Elle se prenait pour Salomé. Quand elle est morte, les gardiens ont été bien soulagés: elle avait une façon de leur regarder le cou qui leur donnait des frissons. La pauvre Clara ne savait ni lire ni écrire, comptait à peine jusqu'à trois et elle croyait dur comme fer que si l'eau du bain lui entrait par le nombril, elle accoucherait d'une grenouille. Son cerveau pesait pourtant deux mille trois cents grammes, beaucoup plus que celui de Cromwell. Non, la taille du cerveau n'a aucune influence sur la santé mentale ni sur l'intelligence. Un cerveau peut être immense et rempli de bêtises, un autre sera minuscule et génial. J'ai pourtant continué à les peser : c'était commode pour le classement.

Deux cent soixante-quatre fois j'ai failli abandonner, mais j'ai continué. Et dire que j'étais sur le point de découvrir quelque chose. Attends que je t'explique, mon vieux cheval. Quand les sensations arrivent au cerveau, elles séjournent un moment dans les lobes frontaux, où quelques cellules les trient très rapidement. Couleurs, chaleurs, formes, poids, idées, tout est mesuré, pesé, soupesé, étiqueté à la vitesse de l'éclair. Ensuite se pose le problème du rangement. Quand on a un esprit logique, tout est classé dans le compartiment approprié et on retrouvera sans peine les informations les plus vieilles, de la même façon qu'on retrouve facilement un livre dans une bibliothèque. Les cellules de la logique sont les bibliothécaires de l'esprit. Combien y a-t-il de cellules logiques? où sont-elles situées? Je l'ignore. Ce n'est peut-être pas si important.

Maintenant, mettons en relation deux idées : j'observe des cerveaux et Florence cultive des fleurs. Qu'y a-t-il de commun entre un cerveau et une fleur? Rien du tout. Et pourtant, quand on y pense, cela tombe sous le sens : les nerfs sont des racines qui plongent dans le corps et, à travers les organes des sens, dans tout l'univers. Cette nourriture est transportée jusqu'à la moelle épinière qui monte, telle une longue tige, jusqu'au cerveau, lequel n'est à son tour qu'une efflorescence de la moelle épinière. Les nerfs sont des racines, la moelle une tige et le cerveau une fleur. Tu me suis toujours? Toutes les impressions, sans exception, passent par les racines, montent le long de la tige et parviennent enfin au cerveau. Selon le traitement qu'il leur fera subir, ces informations, qui au départ étaient neutres, deviendront des éléments de joie ou de tristesse, de bonheur ou de malheur. Où se fait la transformation? À la jonction de la tige et de la fleur, de la moelle épinière et du cerveau. Nécessairement. C'est là, et là seulement qu'il faut chercher. C'est là qu'est la clé du bonheur. Voilà pourquoi je retire quelques cellules du cerveau de Berthe avant de mettre le reste dans un bocal.

Qu'est-ce que je vais trouver si j'observe ces cellules au microscope? Des cellules nerveuses, pareilles à toutes les autres du même type. Elles ont des formes diverses et sont reliées entre elles par une substance granuleuse qui leur sert de trame. Chacune d'elles a un rôle bien précis à jouer: celle-là emmagasine peut-être les très vieux souvenirs, celle-ci, qui ressemble à une pomme, nous fait aimer les femmes. Et qu'est-ce que je vais bientôt trouver si je continue à chercher? Des cellules géantes, comme celles qu'on retrouve dans les profondeurs des circonvolutions, des cellules pyramidales, reliées entre elles par de curieuses petites branches, qui ressemblent étrangement à des fougères. Tous les cerveaux d'idiots présentent ce genre de cellules. Ceux qui souffrent d'hallucinations ont tous le même type de cellules, celles-ci étant reliées entre elles au même endroit, comme des raisins sur une grappe; or, ces êtres sont malheureux. Les idiots, par contre, sont très souvent des gens béats, placides, toujours prêts à rendre service, doux et attachants comme des enfants... Tiens, voilà justement une magnifique cellule-fougère, en voici une autre, et une autre encore… Si Oscar observe bien les fougères, ses cellules cérébrales se regrouperont-elles différemment, par mimétisme?

Qu'est-ce que je vais faire, demain? Nier vigoureusement, feindre l'indignation pour gagner du temps, ou bien tout avouer, le plus simplement du monde? Si j'avoue, je me retrouve médecin privé – privé de tout: plus de cabinet, plus de clientèle, mon nom rayé de toutes les listes des hôpitaux de la province; il ne me restera plus qu'à m'exiler aux États-Unis ou en Ontario. Tu t'imagines en Ontario, Bernard? À ton âge, recommencer une carrière? As-tu idée de ce que tu vas manger, en Ontario? De la poule bouillie, de la poule bouillie jusqu'à la fin de tes jours. Vingt et un, vingt-deux, vingt-trois cellules-fougères, une vraie pépinière! Merci, ma chère Berthe…

Sœur Thérèse est-elle allée vérifier? Elle en serait bien capable. A-t-elle ouvert un crâne, que sait-elle au juste? Tout, elle sait sûrement tout. Elle va me congédier, c'est certain. Comment une religieuse pourrait-elle tolérer qu'on profane des cadavres dans son établissement? C'est fini. Retirons vite les cellules de ce petit cerveau: vingt-cinq, vingt-six, vingt-sept cellules-fougères… il faut que je les dépose sur la glace… Pas encore l'ombre d'une grappe! Dire que j'étais peut-être tout près du but…

7

— Bonjour, docteur Dansereau, je vous attendais. Vous n'avez pas bonne mine ce matin, êtes-vous malade?

— Non, simplement un peu fatigué, sœur Thérèse.

— Tant mieux, docteur Dansereau, tant mieux, nous avons besoin d'un médecin en bonne santé. Si je vous ai demandé de venir si tôt, c'est pour que nous ayons le temps de discuter un peu, vous et moi. Depuis plus de deux ans que vous travaillez ici, c'est à peine si nous avons eu dix minutes de conversation suivie. C'est trop peu. J'aime savoir ce que pense mon personnel, et j'aime qu'il soit heureux. Comment trouvez-vous votre vie à l'asile, docteur Dansereau?

— Tout va bien, je pense que je me suis adapté assez facilement, je ne regrette pas le choix que j'ai fait.

— Vous m'en voyez très contente, docteur. La cuisine du réfectoire vous plaît-elle?

— Oui, j'en suis très satisfait.

— Bien sûr, ce n'est pas de la fine cuisine, mais on fait ce qu'on peut avec ce qu'on a, n'est-ce pas? Savez-vous à quoi je pense parfois, docteur Dansereau? Je pense que nos pauvres innocents sont des privilégiés. Vous êtes-vous déjà demandé à quoi ressemblerait leur vie si on ne les avait pas accueillis ici? Ils travailleraient dans des usines poussiéreuses, et pour des salaires de famine qui ne leur permettraient même pas de nourrir leur famille. À la moindre crise, ils seraient forcés de rejoindre l'armée de chômeurs qui est en train de se former. Ils crèveraient de faim ou alors ils s'expatrieraient aux États-Unis pour travailler dans les filatures, et perdraient rapidement leur langue et leur âme. Ou bien encore ils monteraient au Témiscamingue défricher un coin de terre; ils passeraient quelques années à abattre des arbres qu'ils n'auraient même pas le droit de vendre pour en être réduits finalement à cultiver des roches et de la neige. Quant aux femmes, n'en parlons pas. Si elles ne veulent pas se voir obligées de porter des enfants neuf mois par année et d'enfanter dans la douleur – tout ça pour les voir mourir un peu plus tard, sans avoir de quoi payer le médecin... – la seule solution qui leur reste est d'enseigner à une centaine d'enfants pour un salaire de soixante piastres par année, ou d'épouser le Seigneur pour prendre soin de ceux qui sont plus malheureux qu'eux encore... Docteur Dansereau, nos patients sont privilégiés: ils sont logés, vêtus, nourris, bénéficient de soins médicaux gratuits, ils peuvent jouer au billard et aux cartes et ont même droit à des bains chauds et à des douches. Les bourgeois des vieux pays dépensent une fortune dans les villes d'eau! Pas d'argent, pas d'obligations, même pas celle de travailler, quoiqu'on les y incite fortement – pour leur plus grand bien d'ailleurs... Si je ne me trompe, docteur Dansereau, vous étiez un habitué de l'Institut canadien, et on raconte même que lorsque monseigneur Bourget a condamné l'Institut, vous étiez, malgré la menace d'excommunication qui pesait sur vous, un farouche partisan du maintien de l'organisme. Vous êtes donc ce qu'on appelle un libre penseur.

— C'est de l'histoire ancienne, sœur Thérèse, j'étais encore bien jeune à l'époque.

— Peu importe votre âge; on ne change pas si souvent d'idées au cours d'une vie. Vous êtes un libre penseur, un partisan de la séparation de l'Église et de l'État, vous avez lu des livres à l'index, et peut-être même partagez-vous les idées de ces utopistes européens qui s'imaginent refaire le monde. Dites-moi donc: connaissez-vous un seul de ces utopistes qui ait réalisé une société plus parfaite que la nôtre? Sécurité absolue, médicaments gratuits, loisirs, travail volontaire... La société idéale, elle est *ici*, docteur Dansereau, ne croyez-vous pas?

— Je pense que c'est une idée surprenante. Ça mérite réflexion.

— N'essayez pas de vous défiler: toutes les conditions d'une société idéale sont réunies *ici*, à l'asile. En manque-t-il une seule?

— La liberté, répond Bernard.

— Qu'ont-ils besoin de liberté alors qu'ils disposent de tout ce qu'ils pourraient désirer? Comment expliquer que, malgré cela, la plupart d'entre eux n'attendent que leur guérison pour sortir d'ici, pour devenir chômeur, faire la culture des roches ou accoucher dans la douleur? Il y a là un paradoxe étrange, ne trouvez-vous pas?

— Sans doute, sœur Thérèse, mais où voulez-vous en venir?

— À ceci : je n'ai que faire d'une société idéale que ni vous ni moi ne verrons de notre vivant. La seule chose qui me tienne à cœur ici-bas, c'est mon asile. Nous sommes arrivés à un compromis acceptable avec le nouveau gouvernement. Les protestants auront bientôt leur nouvel asile; leurs critiques cesseront peut-être? *En apparence*, tout va bien. Cependant ce n'est qu'un répit, docteur Dansereau, un court répit, l'ennemi fourbit déjà ses armes, il est même dans nos murs. Vous connaissez comme moi le docteur Paquette, et vous savez qu'il est un farouche partisan de la prise de contrôle de notre asile par le gouvernement. Il n'a même pas la décence de le cacher – comme vous le faites si bien.

— Comment pouvez-vous prétendre savoir ce que je pense, sœur Thérèse?

— Quand on a passé sa vie avec les fous, on sait ce que pensent les hommes, docteur. Mais ne vous inquiétez pas: j'ai besoin de vous, docteur Dansereau, j'ai besoin de vous tel que vous êtes, avec vos idées, et avec... vos expériences.

Ce qui n'était jusque-là qu'une banale conversation de salon est en train de prendre une tout autre tournure. Comme des voyageurs qui se dérouillent les jambes après une longue étape, sœur Thérèse, qui a prononcé la dernière phrase à voix basse, presque sur le ton de la confidence, se lève de sa chaise, regarde à la fenêtre, jette un coup d'œil au cornet acoustique, étrangement muet depuis le début de leur conversation, et vient finalement se rasseoir. Bernard, qui ne la quitte pas des yeux, fait de même et essaie, en pure perte d'ailleurs, de trouver une position moins inconfortable sur sa chaise de bois: serait-il assis dans le plus confortable fauteuil anglais à déguster le meilleur brandy du monde que son inconfort serait le même. Pendant cette courte pause, Bernard, qui a toujours éprouvé des difficultés à filtrer ses idées, a même eu le temps de penser au théâtre et de se réconcilier avec les metteurs en scène... Il n'avait jamais pu supporter ces énergumènes, incapables de tolérer que deux personnages restent assis face à face pendant une conversation. Pourquoi fallait-il toujours que l'un des acteurs reste assis pendant que l'autre tourne autour de lui en gesticulant comme un pantin? Au moment où sœur Thérèse reprend sa place, il a eu le temps de chasser cette idée folle et décide alors de prendre les devants. Advienne que pourra, il ne peut plus supporter ce rôle de souris prisonnière d'un chat particulièrement sadique.

— Sœur Thérèse, il me semble que vous prenez beaucoup de détours pour arriver à votre but. Si vous voulez que nous parlions de mes expériences, vous n'avez qu'à le dire, je suis disposé à tout vous expliquer, sans rien vous cacher.

— Docteur Dansereau, je veux que nous nous comprenions bien. Il se passe beaucoup de choses dans un asile, à tel point que je ne saurais tout savoir, malgré ce que certaines personnes racontent. Parmi les réalités que j'ignore, certaines, j'en suis bien consciente, peuvent heurter la morale chrétienne; c'est pourquoi j'ai le devoir de m'informer, voire même d'enquêter, afin que cessent ces actions répréhensibles. Malgré tout mon zèle, il est possible que certains de ces actes soient perpétrés depuis des années sans que jamais un doute ne m'ait effleuré l'esprit. Personne ne peut alors me reprocher de ne pas avoir fait mon devoir, n'est-ce pas? Maintenant, venons-en aux faits. Je sais depuis longtemps que vous avez demandé aux religieuses de vous prévenir lorsqu'un de nos patients mourait. Pourquoi donc? Désirez-vous simplement faire quelques prières pour le salut de son âme, ce qui serait tout à votre honneur? Si c'est le cas, je vous en félicite. Je sais aussi que vous avez la bonne habitude de consulter les livres de notre bibliothèque, particulièrement ceux qui ont trait aux dernières découvertes sur le fonctionnement du cerveau. Cette saine curiosité est tout aussi louable et nous pourrions donner votre cas en exemple à certains jeunes médecins qui, sous prétexte qu'ils ont étudié à Paris, croient tout savoir. J'ai appris aussi – c'est là que les choses se compliquent – qu'on vous avait vu à plusieurs occasions vous rendre à la morgue, une scie à la main, pour en ressortir quelques instants plus tard avec un petit sac qui contenait, entre autres choses, des morceaux de glace – du moins c'est ce qu'on en aurait déduit. C'est un comportement pour le moins étrange, dont plusieurs s'inquiètent.

— Je suis prêt à tout vous dire, sœur Thérèse.

— Laissez-moi terminer, docteur, je vous en prie! J'ai mis longtemps à résoudre ce casse-tête – vous me pardonnerez l'expression! – mais, cette fois, je crois que j'y suis parvenue. Qu'est-ce qu'un homme peut bien faire avec une scie, à part s'adonner à quelque bricolage? Quand ils ont un peu de temps libre, je sais que les médecins apprécient la solitude; la morgue est assurément, avec la chapelle, l'endroit le plus calme de l'asile. Quant à votre sac, je considère comme tout à fait normal que vous apportiez une collation. Vous voyez comme tout est simple? Je ne me suis pas trompée, n'est-ce pas? Dites-moi que je ne me suis pas trompée.

— ...Non, ma sœur.

— Je suis très heureuse de vous l'entendre dire, et j'en remercie le Seigneur. Maintenant que nous nous comprenons mieux, docteur Dansereau, vous pourriez sûrement me parler de vos bricolages. Je n'ai guère le temps de travailler le bois; ça m'intéresse donc beaucoup.

— Vous désirez que je vous en parle immédiatement?

— Nous avons encore du temps devant nous, j'ai demandé qu'on ne me dérange sous aucun prétexte, le cornet acoustique est fermé... Allez-y, je vous écoute.

— Voyez-vous, je m'intéresse beaucoup au bois, en effet, et particulièrement aux... planches qui proviennent d'arbres malades, voilà.

— Tiens donc. Et qu'avez-vous découvert à propos de ces arbres?

— Peu de choses, en fait. Je me suis demandé, par exemple, si les veines – qui ressemblent beaucoup aux circonvolutions du cerveau – ne pourraient pas m'apprendre quelque chose sur les causes de ces maladies. Malheureusement, je n'ai rien trouvé de concluant en ce sens.

— C'est vraiment dommage. On peut facilement imaginer les répercussions inouïes qu'une telle découverte aurait eues éventuellement sur les travaux des pépiniéristes et des jardiniers...

— En effet, sœur Thérèse. Ensuite, j'ai cherché à savoir si le poids des planches extraites d'arbres malades ne présentaient pas quelque caractère particulier. Étaient-elles plus compactes, plus denses, et les nœuds plus durs? Malheureusement, mes recherches n'ont abouti, là encore, à aucun résultat significatif. Mais, tout récemment, je pense être parvenu à élaborer une théorie prometteuse. Les arbres, voyez-vous, peuvent être divisés en deux grandes catégories : ceux qui sont sains – que j'appellerai, par figure de style, les arbres *heureux* – et les arbres malsains, qui seraient, eux, *malheureux*. Après avoir observé certaines cellules de ces arbres, j'ai découvert que les arbres malheureux avaient une grande concentration de cellules qui ressemblent beaucoup à des grappes de raisin, tandis que les arbres heureux semblent constitués en grande partie de cellules semblables à des fougères. S'il y avait moyen d'injecter quelques cellules-fougères à des arbres malheureux, je suis persuadé qu'on pourrait les guérir.

— Avez-vous fait des expériences en ce sens?

— Non. J'ai conservé dans la glace quelques cellules-fougères, mais je n'ai pas osé les injecter à... à aucun des magnifiques arbres de l'asile. Le risque est beaucoup trop grand.

— En effet. Tout ce que vous me dites est très intéressant, docteur Dansereau, vraiment très intéressant, mais je vais vous dire franchement ce que je pense : vous ne réussirez jamais. Si la Providence a voulu que certains arbres soient malheureux, et d'autres heureux, Elle avait sûrement Ses raisons. Qu'est-ce qu'une cinquantaine d'années de souffrances terrestres quand le paradis les attend pour l'éternité? Car il y a sûrement des arbres au paradis, je n'en doute pas; les saints ont sans doute gagné le privilège d'avoir un peu d'ombre. Cela n'empêche pas que nous devions travailler à soulager leurs souffrances, bien entendu, mais ne soyons pas orgueilleux au point de vouloir nous substituer à Dieu. Cela étant dit, je voudrais que vous publiiez vos recherches.

— Je vous demande pardon?

— Je voudrais que vous publiiez vos recherches, que vous donniez des conférences, que tout le monde soit mis au courant des expériences importantes que vous faites. Vous pourriez très bien publier vos résultats sans faire mention des moyens que vous avez pris pour y aboutir, non? Voyez-vous, docteur, ayant déjà rencontré personnellement le trésorier de la Province, j'ai de bonnes raisons de croire que les finances de l'asile resteront encore longtemps entre les mains des religieuses. Du point de vue médical, la situation est différente. Le gouvernement n'a qu'à payer les salaires de deux ou trois médecins pour s'assurer – à trop bon compte, selon moi – la direction de l'asile. Que font ces médecins, à part assister à des bains que donnent les religieuses aux patients et se faire payer des voyages à Paris? Ils espionnent, ils critiquent, ils tentent de saper notre travail de l'intérieur. Plutôt que de nous aider à soigner nos pauvres malades, ils tentent de nous mettre des bâtons dans les roues, à seule fin de pouvoir un jour se poser en sauveurs. Quand ils auront accumulé suffisamment de calomnies, ils alerteront les journaux, crieront au scandale, et publieront même – ils en sont bien capables – les divagations de nos patients à l'appui de leurs thèses. Que fera le gouvernement alors? Il profitera de l'occasion pour s'emparer des asiles, des hôpitaux et des écoles, et qui mettra-t-on à la tête de ces établissements? Des émules du docteur Paquette. Mais le gourvernement se réserve de bien mauvaises surprises : une fois à la tête de l'asile, croyez-vous que le docteur Paquette se contentera de prières et d'eau fraîche? Certainement pas. Il voudra faire augmenter les salaires, les budgets, les crédits, et bientôt le gouvernement, pris au piège, n'aura plus le choix. Il augmentera les taxes et imposera même les revenus!

— Vous ne croyez pas que vous exagérez, sœur Thérèse? La population n'acceptera jamais une chose pareille.

— Je vous souhaite de ne pas connaître cette triste situation de votre vivant, docteur, mais je suis persuadée qu'elle est inéluctable. À moins, évidemment, que nous réussissions à prouver que les religieuses sont non seulement capables de gérer les finances des hôpitaux beaucoup mieux que la Province ne saurait jamais le faire, mais qu'elles sont aussi capables de s'occuper des soins médicaux, même d'être à la fine pointe de la recherche. Voilà pourquoi j'ai besoin de vous, docteur Dansereau. Vous allez publier vos articles, vous allez prononcer des conférences à Paris, à Londres et à New York, et nous allons battre le docteur Paquette sur son propre terrain!

— Mais comment voulez-vous que je publie alors que je n'ai obtenu aucun résultat valable?

— D'après mes calculs, vous devriez avoir étudié au moins deux cents planches. Ne m'avez-vous pas dit que vous aviez découvert que ni les circonvolutions ni le poids n'ont d'influence sur la santé des arbres? J'en connais qui auraient publié à moins! Et ce que vous m'avez raconté au sujet de ces «cellules-fougères» et de ces «cellules-grappes» mérite certainement une série de conférences. Êtes-vous déjà allé dans les vieux pays, docteur Dansereau?

— Jamais.

— À votre âge, il serait temps d'y penser. À quoi bon faire des recherches si vous ne pouvez pas en profiter pour voyager?

— Votre proposition est tentante, sœur Thérèse, mais je vous répète que je n'ai encore rien trouvé de concluant. Si je commence à faire paraître des articles et à prononcer des conférences en Europe, quand donc trouverai-je le temps de poursuivre mes recherches? Et si je n'arrivais à aucune conclusion valable? Si je déclenche une polémique que je ne suis pas à même de soutenir, votre stratégie risque de se retourner contre vous.

— Combien de temps vous faudra-t-il pour terminer vos travaux?

— Je n'en ai aucune idée. Un an, deux ans... Peut-être aussi n'y arriverai-je jamais...

— C'est bien long.

— Accordez-moi deux ans, sœur Thérèse, deux ans sans avoir à publier d'articles ni à prononcer de conférences, et je vous jure que je vais tenter l'impossible pour arriver à quelque chose.

— Je vous l'accorde, docteur, et je prierai chaque jour le Saint-Esprit pour qu'Il vous éclaire. Je donnerai aussi des instructions pour que vous ayez plus facilement accès à la pharmacie, au cas où vous auriez besoin de quelque chose... J'avais l'intention aussi de vous accorder un petit laboratoire, qui vous permettrait de travailler sur place, mais ce serait trop dangereux.

— Merci, sœur Thérèse.

— Ne me remerciez pas tout de suite, docteur, j'ai encore quelques petites choses à vous demander.

— Lesquelles?

— D'abord, j'estime qu'avec vos deux cents quelques planches, vous devriez déjà avoir suffisamment de matière première. S'il vous en manquait quelques-unes, je vous demanderais de ne pas utiliser les budgets de l'hôpital. Le bois coûte cher, vous comprenez, j'estime donc que vous devriez l'utiliser avec parcimonie...

— Je comprends.

— Ensuite, je vous demanderais de prendre d'infinies précautions au moment de tenter des greffes: ne le faites que si vous êtes absolument certain des résultats, ou du moins si vous pouvez vous assurez au préalable que les ma. . . les arbres n'en souffriront pas. Quand vous procéderez à ces greffes, j'apprécierais aussi que vous ne m'en avertissiez point.

— C'est entendu, sœur Thérèse.

— Et... quelque chose soulagerait ma conscience d'un lourd fardeau... Voyez-vous, docteur, je peux m'accommoder de votre statut de libre penseur; je peux aussi, à la rigueur, fermer les yeux sur certaines des activités que je réprouve, car j'ai décidé de vous faire confiance; je pense que vous le méritez. Cependant, certaines rumeurs courent à votre sujet... – ce sont autant d'épines qui me sont plantées dans le cœur... Docteur Dansereau, je voudrais que vous mettiez fin à votre statut de concubinage, c'est-à-dire que vous épousiez madame Martineau. Cela me soulagerait vraiment beaucoup, docteur.

— Qui vous a fait croire une telle chose?

— Ne niez pas l'évidence, docteur, et ne cherchez pas à me mentir : pour un médecin, vous y arrivez fort mal.

— Bon. Ce que vous me demandez de faire est pour le moins surprenant. Et puis je ne saurais prendre un tel engagement sans lui en parler. Peut-être refusera-t-elle?

— Allons donc, vous savez bien que c'est impossible: quelle femme, dans notre province, refuserait d'épouser un médecin? Si vous ne le faites pas pour vous, faites-le pour moi, je vous en prie, docteur Dansereau.

— Je lui en parlerai, sœur Thérèse.

— Merci. Maintenant, je pense qu'il est temps de nous mettre à l'ouvrage. Je suis très heureuse d'avoir eu cette conversation avec vous, docteur, et je prierai pour vous.

* * *

Ce soir-là, après une journée de travail au cours de laquelle il avait eu beaucoup de mal à se concentrer,

Bernard n'était pas allé à la morgue. Après avoir mis son manteau et ses bottes, il s'était dirigé plutôt vers le poulailler, un petit bâtiment de planches, situé loin sur un chemin qui contournait les écuries avant de se perdre dans les champs déserts. Le poulailler était si bas que dès que commençaient les premières bordées de neige, il disparaissait complètement derrière les monticules blancs. On y accédait par un petit sentier à peine plus large qu'une pelle. Tout l'hiver, on oubliait le poulailler, les poules, les coqs – et Wilfrid, le préposé aux poules.

Le sentier était si calme, l'air si immobile et la neige si blanche que Bernard avait hésité avant de frapper. Quand il s'y était résigné, le silence avait aussitôt été brisé par le caquetage des poules. Il avait lentement ouvert la porte, et Wilfrid était apparu, en camisole, à travers un tourbillon de plumes. Bernard avait revu aussitôt les batailles d'oreillers auxquelles il était de tradition de se livrer au pensionnat, à la veille des grandes vacances.

— Entrez, docteur, et fermez vite la porte. Vous devriez enlever votre manteau : la neige est un bon isolant, vous savez, et les poules produisent beaucoup de chaleur. Vous, les poules, silence! Un peu de tenue, on a de la visite! Ça vaut aussi pour toi, Gertrude!

Au grand étonnement de Bernard, les poules s'étaient tues aussitôt. Il s'était alors senti plutôt intimidé : toutes ces poules qui le regardaient, la tête de travers…, et Wilfrid, lui-même si timide habituellement – il n'était qu'un patient comme un autre, comme tous ceux de la salle Saint-Étienne –, semblait subitement avoir grandi d'un pied. La tête haute, le torse bombé, il se donnait des airs de roi en vacances.

— Vous me voyez surpris, docteur, j'ai pas souvent l'occasion de recevoir de la visite... Qu'est-ce que je peux faire pour vous?

— Je veux tout simplement vous poser des questions sur les poules. Étant donné que vous êtes expert en la matière... Combien avez-vous de poules, Wilfrid?

— J'ai mille deux cents poules pondeuses, vingt coqs et plus de quatre mille poulets. L'asile consomme mille douzaines d'œufs par mois, et *beaucoup* de poulets. Dimanche prochain, j'en tuerai cinq cents, rien que pour le souper.

— Et... vous les connaissez toutes par leur nom?

— Bien sûr que non. Seulement mes pondeuses.

— C'est tout de même considérable... J'ai à vous poser une question qui va peut-être vous surprendre mais qui est pour moi d'un grand intérêt scientifique: d'après vous, les poules sont-elles heureuses?

— Les poules? heureuses? Évidemment.

— Et qu'est-ce qui les rend heureuses?

— Certainement pas les coqs en tout cas. Si vous voyiez comment ils les traitent! Quand on a l'embarras du choix, on n'a pas à être poli. Mais tout de même... ils pourraient faire attention. Non, les coqs sont des brutes. Les poules s'en passent très bien d'ailleurs... En fait, il suffit de peu de choses pour les rendre heureuses: de la bonne nourriture, quelques petits cailloux, du soleil, et surtout un bon tas de fumier.

— Pourquoi?

— Les poules adorent gratter le fumier; pas pour trouver des vers, simplement pour le plaisir de gratter.

— Je vois. Et pendant combien de temps engraissez-vous vos poulets avant de les tuer?

— Douze semaines.

— Parfait. Pourriez-vous me rendre un service, Wilfrid? Il s'agit d'une expérience très importante... La prochaine fois que des poulets naîtront, vous les diviserez en deux lots identiques, vous donnerez ensuite au premier lot toutes les conditions dont vous m'avez parlé – bonne nourriture, cailloux, fumier...; pour ce qui est de l'autre lot, vous ne leur donnerez ni fumier, ni soleil, ni cailloux. Avant de les tuer, prévenez-moi: j'aimerais étudier leur cerveau.

— Je vois. Mais dites-moi donc, docteur, sans vouloir vous offenser... est-ce que sœur Thérèse est au courant? Parce que, voyez-vous, les poulets malheureux sont jamais très bons à manger, et si les patients se plaignent, sœur Thérèse va peut-être donner ma place à quelqu'un d'autre. Je ne voudrais pas me séparer de mes poules, vous comprenez?

— Je comprends très bien, vous n'avez rien à craindre, je préviendrai sœur Thérèse. Elle sera très contente de vous quand elle apprendra que vous m'avez aidé.

— Dans ce cas, je vais faire ce que vous m'avez dit, et je vais donner les poulets trop durs aux gardiens. Mais... comment allez-vous faire pour enlever les cerveaux?

— Avec une petite scie à métal je devrais y arriver sans trop de dommages.

— Est-ce que vous me permettez de vous donner un conseil, docteur? Quand vous allez leur enlever le cerveau, regardez pas leurs yeux.

— Pourquoi donc?

— Parce que... la plupart des poules sont très gentilles, mais on peut pas en dire autant des coqs, et ...c'est des têtes de coqs que je vais vous donner.

— Et alors?

— Il faut jamais regarder un coq dans les yeux, docteur, jamais. À travers ses yeux, c'est le Diable qui vous regarde.

— ...Bon, je ferai attention, vous avez bien fait de me prévenir. Quand pourrai-je venir chercher mes têtes?

— Voyons... nous sommes en janvier. Au début d'avril, ça devrait aller. Je vais vous faire prévenir.

En sortant de chez Wilfrid, Bernard avait remonté le col de son manteau et marché d'un pas rapide jusqu'à l'écurie. Le vent froid venait-il de se lever, ou alors était-ce plutôt le fait qu'il ne l'avait pas remarqué avant d'entrer dans le poulailler, ce tout petit morceau de printemps perdu dans la neige?

8

Le vent, venu tout droit du nord, s'amuse à imiter le cri de la chouette en s'engouffrant dans la cheminée, la neige arrondit les angles des carreaux de la fenêtre, et Florence se recroqueville sous sa douillette. Quel jour sommes-nous? Dimanche. Pourquoi ce froid de canard, Seigneur, comment voulez-vous qu'on pense à Vous rendre hommage par un temps pareil?

Il me semble qu'il y avait des chats qui dormaient dans mon lit. Combien étaient-ils? Vingt, trente, cinquante, au moins cinquante chats blancs qui me tenaient au chaud, c'était bon. Du moins jusqu'à ce qu'ils se mettent à ronronner. Quel vacarme! Et puis cette odeur d'encens qui me faisait suffoquer... Pourquoi mon lit était-il dans une église?

Le dimanche matin, Florence prolonge toujours son réveil. Elle aime cette zone trouble du sommeil, quand les rêves s'effilochent et que la raison, encore endormie, essaie tant bien que mal de les raccommoder. Elle ouvre un œil paresseux, le referme aussitôt : elle est bien dans son lit, une douce odeur de thé monte de la cuisine, Bernard doit déjà être levé... est-il parti travailler? Mais non, sœur Thérèse lui a accordé un congé, le premier en deux ans et demi. Pourquoi n'est-il pas couché? Qu'est-ce qu'il fabrique encore? Les yeux encore fermés, elle glisse sa main sous la douillette, de l'autre côté du lit: les draps sont à peine tièdes, il a dû se lever avec le soleil.

La nef était vide, le chœur désert, il n'y avait que le lit, en plein cœur de l'église, entouré de milliers de lampions. Même à son propre mariage, Bernard était absent. Perdu dans ses pensées, comme toujours, à tripoter des cellules imaginaires, à chercher des morceaux de bonheur... Son propre mariage? Est-ce que j'ai rêvé ou bien a-t-il réellement demandé ma main? Qu'est-ce que c'est que cette idée? Il y a quelque chose de louche dans cette décision subite. Du tilleul, il y avait aussi une odeur de tilleul dans l'église... Mais, où était donc le prêtre? Dans le jubé, une petite sœur de la Providence s'était mise à jouer de l'harmonium. Aussitôt la cérémonie terminée, Bernard s'en était allé avec elle, main dans la main. La religieuse était minuscule, et ses épaules sautaient, comme si elle riait. Sœur Thérèse. C'est sœur Thérèse qui lui a suggéré de m'épouser. De quoi se mêle-t-elle, celle-là? Inutile de chercher encore, les dernières gouttes de sommeil se sont évaporées. Le rêve a disparu. À jamais... Je dois m'arracher à mon lit, me lever, me préparer pour la messe.

Une petite croûte de glace s'est formée sur le pot à eau, que Bernard a la mauvaise habitude de laisser trop près de la fenêtre. Florence trempe un bout de sa débarbouillette dans l'eau glacée, se frotte vigoureusement les yeux et les tempes, puis entreprend de coiffer ses lourds cheveux. Pendant que la brosse glisse doucement, entraînant sa tête vers la droite, puis vers la gauche, ses yeux ne quittent pas le miroir: pourquoi est-ce que je me marierais? et pour qui? Pour moi, pour Bernard ou pour sœur Thérèse?

Elle descend l'escalier tout en nouant la ceinture de sa robe de chambre, puis regarde la patère, près de la porte d'entrée : le manteau de Bernard n'y est pas, il a chaussé ses bottes, mis son chapeau. Quand il va à l'étable, il ne prend pas la peine de mettre un chapeau; c'est donc qu'il est allé couper de la glace sur le fleuve. Faut-il être fou, par un temps pareil. Pourquoi diable n'a-t-il pas allumé un feu avant de partir?

Florence soulève une rondelle du poêle, jette un regard à l'intérieur : Bernard a bel et bien allumé un feu de petites branches, juste ce qu'il fallait pour faire chauffer l'eau de son thé, mais, par-dessus les petites branches, il a placé une immense bûche d'érable, qui a évidemment tout étouffé. À son âge, il n'est même pas capable d'allumer un feu correctement. Tu parles d'un homme!

Tu parles d'un homme, mais qu'est-ce que tu ferais sans lui? À quoi ressemblerait ta vie s'il en était absent? À qui raconterais-tu tes joies et tes misères, à qui parlerais-tu du temps qu'il fera, du printemps qui arrive, de tes bulbes de jacinthes qui n'auront peut-être pas passé l'hiver? Il ne t'écoute pas beaucoup, c'est vrai, mais au moins il fait semblant parfois. Chaque fois que tu lui reproches son indifférence, il proteste, pour la forme, puis il finit par admettre qu'il était distrait. Confus, repentant, il te promet de faire des efforts et, pendant quelques jours, il s'efforce de te poser des questions sur tes travaux de couture ou sur les potins du village. Parfois, il réussira à tenir le coup pendant toute une semaine. Alors tu lui parleras de la difficulté que te donnent les vêtements de soie et tu verras son regard s'enfuir au loin. Il pensera à ses cellules, il se verra en train de les repriser avec du fil invisible... Les hommes ne sont pas faits pour écouter, pas plus les prêtres que les autres d'ailleurs : ils se dissimulent derrière des grillages et, après avoir attendu impatiemment la fin de la confession, ils imposent leur pénitence, toujours la même, trois Pater – trois Ave – trois Gloria.

Maintenant, ça y est, le feu est bien engagé, tu peux remettre la rondelle en place, ton eau ne tardera pas à bouillir, tu prendras une tasse de thé en te demandant s'il est permis d'y ajouter du sucre, comme Bernard le fait si souvent. Puisque le sucre est complètement dissous dans l'eau, dit-il, on ne peut plus le considérer comme un solide; on peut donc en consommer avant de communier. Mais le sucre est tout de même du sucre; ne faut-il pas être à jeun depuis minuit? Quand on mêle la science et la religion, on ne comprend plus rien.

Après avoir mis la bouilloire sur le poêle, Florence s'approche de la fenêtre, qu'elle gratte doucement avec ses ongles pour effacer le givre qui a passé toute la nuit à dessiner une jolie forêt de sapins diaphanes. Au loin, sur le fleuve, elle aperçoit d'abord le vieux cheval, qui souffle si fort que deux immenses jets de fumée sortent de ses naseaux – quand donc se résignera-t-il à se débarrasser de ce vieux cheval? – et Bernard, occupé à scier des blocs de glace. Pense-t-il seulement à moi?

* * *

Tu vois, mon vieux cheval, je pense que la présence de cellules-fougères est une condition nécessaire du bonheur, mais je n'en suis pas encore absolument convaincu. Peut-être chaque cellule a-t-elle un rôle précis, et même plusieurs rôles indissociables, à jouer. Comment savoir? S'il faut que les cellules du bonheur contiennent aussi les germes de l'idiotie, ce sera l'impasse. Quel homme sensé accepterait de céder quelques pouces de son intelligence en échange d'arpents de bonheur?

Supposons que je trouve les bonnes cellules et que je les injecte dans un cerveau malade, comment prévoir la réaction, comment savoir quel dosage exact sera nécessaire à chacun? Si j'injectais des cauchemars, des hallucinations, des supplices? Et qui sait si une faible partie de cellules-raisins ne serait pas nécessaire au mélange? Les peintres n'ajoutent-ils pas un soupçon de noir pour donner de la profondeur aux bleus? Deux ans, vieux cheval, deux ans pour résoudre des problèmes que les plus grands esprits n'ont jamais résolus. Vas-tu tenir le coup encore deux ans? Dans quelques semaines, j'aurai des centaines de cerveaux de poules. Si j'arrivais à rendre heureuse une poule, une seule pauvre petite poule... En admettant que je réussisse, la poule sera-t-elle plus idiote qu'elle ne l'était? Comment mesure-t-on l'intelligence d'une poule? Tu le sais, toi, vieux cheval? Bon, je sais, tu as froid, tu veux rentrer. Moi aussi j'ai froid, et Florence doit m'attendre pour aller à la messe.

Sais-tu quoi, vieux cheval? Je n'avais pas besoin de tant de blocs de glace, j'aurais pu attendre. J'aurais pu rester couché dans mon lit, et toi, tu aurais pu te reposer dans ton étable. Mais j'étais incapable de dormir. Je regardais le plafond, je me torturais l'esprit... Autant te le dire, c'est à cause de Florence. J'ai lui ai demandé sa main. Je pensais que ce serait une simple formalité, mais non, elle m'a fait une scène. Depuis plus de deux ans, nous vivons comme mari et femme, et elle ne semble pas s'en plaindre. Pourquoi hésite-t-elle à rendre la chose officielle? Une signature au bas d'un papier de notaire, quelques simagrées à l'église, qu'est-ce que ça changerait? Je n'aurais pas dû parler de sœur Thérèse, c'est certain.

— Veux-tu bien me dire, Bernard, qui a bien pu te mettre une telle idée en tête?

— Pour parler franchement, c'est sœur Thérèse qui m'en a glissé un mot...

Si tu avais vu ses yeux! Elle était furieuse, tout simplement furieuse. As-tu déjà vu une colère de Florence? C'est une épreuve que je ne souhaiterais à personne, même pas au docteur Paquette. Que l'idée vienne de sœur Thérèse, qu'est-ce que ça change? Les femmes sont tellement compliquées, mon vieux cheval, qu'il faudrait réunir les cerveaux de Benjamin Franklin, d'Auguste Comte et de Lavoisier pour les comprendre. L'avantage, avec la science, c'est qu'on a toujours le loisir de reprendre les expériences qu'on a ratées. Dans la vie, il faut toujours bâcler. Un mot de trop, un seul mot de trop...

Moi, je veux bien me marier. Ce serait dans l'ordre, et cet ordre est nécessaire à notre cerveau: il lui assure un peu de repos et lui permet de s'occuper à des tâches plus nobles.

T'es-tu déjà demandé ce qui se produirait si on inventait un philtre d'amour universel, un aphrodisiaque durable, la recette du poison de Cupidon? Imagine un peu l'aubaine pour le jeune homme en âge de se marier! Plutôt que son cœur, il n'écouterait que sa raison. La fille du voisin est robuste et en bonne santé, elle fait bien la cuisine, elle saurait s'occuper des enfants, elle ferait une épouse idéale, mais... il n'éprouve pas pour elle le moindre désir. Qu'à cela ne tienne: au moment d'échanger les anneaux, les époux prendront une petite pastille, et le tour sera joué. La jeune femme robuste et simplette deviendra Juliette, le jeune homme timide à qui la Providence aura oublié d'accorder quelques charmes se transformera en Roméo. Finis les bals, les longues fréquentations, les fiançailles rompues, les drames familiaux, l'éternelle quête de l'âme sœur, cette abominable perte de temps. Finis les mauvais mariages et les regrets traînés comme des boulets tout au long d'une vie conjugale manquée. Finis les rancœurs, les sarcasmes, le fiel quotidien de l'épouse mal aimée, les infidélités du mari insatisfait. Finis les enfants élevés dans une ambiance de guerre civile et qui deviendront à leur tour de mauvais parents. La famille, cellule de la société? Oui, mon vieux cheval, je serais d'accord, mais une famille scientifique.

Imagine maintenant la jeune fille qui ne veut ni mari ni enfants, qui souhaite seulement une petite vie tranquille, à l'abri du besoin. Peut-être au contraire rêve-t-elle de voyages et de responsabilités – ce que la société n'accorde aux femmes qu'à la condition qu'elles prennent l'habit religieux? Une petite pastille, et voilà. La jeune femme est à jamais amoureuse du Seigneur, elle peut prononcer ses vœux en toute quiétude. Qu'un marchand mette en vente un tel produit, et je serai son premier client. Je suis un homme de science, moi, je n'ai jamais rien compris aux histoires de cœur. C'est comme pour les chevaux, il y a les chevaux de course et les chevaux de trait. Pourquoi t'arrêtes-tu encore, cheval? Encore un coup de cœur, on arrive, tu pourras te reposer. Tu es fatigué de m'entendre parler? D'accord, je me tais. Tu sais que tu commences à me faire peur, mon vieux?

* * *

Le thé, bu à petites gorgées, la réchauffe, à l'intérieur; le poêle crépite tandis qu'elle regarde la baignoire émaillée, la toile de caoutchouc qui la recouvre encore, le thermomètre flottant qu'on a oublié sur la table... Non, Bernard n'est pas un mauvais bougre. Bien sûr, il boit un peu trop, mais il a le vin triste, jamais violent, et quel homme ne boit pas dans ce pays de glace et de misère? Il passe ses journées à soigner des fous, le pauvre homme, pourquoi n'aurait-il pas droit à sa petite évasion?

Bernard Dansereau, médecin des fous. Médecin, te rends-tu compte, Florence? Un médecin veut t'épouser, toi qui as à peine fréquenté l'école, et tu fais ta difficile! Pourquoi n'as-tu pas accepté tout de suite? Il ne te demande pas grand-chose, après tout. Tu lui accordes quelques minutes par semaine, le samedi soir, après le bain...

Tu ne peux pas imaginer qu'il parte de chez toi, mais tu ne peux pas imaginer non plus une bague à ton doigt, tu ne peux pas supporter l'idée qu'on t'appelle madame Bernard Dansereau. Madame Bernard Dansereau. La tête qu'elles feraient, les chipies de la paroisse, quand elles apprendraient que tu t'appelles maintenant madame Bernard Dansereau, madame Docteur... Mais voilà, après avoir été la fille de ton père, tu deviendrais celle de ton mari : tu redeviendrais alors mineure, tu perdrais ton nom, ta maison, tes terres, tu serais forcée de demander à un homme qui n'y connaît rien la permission de les vendre ou de les louer, tu perdrais même le droit de voter contre le maire, qui veut encore augmenter les taxes...

Je sais bien que je Vous offense, Seigneur, mais pourquoi exigez-vous que les gens se marient quand ils ne peuvent plus avoir d'enfants? Quel tort est-ce que je Vous fais en vivant avec lui, tout bonnement? Bernard ne pense qu'à ses cellules, il ne s'intéresse pas à mes terres. Mais alors, pourquoi veut-il qu'on se marie? Et le veut-il seulement? Ce n'est certainement pas pour Vous faire plaisir,

Seigneur, je le connais trop... Est-ce que je le connais vraiment? C'est bien facile de se montrer désintéressé des biens de ce monde quand on n'a rien, mais donnez un coin de terre au plus saint d'entre les hommes et aussitôt il se mettra à faire des plans. Un petit chemin par-ci, une petite maison par-là, on coupera les arbres, on élèvera des moutons, on posera des clôtures... Les hommes sont incapables de laisser les choses telles qu'elles sont, c'est dans leur nature.

— Bonjour, Florence. Tu as bien dormi?

— Très bien. Toi?

— Moi aussi. Je me suis levé tôt, j'avais besoin d'un peu de glace, pour mes expériences...

— Tu aurais pu attendre, franchement. Il faut se dépêcher, nous allons arriver en retard à la messe.

— Je ne sais pas si nous allons pouvoir y aller: mon cheval est bien faible, je préférerais qu'il se repose.

— Alors nous prendrons le mien. Va l'atteler, je te rejoins tout de suite.

En mettant son manteau, Florence ne peut s'empêcher de penser que Bernard a menti : cet homme a passé la nuit à gigoter dans son lit, il a les yeux cernés jusqu'au menton, et il ose dire qu'il a bien dormi.

Bernard, en attelant le cheval de Florence à sa voiture, se dit que si elle affirme avoir bien dormi, c'est que sa décision est déjà prise. Combien de temps attendra-t-elle avant de le lui dire?

* * *

Bernard, qui conduisait la voiture, faisait de gros efforts pour regarder devant lui. Il aurait bien voulu parler pour alléger le silence, mais comme il ne pouvait penser à rien d'autre qu'à sa demande en mariage il avait préféré se taire. Quant à Florence, elle regardait droit devant elle, silencieuse. Ce fut un bien long voyage.

La messe était commencée depuis peu quand ils arrivèrent à l'église; ils furent chanceux de trouver deux places libres à l'arrière. Les fenêtres étaient fermées et l'air était lourd d'un mélange d'odeurs d'encens, de manteaux mouillés, de cire brûlée – et de vieux péchés. Bernard regardait le plafond : les architectes n'avaient sûrement pas prévu que l'air pouvait être si lourd. Puis il observait le curé : combien pèse un cerveau de prêtre? Parfois, du coin de l'œil, il examinait sa compagne, qui lui semblait beaucoup plus pieuse qu'à l'habitude: demande-t-elle au Saint-Esprit de l'éclairer? Devrais-je Le prier moi aussi?

Florence fermait les yeux pour mieux réfléchir, mais son esprit était sans cesse distrait par quelque détail insignifiant: pourquoi Bernard ne s'assoit-il pas à l'avant de l'église, comme le commanderait son rang? A-t-il honte de s'afficher en ma compagnie? Pourquoi le prêtre ne fait-il plus appel à mes services pour réparer ses soutanes? Aurait-il plus de considération pour moi si je devenais madame Docteur? Au moment de l'*ite missa est*, elle n'avait pas encore réussi à arrêter sa décision.

Sur le chemin du retour, Bernard était aux aguets. Il lui fallut attendre jusqu'à la sortie du village pour qu'enfin Florence consentît à lui adresser la parole.

— Bernard, je voudrais te parler de quelque chose. Il y a longtemps que je veux te le dire, mais j'avais peur de te faire de la peine.

— Parle, n'aie pas peur.

— Il s'agit de ton cheval. Je pense qu'il est beaucoup trop vieux, tu devrais t'en débarrasser : il faut que tu penses à en acheter un autre. Je peux te prêter le mien pour quelque temps.

— Il est vieux, d'accord; je crois cependant qu'il est encore parfaitement capable de tirer la voiture jusqu'à l'asile.

— Jusqu'à l'asile peut-être, mais tu lui demandes aussi de tirer des blocs de glace : c'est beaucoup trop lourd pour lui. Il y a autre chose, aussi...

— Quoi donc?

— Il y a que tu es médecin. Ça ne te gêne pas qu'on te voie avec une vieille picouille?

— Je ne pense pas que ça influence beaucoup mes patients, au point où ils en sont...

— Je ne parle pas de tes fous, je parle des gens du village. Le plus humble des cantonniers est fier de son cheval. Et toi, un médecin, tu te promènes avec une bête qui devrait être six pieds sous terre. Déjà que les gens racontent toutes sortes de choses à notre sujet, s'il faut en plus qu'ils se mettent à rire de ton cheval...

— Tu me surprends, Florence : depuis quand t'en laisses-tu imposer par les commères du village? Je te signale que c'est de mon cheval qu'il s'agit, pas du tien. Quand je voudrai m'en débarrasser, je te le dirai.

— C'est peut-être *ton* cheval, mais c'est *moi* qu'on voit dans *ta* voiture. Et puis maintenant que nous sommes fiancés...

— Tu acceptes?

— Je n'ai pas dit ça! J'ai dit que nous étions fiancés, c'est tout.

— Bon... Et à ton avis, combien de temps les fiançailles vont-elles durer?

— Indéfiniment. Dis-moi, tu as fait un testament?

— Non. J'en avais fait un du temps où j'étais marié, mais je l'ai annulé quand je suis venu m'installer chez toi.

— Et depuis ce temps-là?

— J'ai souvent pensé à en rédiger un autre, mais je n'en ai jamais eu l'occasion.

— C'est parfait. Moi non plus, je n'ai pas de testament. Dès que nous allons rentrer, nous allons nous y mettre. Vois-tu, Bernard, j'ai bien réfléchi, et je n'ai toujours pas trouvé la raison qui t'avait poussé à demander ma main. Tu n'as pas besoin de mes terres, et je ne t'imagine pas fermier. Le respect des conventions? la religion? Ce n'est pas ton genre. Par amour alors? Non, tu ne m'aimes pas vraiment. Ne proteste pas, tu mens très mal. Si ce n'est pas pour mes terres, ni pour la religion, ni par amour, pourquoi donc? La vérité, c'est que tu n'aurais jamais songé à demander ma main si sœur Thérèse ne l'avait pas exigé.

— Ça n'a rien à voir, je t'assure.

— Tu te connais mal, Bernard. De toute façon, l'idée de rédiger un testament ne me déplaît pas. À notre âge, il faut penser à l'avenir. Je suis encore capable de gagner ma vie. Toi aussi, mais pour combien de temps encore? Un testament, c'est encore le meilleur moyen de se protéger. Je te lègue tout ce que j'ai, tu fais de même, et nos vieux jours sont assurés. Penses-tu qu'il est possible de se marier par testament?

— Qu'est-ce que tu veux dire?

— Je veux dire exactement ce que je dis. Toute notre vie, nous serions fiancés, mais si l'un de nous deux mourait, nous serions automatiquement mariés. Penses-tu que c'est possible?

— Peut-être, je ne sais pas... Mais quel avantage y vois-tu?

— Et toi, quel avantage vois-tu à ce mariage? C'est toi qui veux qu'on signe un bout de papier, alors pourquoi pas un testament?

— C'est la première fois que j'entends parler de ça. Je vais y penser.

* * *

Ce soir-là, Bernard comptait faire semblant de travailler dans l'étable. S'il en parlait à son vieux cheval, peut-être comprendrait-il mieux ces histoires de mariage et de testament? Il n'en fit rien. En rentrant le cheval de Florence dans l'étable, après la messe, il avait vu que le sien était étendu sur le côté. Quand Bernard lui avait demandé ce qui n'allait pas, c'est à peine si l'animal avait réussi à lever sa grosse tête, à soulever ses lourdes paupières.

9

— Ho, le cheval, un peu de calme, s'il te plaît! C'est Florence qui t'a élevé à courir comme ça? Tu es content de prendre l'air? Moi aussi je suis content, mais si tu vas trop vite, tu ne seras pas avancé: toute la journée, tu vas la passer dans l'étable de l'asile. Bon, ça va mieux, doucement... C'est jeune, c'est fougueux, mais ce n'est pas capable de penser plus loin que le bout de ses naseaux. Si tu savais à quel point je ne suis pas pressé d'arriver à l'asile! Ce matin, je dois assister ce cher docteur Paquette. Tu ne connais pas le docteur Paquette? Il est plutôt grand, il porte une jolie barbe noire et il est coiffé d'un toupet prétentieux qui lui donne l'air d'un coq, ce qu'il est d'ailleurs, à plus d'un titre. Tu ne me demandes pas pourquoi il a besoin de moi? Il veut que je l'aide pour un nouveau traitement contre l'hystérie. L'hystérie, oui. Tu ne sais pas ce que c'est? Laisse tomber, je n'ai pas envie de tout t'expliquer. De toute façon, ça ne t'intéresserait pas. Tout ce que tu veux, toi, c'est marcher et courir. Marche, stupide animal, ça ne t'empêchera pas de finir comme ton compagnon d'étable. Ce soir, je lui fais une injection, et demain, il sera au paradis des chevaux. Toi aussi, ça va t'arriver. Tu aimes mieux courir, tu préfères ne pas y penser? Tu as peut-être raison, après tout.

Marche, animal stupide... À qui vais-je parler, moi? À Sœur Thérèse qui fait semblant de ne rien comprendre, à Florence qui soupire dès que je lui parle de cellules, au docteur Villeneuve qui ne jure que par l'hérédité, au docteur Paquette qui n'écoute personne que lui-même, à un cheval qui ne pense qu'à courir?... Si je garde tout ça dans ma tête, mes cellules seront encombrées et je n'y comprendrai plus rien. À qui parler? Aux fous, à la neige, au soleil, à Viviane? À l'aumônier, peut-être? Ce n'est pas bête, ça. Lié par le secret du confessionnal, il sera obligé de tout garder pour lui. L'ennui, c'est qu'il est bavard, l'abbé Leclerc. Il voudra intervenir, il se mettra à me donner des conseils, peut-être même à me raconter sa vie. Non, il n'y a rien comme un vieux cheval. Deux grandes oreilles et un vaste cerveau vierge, c'est tout ce que je demande. Si les confesseurs étaient remplacés par des chevaux ou des lapins, personne ne s'en plaindrait.

Du laudanum, penser à aller chercher du laudanum à la pharmacie. Une dose de cheval, c'est pour mon confesseur. Merci, sœur Marie-aux-Belles-Joues-rouges. Un verre de brandy? Ce n'est pas de refus, ma sœur; un verre pour oublier le docteur Paquette, un autre pour oublier la seringue de laudanum, un autre pour oublier la fin de l'hiver... Dieu vous bénisse, sœur Marie-de-la-Sainte-Ivresse, qui avez toujours un remède contre les journées trop longues, qui savez déclencher des tornades dans les cellules du cerveau, vous qui faites lever le sable et la poussière, qui donnez des ailes aux idées de plomb.

* * *

— Bonjour, docteur Dansereau. En forme?

— Pas tellement, non. Pourquoi m'avez-vous demandé de vous assister, docteur Paquette?

— Parce que je n'ai que deux mains, malheureusement.

— Vous n'auriez pas pu demander l'aide d'une religieuse?

— J'imagine mal une religieuse appliquer le traitement que j'envisage. Mais pourquoi êtes-vous si bougon, docteur Dansereau? La science ne vous intéresse-t-elle pas? N'aspirez-vous pas à vous instruire?

— C'est vous le patron. Alors, cette hystérique?

— Un beau cas, vous allez voir, un très beau cas. Elle s'appelle Idola Valiquette, vous avez dû la remarquer. Elle était dans la salle Sainte-Cécile, son mari est propriétaire d'une blanchisserie, une blonde aux grands yeux bleus...

— Oui, je la connais. Une très jolie femme.

— Je ne vous le fais pas dire. Si elle n'avait pas été aussi jolie, son mari n'aurait sûrement pas hésité à la faire interner dès ses premières crises. Quand il s'est finalement décidé à nous la confier, il était trop tard pour l'hydrothérapie. Depuis quelque temps, ses crises sont plus longues et plus régulières. Chaque matin, à huit heures précises, ses membres sont agités de fortes secousses musculaires, on jurerait une crise d'épilepsie. Ensuite, elle perd connaissance, puis elle se réveille une dizaine de minutes plus tard. C'est là que ça commence à devenir intéressant. Suivez-moi, nous y allons. J'ai demandé à sœur Marthe-du-très-Saint-Nom-de-Jésus de la surveiller, elle nous fera un rapport. Elle a peut-être un nom à coucher dehors, il n'en reste pas moins que c'est une excellente infirmière. Il faut donner ça aux religieuses...

— C'est commencé, sœur Marthe?

— Oui, docteur Paquette: elle a vomi son déjeuner, elle s'est plainte de douleurs ovariennes, puis sa crise a commencé. Maintenant elle dort. Nous l'avons attachée aux pieds et aux poignets, comme vous l'aviez demandé.

— C'est très bien. Il y a longtemps qu'elle a perdu connaissance?

— Une dizaine de minutes.

— Elle vous a raconté ses rêves?

— Oui: du sang, du feu, des moines rouges, et d'autres choses dont j'aime autant ne pas vous parler.

— Allons-y tout de suite. Normalement, elle devrait avoir un accès de *clownisme*, c'est très intéressant, vous allez voir, docteur Dansereau. Vous venez aussi, sœur Marthe?

— Si vous permettez, docteur Paquette, je préfère m'abstenir. D'autres patientes auront sans doute besoin de mes services.

— Je ne permets pas: je peux avoir besoin de vous. Venez.

Sœur Marthe lance un regard désespéré au docteur Dansereau, qui lui répond d'un haussement d'épaules: le docteur Paquette étant surintendant médical, mieux vaut s'incliner. Quand ils entrent dans la chambre, Idola est agitée de spasmes qui semblent très douloureux, puis ses pieds se mettent à tirer sur les solides courroies de cuir, comme s'ils cherchaient à rentrer dans son corps. À force de se contorsionner, elle finit par décrire un arc de cercle parfait: sa tête et ses pieds reposent seuls sur le lit et tout le reste du corps est tendu vers le haut, comme appelé par un irrésistible aimant. Sous sa chemise de nuit, tous ses muscles sont bandés dans un effort douloureux. Elle reste figée dans cette pose inconfortable pendant deux longues minutes, puis son corps finit par se détendre.

— Quel magnifique crise, n'est-ce pas, docteur Dansereau?

— La pauvre femme doit être épuisée. Quel traitement envisagez-vous?

— Il faut attendre qu'elle soit complètement calmée. Habituellement, le *clownisme* est suivi d'une phase érotique. C'est à ce moment-là que nous intervenons. Voilà, ça commence! Son bassin s'agite, elle va bientôt commencer à crier. Je ne sais pas si c'est son blanchisseur de mari qui lui a appris son vocabulaire, mais elle possède un répertoire fort varié, je n'ai jamais rien entendu de tel, même à Paris. Bon, allons-y! Nous allons lui masser les ovaires. Dans l'état où elle est, elle ne s'en plaindra pas. C'est le docteur Charcot en personne qui m'a enseigné ce traitement. Il s'agit de masser doucement la zone ovarienne, dans le sens des aiguilles d'une montre, comme ça, vous voyez? Allez-y, chacun son ovaire. Oui, c'est bien, n'ayez pas peur d'appuyer fermement. Regardez ses yeux : ils commencent à s'incliner, ses pupilles montent lentement, elles sont à moitié cachées sous les paupières... Vous avez déjà vu cette attitude?

— Combien de temps faudra-t-il la masser?

— Une bonne dizaine de minutes. Ne me dites pas que ça vous gêne?

— Pas du tout.

— Savez-vous qu'on peut provoquer ce genre de crise avec une injection à base de térébenthine? Le malade est aussitôt atteint de convulsions semblables à une crise d'épilepsie. C'est très intéressant.

— Vous avez déjà essayé?

— Évidemment. La science ne se conçoit pas sans expériences... Le massage des ovaires, docteur Dansereau, rien de tel pour venir à bout de l'hystérie. Il y a bien une méthode plus naturelle et plus efficace, mais elle est difficilement applicable à l'asile. Si toutes les femmes consentaient à effectuer des exercices préventifs et si tous les maris faisaient consciencieusement leur devoir, l'hystérie disparaîtrait de la liste des maladies. Qu'en pensez-vous, sœur Marthe?

— Je pense que si vous n'avez plus besoin de moi, je vais retourner à la salle.

— Faites, ma sœur, faites... Dites-moi, docteur Dansereau, êtes-vous marié?

— Je suis veuf.

— Mais vous devez quand même vous amuser de temps à autre, non? À vous voir faire ce massage, vous ne semblez pas manchot.

— Vous posez beaucoup de questions, docteur Paquette. Permettez-moi de vous en poser une à mon tour: pourquoi vous amusez-vous à mettre les religieuses dans l'embarras? Pourquoi avoir forcé la pauvre sœur Marthe à assister à ce traitement?

— En période de guerre, toutes les tactiques sont bonnes. Pour le moment, les religieuses sont les plus fortes, mais nous les aurons à l'usure, je vous le garantis. Tant que les religieuses auront le contrôle des asiles, aucun progrès ne sera possible. C'est la foi contre la science, l'obscurantisme contre la lumière, la stagnation contre le progrès. Ce n'est pas vous, un ancien abonné de la bibliothèque de l'Institut canadien..., qui allez me contredire.

— Comment savez-vous que j'étais à l'Institut?

— Tout finit toujours par se savoir. Il n'y a pas que sœur Thérèse qui ait des informations, vous savez. À propos, comment avez-vous fait pour être dans ses bonnes grâces?

— Je ne vois pas ce que vous voulez dire.

— Inutile de jouer à l'imbécile. Quand j'ai pris la relève du docteur Howard, sœur Thérèse m'a convoqué à son bureau pour me donner ses consignes : interdiction de blasphémer, de faire de la propagande athée et d'empêcher le docteur Dansereau de travailler. Qu'est-ce que vous lui avez fait, bon Dieu? Un traitement contre l'hystérie?

— Je pense qu'elle est tout simplement reconnaissante : lors de mon premier jour de travail à l'asile, elle a été attaquée à coups de couteau par un dément. Je l'ai soignée...

— ...et vous voulez me faire croire que c'est un petit pansement de rien du tout qui vous a valu sa protection? Vous me prenez vraiment pour un idiot : la plus stupide des infirmières aurait pu lui faire ce pansement. Elle a exigé de vous laisser travailler en paix. À quel travail mystérieux vous livrez-vous donc?

— Je n'ai aucune activité secrète, je soigne les corps pendant que d'autres soignent les âmes.

— Et c'est pour soigner les corps que vous avez directement accès à la pharmacie et à la morgue? Il y a longtemps que vous avez terminé votre cours de médecine?

— Très longtemps, oui.

— Et vous vous imaginez que votre pratique de médecin de village a été suffisante pour vous mettre au courant des derniers développements de la science? Vous croyez sérieusement que des accouchements de grosses fermières et des prescriptions de pastilles de camphre remplacent de longues études à Paris? Selon vous, n'importe quel petit médecin de campagne pourrait prétendre en remontrer à des aliénistes qui ont étudié en Europe?

— Je n'ai jamais rien prétendu de tel. Je vous l'ai dit, je me contente de soigner les corps.

— Vous voulez jouer l'innocent? C'est comme vous voudrez. Mais je vous préviens, docteur Dansereau: j'ai la couenne plus dure que celle du docteur Howard et peut être plus dure encore que celle de sœur Thérèse. Dans quelques années, il n'y aura plus une seule religieuse dans les asiles, et ceux qui auront retardé la marche du progrès auront des comptes à rendre.

— Je n'en doute pas, docteur Paquette. Seulement, j'ai bien peur de ne jamais voir ce jour de mon vivant.

— Et qu'est-ce que vous faites de Galilée?

— Qu'est-ce que Galilée vient faire là-dedans?

— C'est pourtant évident: l'Église a condamné Galilée, or vous appuyez l'Église, donc vous condamnez Galilée. D'un côté le progrès, de l'autre la réaction. La lumière ou l'obscurantisme, la science ou la superstition: il n'y a pas de moyen terme. J'aime savoir qui sont mes ennemis; maintenant que je sais dans quel camp vous vous situez, je suis satisfait. Il n'y aura pas de quartier, docteur. Vous voilà prévenu.

— Je vous remercie de cette délicate attention. Croyez-vous que le traitement est complet?

— Quel traitement?

— Les ovaires... Voilà bien dix minutes que nous les massons, non? La patiente me semble tout à fait calme. Combien de temps encore faut-il continuer?

— Je l'avais oubliée, celle-là... Vous avez raison, je crois qu'elle s'est calmée. Merci, docteur Dansereau, ce sera tout pour aujourd'hui.

— Je vous en prie. Voulez-vous que je demande à sœur Marthe de lui enlever ses courroies?

— Faites donc: vous savez parler aux religieuses, *vous*.

Allez, le cheval, on rentre. Fichue journée. Quelle peste, ce Paquette. «Je ne sais pas si je sais leur parler, mais je peux vous dire que j'ai appris beaucoup à leur contact. À encaisser les sarcasmes, entre autres.» Non, c'est trop long, pas assez direct. Et puis ça laisse entendre que je suis vraiment dans leur camp. Qu'est-ce que c'est que ces histoires de camps et de guerre d'usure? Nous n'en sortirons donc jamais? «Je vous remercie de m'avoir donné l'occasion de vous assister, docteur Paquette: vous êtes un fameux masseur d'ovaires!» C'est mieux. Un peu trop long encore, un brin trop servile, mais c'est nettement plus suave. Les ovaires, tourner quelque chose avec les ovaires... «Je sais peut-être parler aux religieuses, docteur Paquette, mais pour le massage des ovaires, vous êtes vraiment champion!» À quoi bon? Je n'ai jamais eu la repartie facile, autant me faire à l'idée. C'est une question de rapidité des cellules, j'imagine, et les miennes sont désespérément lentes. Mais elles sont tenaces, et pour ce qui est de la mémoire, alors là... Il me faudra peut-être cinq ans pour trouver une réplique, docteur Paquette, mais je vais en trouver une, faites-moi confiance.

Quand on est jeune, comme toi le cheval, on est plein d'idéal, on veut tout changer. On finit inévitablement par se mêler de politique. On signe une carte de membre sans trop y penser, on dit deux ou trois phrases, on s'abonne à un journal, et on passe le reste de ses jours à le regretter. On trouvera toujours quelqu'un pour nous remettre sur le nez nos erreurs de jeunesse. Tu ne m'écoutes pas? Tu me prends pour un vieux fou? C'est bon, marche, je parlerai tout seul. Pas trop vite, tu m'entends? Dans ma trousse, j'ai une seringue remplie de laudanum; je n'ai pas envie qu'elle se brise. Je ne suis pas pressé de m'en servir, alors calme-toi, tu veux? Regarde le fleuve, essaie de penser à autre chose.

Au printemps qui s'annonce, au soleil qui se réchauffe, aux quelques tempêtes qui nous attendent encore, à la débâcle... Le printemps... Les poules, les cerveaux de poules... De quelle grosseur peut bien être un cerveau de poule? Est-ce que je vais avoir besoin d'une loupe et d'une pince à épiler? J'aurais mieux fait de travailler sur des cochons, c'est ce qui se rapproche le plus de l'être humain : la même peau, le même poids, et puis les cochons sont plus heureux que les autres... Heureux comme un cochon. Un cerveau de cochon, penser à aller chercher un cerveau de cochon... Si vraiment le bonheur transforme le cerveau des poules, je ne devrais pas avoir de mal à le voir. Tous les cerveaux d'alcooliques sont gonflés, tellement gonflés que les circonvolutions disparaissent. Mais est-ce l'alcool ou le malheur qui fait gonfler le cerveau? Celui d'une poule heureuse sera-t-il aussi différent de celui d'une poule malheureuse que l'est le cerveau d'un alcoolique par rapport à un cerveau normal?

Supposons maintenant que la pratique du bonheur transforme le cerveau. Que faudra-t-il en conclure? Qu'il faut immédiatement réformer la société pour consacrer un maximum de ressources à l'éducation? Enlever les enfants à leur mère dès la première année, les doter d'un tel stock de cellules-fougères qu'ils seront prêts à affronter les pires malheurs... Qui sait? peut-être l'origine du malheur se trouve-t-elle finalement dans la pratique de l'éducation? De génération en génération, les parents n'auraient eu d'autre motivation que de se venger de leur propre malheur en enfermant les enfants dans des prisons... Les professeurs seraient donc des gens particulièrement vindicatifs, ils se recruteraient parmi les plus hargneux des êtres humains : des femmes dont personne n'aurait voulu, des hommes impuissants assoiffés de vengeance... Mais non, Bernard;

les enseignants sont peut-être souvent des gens frustrés, mais ce sont tout de même des diffuseurs de savoir, des êtres de lumière et de raison. Tu ne voudrais quand même pas d'une société sans raison... Si tu étais un peu logique, tu serais bien obligé d'admettre que tes raisonnements ne tiennent pas debout: si le malheur venait de l'éducation, il s'ensuivrait qu'avant l'invention des écoles les hommes auraient été heureux. Or pourquoi des hommes heureux auraient-ils eu soudainement l'idée incongrue de rendre leur progéniture malheureuse? Quelles que soient ses origines, le malheur est bel et bien implanté dans le cerveau, et il faut l'en extirper, voilà ta mission, ta seule mission. Te voilà d'ailleurs arrivé. Tu as réussi à oublier ton vieux cheval pendant un quart d'heure... ce n'est pas si mal : qui a dit que les spéculations philosophiques ne servaient à rien?

* * *

Bernard dételle le cheval de Florence et l'attache à la porte de l'étable: il est jeune encore, mieux vaut lui épargner ce spectacle. Il ouvre sa trousse, en sort une immense seringue, appuie sur le piston pour faire gicler quelques millilitres du précieux liquide. Il en reste encore soixante millilitres, de quoi tuer un éléphant. Il ne souffrira pas. Tout est prêt, il ne reste plus qu'à ouvrir la lourde porte, à entrer, à caresser une dernière fois son vieux compagnon... Mon Dieu, si seulement il avait pu mourir au cours de la journée...

Mais le vieux cheval n'est pas mort. Encore couché sur le côté, il lève à peine la tête en entendant les pas de son maître. Il regarde la seringue pointée vers lui, puis les yeux de Bernard, et il pousse un long soupir avant de reposer sa tête sur la paille. Il sait.

— Ne t'inquiète pas, mon vieux, ça ne te fera pas plus de mal qu'une piqûre de guêpe. Ensuite, ce sera fini. Où est-ce que je pourrais bien te faire l'injection? Ton cuir est si dur que je risque de casser mon aiguille... Ce sera à l'intérieur de l'oreille, je n'ai pas le choix: la peau est mince, on voit bien les veines. Cette belle oreille, j'en ai tant profité. Voilà, c'est fait. Le laudanum coule déjà dans tes vaisseaux, il se dirige tout droit vers le cœur qui en enverra de petites gouttes dans tes jambes, dans ton ventre, dans ton cerveau... Tes yeux se ferment une dernière fois, tu dors d'un sommeil profond, plein de rêves. Tu marches sur une jolie route douce, sans cailloux, sans mouches, tu traverses des prairies, des champs d'avoine, tes paupières essaient encore de se relever, mais c'est fini, tu ne résistes plus, tu te laisses aller à tes rêves, à ces morceaux de rêve qui se mêlent en une mosaïque de couleurs, d'odeurs de jadis...

Tu respires doucement encore, tout doucement; mais tes naseaux s'ouvrent à peine. Ton cerveau n'a plus la force de commander à tes poumons qui se vident de leur dernière bouffée d'air. Ton cœur bat toujours, la vieille pompe résiste un peu, par la force de l'habitude, mais il n'envoie plus à ton cerveau que du mauvais sang noir, sans oxygène. Une à une, les cellules cérébrales vont s'éteindre, à commencer par celles de la mémoire. Est-ce que je t'ai déjà parlé de ce qui se passe quand on réanime des noyés? S'ils ont passé trop de temps sous l'eau, leur mémoire proche est effacée mais tous leurs souvenirs d'enfance sont intacts. À l'asile, nous comptons quelques-uns de ces adultes retombés en enfance. Quand on arrive à les guérir, souvent ils nous le reprochent. Pour toi, ce sera la même chose: tes souvenirs vont s'effacer l'un après l'autre, à commencer par les tout derniers, ceux qui n'ont même pas eu le temps d'être classés par tes cellules logiques. Ta mémoire va se détruire à l'envers, s'enroulant comme un ruban à mesurer. Tu as déjà oublié la piqûre, l'étable, l'hiver qui s'achève, tu ne sais plus rien de l'étable de Florence ni du chemin qui mène à l'asile. Nous sommes à Hochelaga, la cloche de nuit vient de sonner, nous allons tous les deux délivrer une pauvre femme, dans le quartier de la biscuiterie Viau, rue Notre-Dame. Tu te souviens de la bonne odeur des biscuits? Tu es tout jeune, le fermier m'assure que tu es doux et fort, que tu as appartenu autrefois à une vieille dame qui ne t'utilisait que pour aller à la messe, que tu feras un excellent cheval de médecin. Tu étais beau, aussi beau que le fermier était menteur : tu n'étais pas du tout docile, il m'a fallu longtemps avant de t'habituer à tirer ma voiture avec calme et dignité, mais tu as fini par devenir un excellent cheval de médecin. Pour te calmer, il fallait toujours te parler doucement, très doucement, sans jamais élever la voix. Ce que j'ai pu t'en raconter des histoires de maladies et de traitements!

Te voilà maintenant poulain, tu ne m'appartiens pas encore, le printemps est revenu, tu tètes encore ta mère, tu viens tout juste de naître, et puis il fait noir, il fait chaud... Voilà, tu n'as plus de mémoire, tu es neuf, absolument neuf. Ta mémoire est enroulée, tu ne sais même plus que tu étais un cheval, que tu étais vivant, tu ne sais plus ce que c'est que mourir : tu ne peux pas avoir peur. À l'article de la mort, tu ne sais rien de ce que tu perds et peut-être es-tu parfaitement heureux, comme l'étaient ces noyés qui nous reprochent de les avoir sauvés.

M'entends-tu encore? As-tu remarqué que ton cœur a cessé de battre? Après la mémoire, tu perdras une à une les cellules du plaisir et de la douleur, celles des rêves, des réflexes, des angoisses... Il y aura peut-être encore quelques lueurs pâles, des ombres de sensations, des feux follets...

Cinq minutes. Maintenant c'est fini, toutes les cellules de ton cerveau sont mortes, et si tes jambes sont encore agitées de quelques spasmes, ce sont les nerfs qui se détendent une dernière fois. Tu n'en sais rien. Après le cerveau, tes principaux organes mourront un à un, cellule par cellule. Le foie et les reins d'abord, qui ne peuvent survivre sans leur ration de sang propre, puis les muscles, et après, longtemps après, viendra le tour des cellules adipeuses, celles des os, des dents... Ta peau continuera à vivre pendant quelques heures encore, tes poils continueront de pousser pendant deux ou trois jours, mais déjà tu seras parti, tu auras laissé ta carcasse...

C'est fini, complètement fini. Salut, vieux cheval. Il y en aura un autre, je n'ai pas le choix, mais il ne prendra jamais ta place. Salut, vieux cheval, et merci pour tout, merci de m'avoir transporté, merci de m'avoir écouté.

10

Saint-Jean-de-Dieu le 2 avril 1889.

Cher docteur Dansereau je sais que vous êtes trop occupé pour m'écouter et peut-être aussi que je suis pas là quand vous venez me voir c'est pour ça que j'ai décidé de vous écrire parce que je pense que ce que j'ai à vous dire est important et que si je vous écris ça va être mieux parce que vous allez avoir le temps de me lire sans être dérangé.

La semaine passée jeudi avant le souper je faisais comme d'habitude pour suivre votre conseil je me suis installé debout sur le banc du piano pour regarder la fougère mais sœur Pudentienne-du-Précieux-Sang celle qui est vieille et petite m'a dit que c'était dangereux que je pouvais tomber et me blesser et elle m'a demandé pourquoi je faisais ça alors je lui ai répondu que je voulais regarder la fougère parce que vous m'aviez dit que c'était bon pour moi alors elle m'a dit que justement elle voulait soigner la plante parce qu'elle était malade et que je pourrais peut-être l'aider si je voulais. J'ai dit oui et elle a tenu le banc pendant que j'enlevais la fougère de sur le piano c'était très lourd à cause de la terre qui était dans le pot et elle m'a dit aussi d'enlever l'assiette qu'on met en dessous pour l'eau quand il y en a trop et le napperon de dentelle qu'il fallait laver et de faire attention pour ne pas abîmer le piano ensuite on est allés sur la galerie pour soigner la plante.

C'est vrai qu'elle était malade mais sœur Pudentienne savait quoi faire elle m'a dit que sa maladie c'était parce qu'elle avait eu trop d'eau et que ses racines étaient pourries j'ai vu ensuite que c'était vrai y avait des insectes dans la terre comme des petites araignées blanches qui avaient commencé à manger les racines et si elle a pas de racines elle peut pas vivre il fallait bien qu'on les arrose pour enlever les araignées alors moi j'ai arrosé en faisant bien attention pour pas les briser parce que c'est très fragile les racines et pendant ce temps-là sœur Pudentienne est allée chercher de la nouvelle terre propre et moi je suis resté tout seul avec la plante pour la surveiller.

J'ai enlevé les araignées en les arrosant et je pensais que dans ma tête c'était pareil mais que je suis plus malade que la plante c'est pour ça que les insectes sont noirs au lieu d'être blancs et qu'ils sont plus gros aussi et il y a pas seulement des araignées il y a aussi des couleuvres et des souris et des crapauds et des oiseaux aveugles qui me font peur parce qu'ils ont des yeux rouges et des becs pointus et qu'ils crient tout le temps mais ça je vous l'ai déjà expliqué. J'avais peur des insectes alors j'ai regardé les feuilles de la fougère celles qui étaient pas malades et ça m'a fait du bien comme d'habitude et j'ai été capable de continuer à enlever les insectes.

Quand il y avait plus d'insectes sœur Pudentienne était pas encore revenue alors j'ai fait comme elle m'avait dit et j'ai enlevé les feuilles sèches qui étaient mortes et j'ai écrasé chacune des feuilles avec mes doigts pour faire de la poudre parce que j'ai pensé qu'on pourrait mettre la poudre dans la nouvelle terre que peut-être ce serait mieux pour la plante d'être avec ses feuilles mortes et sœur Pudentienne est revenue et elle m'a dit que c'était une bonne idée. Elle a bien lavé le pot parce que les insectes font des œufs trop petits pour nos yeux elle a mis des cailloux au fond pour que l'eau reste pas trop longtemps dans le pot et par-dessus les cailloux elle a mis un peu de terre et ensuite la plante et encore un peu de terre sur les racines et elle m'a dit qu'il fallait pas que la terre soit tassée pour que les racines fassent leur chemin et que la plante était guérie et que c'était grâce à moi que je lui avais sauvé la vie.

Moi j'ai essayé de dire à sœur Pudentienne que j'avais eu peur des insectes parce qu'il y en avait des pareils dans ma tête et je lui ai parlé des couleuvres et des oiseaux aveugles qui avaient des yeux rouges mais elle m'a dit qu'il fallait pas parler de ça et qu'il fallait prier la Sainte Vierge parce que la Sainte Vierge elle savait comment écraser les serpents avec ses pieds et que si je priais elle viendrait les écraser mais que pour les oiseaux elle savait pas que je serais peut-être mieux avec le Saint-Esprit. Je lui ai dit que j'essaierais de prier mais que quand je regardais les feuilles ça me faisait du bien et que si elle voulait que je l'aide à sauver la vie des autres fougères malades moi je voulais l'aider. Elle a dit qu'elle en parlerait à sœur Thérèse et que si elle avait la permission pourquoi pas.

Après elle a parlé de ça à sœur Thérèse et depuis ce temps-là je l'aide elle est bien contente parce qu'elle est vieille et que les pots sont trop lourds et elle dit que je suis bon pour sauver les plantes mais elle aime mieux que je parle pas des oiseaux aveugles alors je dis rien. Sœur Pudentienne veut pas que je lui parle mais elle elle parle beaucoup pas à moi aux plantes quand elle pense que je suis pas là elle chuchote toutes sortes de choses et je lui ai demandé pourquoi elle faisait ça et elle m'a répondu que c'était bon pour les plantes mais moi je pense que c'est bon pour elle aussi parce qu'elle a peut-être des oiseaux aveugles dans la tête et qu'elle aime mieux en parler aux plantes et que c'est bon de faire ça parce que si on fait un trou dans le fond des pots des plantes pour que quand il y a trop d'eau ça coule alors c'est peut-être bon pour nous autres aussi les humains.

Alors moi aussi j'ai commencé à parler aux plantes et je leur ai dit que quand j'étais petit à Joliette un jour j'ai vu un magicien il avait comme un bidon de lait en métal sauf que c'était plus petit et il faisait le tour de la salle en parlant très vite et à chaque enfant il arrêtait et il enlevait les sous qu'on avait dans les oreilles et dans le nez c'était très drôle parce que ça faisait du bruit en tombant dans le bidon de métal mais il s'est pas rendu jusqu'à moi parce que j'étais assis au fond et c'est pour ça que je suis malade mais que je serais peut-être guéri à cause des fougères et à cause du docteur Dansereau parce que c'est un bon docteur et qu'un jour il va peut-être faire un trou dans ma tête pour enlever toute la maladie.

Il faut que je vous dise aussi que l'autre jour le docteur Paquette est venu me voir je me demandais ce qu'il voulait parce que c'était la première fois qu'il me parlait depuis qu'il pense que je serai jamais guéri il m'a demandé pourquoi vous veniez souvent me donner du papier et si vous m'aviez dit quelque chose sur des expériences que vous faisiez mais moi je lui ai dit que je savais pas que vous faisiez des expériences et c'est vrai je le sais pas mais si vous en faites et si c'est pour enlever le malheur je veux vous dire que je suis prêt vous pouvez faire tout ce que vous voulez dans ma tête même des trous et si je meurs ce sera pas grave.

Maintenant il faut que j'arrête parce que j'ai plus de papier si vous en avez encore merci d'avance.

Oscar Parent

Oscar plie ses feuilles de papier de soie en quatre, pose son crayon sur son oreille, regarde derrière lui au cas où on le verrait se diriger vers le piano, puis soulève discrètement le panneau de l'instrument pour y cacher sa précieuse lettre. Il glisse la main au-dessus des chevilles d'accord et bientôt les feuilles iront rejoindre son œuvre complète, des milliers de feuilles de tous les formats, couvertes des deux côtés et d'une écriture très fine que lui seul peut arriver à déchiffrer. Au moment de lâcher sa lettre, il se souvient qu'il voulait la faire lire au docteur Dansereau; c'est d'ailleurs pour cette raison qu'il avait tant soigné son écriture. Il serait donc malavisé de l'envoyer aux oubliettes. Mais où la cacher? Sœur Pudentienne viendrait bientôt le chercher pour soigner les plantes, elle n'aimait pas le voir écrire... S'il coinçait sa lettre entre deux cordes, peut-être pourrait-il la récupérer? Non, ce n'est pas une bonne idée: les sœurs jouent souvent du piano, le soir, et elles disent toujours qu'il a justement un son particulièrement riche... Trop tard: sœur Pudentienne est déjà entrée dans la salle et s'approche de lui. Pris en flagrant délit, Oscar ne peut trouver mieux que de faire semblant de se gratter la jambe et d'en profiter pour dissimuler les feuilles pliées dans sa chaussette.

— Je vous ai apporté un petit cadeau, Oscar. Regardez, c'est une image de la Vierge qui écrase un serpent. Vous voyez, je vous l'avais bien dit qu'elle savait comment faire. Vous devriez prier la Sainte Vierge, Oscar, ça vaudrait mieux que de vous abîmer les yeux à écrire des sornettes. Qu'est-ce que vous avez caché dans votre chaussette?

— Rien, ma sœur.

— Oscar, vous savez qu'il faut jamais mentir, surtout à une religieuse. Qu'est-ce que vous avez caché dans votre chaussette?

— Une lettre.

— Une lettre? Et à qui est-ce que vous avez écrit?

— Au docteur Dansereau. Je lui ai dit qu'il pouvait me faire un trou dans la tête pour enlever le malheur.

— Un trou dans la tête? Où est-ce que vous êtes allé chercher cette idée?

— C'est le docteur Dansereau qui me l'a dit. Il va me faire un trou dans la tête et tout le malheur va couler par là. C'est comme pour l'eau des plantes, c'est pareil.

— Dites pas de sottises, Oscar. Vous savez bien que c'est le Seigneur qui vous a donné la vie et que c'est Lui aussi qui va vous la reprendre quand Il va vouloir. S'Il a voulu mettre du malheur dans votre tête, ça Le regarde! À votre place, je prierais la Sainte Vierge, elle est souvent plus gentille que le Seigneur.

— Oui, ma sœur.

— C'est bien. Maintenant, vous allez vous occuper des fougères. Commencez tout seul, moi je dois aller m'occuper des plantes de sœur Thérèse, je reviens dans un instant. Parlez à personne de ce qu'on vient de dire, c'est compris?

— Oui, ma sœur.

Un trou dans la tête, doux Jésus! Qu'est-ce que va dire sœur Thérèse?

* * *

Quand sœur Thérèse avait vu sœur Pudentienne-du-Précieux-Sang pour la première fois, il y avait une dizaine d'années de cela, un seul coup d'œil lui avait suffi pour évaluer cette nouvelle recrue : elle était vieille et sa constitution semblait fragile; il était donc inutile de penser faire d'elle une infirmière. Comme elle ne savait ni lire ni écrire, on n'allait pas non plus pouvoir l'utiliser comme secrétaire; sa santé mentale n'étant guère meilleure que sa santé physique, il aurait été trop risqué de lui confier la surveillance des dortoirs : elle n'avait pas le cœur et l'âme assez solides pour supporter les cris, les cauchemars, les crises d'épilepsie. Sœur Thérèse l'avait donc affectée aux cuisines, mais elle n'allait y rester que deux semaines. Incapable de comprendre les consignes les plus simples, sœur Pudentienne n'y était d'aucune utilité, et ses intarissables bavardages nuisaient à toute l'équipe. Elle avait ensuite été mutée successivement à la buanderie, à l'atelier de fabrication de balais, à la procure et à la surveillance des écuries, sans plus de succès. Malgré son esprit d'obéissance et sa bonne volonté, ses capacités étaient tellement limitées et son esprit si imperméable à toute forme d'apprentissage que personne ne faisait jamais appel à ses services.

Désespérant de lui trouver des tâches où elle aurait été utile à la communauté, sœur Thérèse avait fini par lui confier une série de petites corvées insignifiantes : remplacer l'huile de la lampe du sanctuaire, épousseter les statues de la chapelle, nettoyer les pianos, distribuer le courrier interne et arroser les fougères.

D'un point de vue strictement budgétaire, sœur Pudentienne était un fardeau pour la communauté, mais sœur Thérèse se disait que l'admirable dévotion de sœur Pudentienne envers la Vierge Marie apporterait peut-être un jour d'invisibles dividendes. De fait, quelques mois seulement après sa nomination, les fougères s'étaient mises à pousser d'une façon presque miraculeuse : jamais, de mémoire de religieuse, on n'avait vu plantes plus touffues ni feuillages plus verts.

Sœur Thérèse n'avait pas mis longtemps à interpréter correctement ce signe du ciel : elle avait placé des fougères dans toutes les salles de l'asile, de même qu'à la procure, à la pharmacie, dans les chambres privées, dans les bureaux des médecins et, finalement, dans son bureau. Personne ne s'y était opposé. La plupart n'y voyaient qu'une simple lubie de religieuse, qui témoignait tout de même d'un louable souci de décoration. D'autres, plus perspicaces, croyaient que la vue de ces plantes produisait indéniablement un effet calmant sur les patients agités. Mais nul ne s'était jamais douté qu'elles étaient en fait un élément essentiel du formidable réseau d'information mis sur pied par sœur Thérèse. Ni les visiteurs, ni les patients, ni le personnel n'avaient soupçonné non plus, à quelque moment que ce soit, que sœur Pudentienne, cette vieille sotte qu'on avait gardée à l'asile par charité, était, de par sa sottise même et du fait qu'elle était une incorrigible bavarde, la plus formidable indicatrice qui se puisse imaginer.

Incapable du moindre calcul, elle n'aurait en effet jamais songé à retirer quelque avantage personnel de ce rôle officieux de rapporteuse, qu'elle remplissait, selon toute probabilité, de façon inconsciente. Elle répétait les phrases qu'elle avait glanées çà et là, comme l'aurait fait un perroquet, sans rien y comprendre. Elle racontait les choses comme elle les avait vues, sans jamais chercher à interpréter la vérité brute ni à mentir de quelque manière pour rendre son récit plus intéressant. Elle semblait partager avec les jeunes enfants cette faculté innée qu'ils ont de découvrir ce qu'on cherche à leur dissimuler, de tomber, comme par hasard, sur les cachettes introuvables.

Sœur Thérèse n'avait jamais eu à regretter sa décision et s'en était même souvent félicitée. Une fois de plus, elle vérifiait ce grand principe chrétien selon lequel toute épreuve, si pénible soit-elle, cache en elle sa part de révélation.

* * *

Le rituel était vite devenu immuable. À neuf heures trente, chaque matin, sœur Thérèse s'installait à son bureau pour s'occuper de sa correspondance; à peine avait-elle trempé sa plume dans l'encrier que sœur Pudentienne, après avoir discrètement frappé à la porte, entrait en poussant devant elle le petit chariot, semblable à une desserte, qui lui servait à transporter ses instruments de travail : un pot à eau, des engrais de sa fabrication, un vaporisateur et des ciseaux à ongles avec lesquels elle coupait les extrémités des feuilles fanées. Sœur Thérèse faisait toujours semblant d'être concentrée sur son travail et affectait de n'écouter que d'une oreille distraite les intarissables bavardages de sœur Pudentienne : il valait mieux que son informatrice n'eût jamais conscience de la fonction qu'elle remplissait bien malgré elle. En vérité, les lettres de sœur Thérèse n'étant la plupart du temps qu'une suite ennuyeuse de formules d'usage et de politesse stéréotypées, rien ne l'empêchait de donner aux témoignages de sœur Pudentienne toute l'attention qu'ils méritaient.

— Dieu vous bénisse, ma révérende! Comment vont les fougères ce matin?

— Je n'ai pas eu le temps de les regarder, sœur Pudentienne, j'ai trop de travail.

— Je vais m'en occuper, ma révérende, vous pouvez continuer à travailler, je ferai pas de bruit... D'après vous, sœur Thérèse, est-ce que la Sainte Vierge savait écrire?

— Mais évidemment, voyons! Pourquoi me posez-vous cette question?

— Pour savoir. C'est drôle, mais je me suis toujours dit qu'elle avait pas besoin de savoir écrire pour donner naissance au petit Jésus. Et saint Joseph?

— Saint Joseph?

— Saint Joseph, est-ce qu'il savait écrire? On n'a pas besoin d'écrire pour être un charpentier. Peut-être qu'il savait pas écrire.

— C'est possible. Même si je ne vois pas très bien l'intérêt de la chose, j'en parlerai à l'aumônier. Maintenant occupez-vous de vos plantes et laissez-moi travailler, je vous en prie.

— Bien, ma révérende, je vous dérangerai plus. Si je vous demandais ça, voyez-vous, c'est parce que je dis toujours à Oscar qu'il devrait arrêter d'écrire, ce n'est pas bon pour ses yeux ni pour sa tête. J'écris jamais, moi, et je m'en porte pas plus mal. Ce matin, Oscar m'a dit qu'il avait écrit une lettre au docteur Dansereau pour lui demander de lui faire un trou dans la tête...

— Qu'est-ce que vous me chantez là, sœur Pudentienne? Un trou dans la tête?

Sœur Pudentienne, tout en continuant son travail de jardinière, observait sœur Thérèse : lorsque celle-ci avait entendu le nom du docteur Dansereau, elle avait aussitôt cessé d'écrire. Sœur Pudentienne le savait bien, aussi, que ça intéresserait la directrice.

— Un trou dans la tête, oui. Il dit que c'est pour enlever le malheur et que le docteur Dansereau est d'accord. Ce que je trouve bizarre, moi, c'est que ça fait bien longtemps que le docteur Dansereau est pas venu le voir. Maintenant, c'est plutôt le docteur Paquette qui s'intéresse à Oscar. Il est toujours là à lui demander pourquoi le docteur Dansereau lui apporte du papier et s'il sait quelque chose sur les «expériences»...

— Et Oscar, que répond-il?

— Rien. Il parle de ses araignées et puis de ses serpents. Je lui ai conseillé de prier la Sainte Vierge, parce qu'elle sait comment écraser les serpents. Croyez-vous que j'ai bien fait?

— Vous avez très bien fait. En avez-vous parlé au docteur Dansereau?

— Mais non, ma révérende : vous nous avez interdit de parler aux médecins.

— Il y a bien longtemps de ça, sœur Pudentienne. Et puis je ne l'ai pas interdit, je l'ai *suggéré*, c'est différent.

— Moi, j'ai toujours suivi votre suggestion, sœur Thérèse.

— Vous devriez continuer. Ne parlez pas de cette histoire de trou à personne, surtout pas au docteur Paquette, c'est bien compris? Tout ce que vous savez, vous le tenez d'Oscar, et Oscar est fou. Alors... Il ne faut jamais accorder aucune crédibilité à ce que disent les innocents, sœur Pudentienne, aucune, c'est bien compris?

— Oui, ma révérende. Mais si le docteur Dansereau perce un trou dans sa tête, est-ce qu'il va falloir que je vous le dise?

— Il n'y aura pas de trou, sœur Pudentienne! Je connais bien le docteur Dansereau, jamais il ne ferait une chose pareille.

— Si vous le dites, je suis rassurée. J'aimais mieux vous en parler, parce que j'étais inquiète, et puis vous nous avez dit de vous rapporter tout ce que faisaient les médecins...

— C'est bien. Si vous en avez fini avec les plantes, je vous prierais de me laisser seule.

— J'ai justement fini, ma révérende. Dieu vous bénisse, ma révérende.

— Dieu vous bénisse aussi, sœur Pudentienne...

Est-ce que je devrais la croire? Est-ce que je devrais prêter attention aux paroles d'un fou rapportées par une sotte? C'est que le docteur Dansereau en serait bien capable... Êtes-Vous encore certain que je puisse lui faire confiance, Seigneur? Il est vrai qu'il ne retourne plus à la morgue, et puis il s'est fiancé: c'est donc qu'il cherche à s'amender, mais justement, à propos de ces fiançailles, pourquoi a-t-il eu l'air si gêné quand je lui ai demandé la date de son mariage? Vous le savez, Vous? Oui, bien sûr. Pardonnez-moi, Seigneur. Est-ce que je devrais le prévenir que le docteur Paquette est sur ses traces?

Sœur Thérèse se lève d'un bond et se dirige vers le cornet acoustique.

— Sœur Jeanne? Ici sœur Thérèse. Savez-vous où je pourrais rejoindre le docteur Dansereau, ce matin?

— Il est en congé, ma révérende.

— En congé, au beau milieu de la semaine?

— Oui, ma révérende. Il m'a dit qu'il avait obtenu votre permission, il devait aller à Montréal.

— C'est vrai, j'avais oublié. Excusez-moi de vous avoir dérangée.

— Ce n'est rien. Voulez-vous que je lui laisse un message?

— Non, ce ne sera pas nécessaire. Ou plutôt oui... Dites-lui que ce n'est pas encore le moment d'entailler les érables, les forêts ne sont pas sûres, en ce moment.

— Je vous demande pardon, ma révérende?

— Ne faites pas semblant de ne pas avoir compris, sœur Jeanne. Contentez-vous de répéter ce que je viens de vous dire.

Qu'est-ce qu'il a bien pu aller faire à Montréal? Profaner des cimetières? S'amuser avec des filles de joie, traîner dans les hôtels? Peut-être avait-il simplement besoin d'acheter des instruments pour étudier les cerveaux des poules... Va-t-il finir par découvrir quelque chose? Pourquoi ne me dit-il jamais rien, Seigneur?

* * *

Bernard ne pensait ni aux poules ni à l'asile, encore moins aux érables; il roulait tranquillement dans la rue Notre-Dame, et savourait sa journée de congé. Il lui semblait qu'il n'avait pas vu Montréal depuis une éternité. De nombreuses usines avaient surgi le long du fleuve, on construisait partout des maisons pour les ouvriers et les rails de tramways sillonnaient les rues. Les promenades tranquilles sur les chemins de campagne étaient peut-être excellentes pour les poumons, mais rien ne valait une visite en ville pour se régénérer le cerveau: la prospérité et le progrès excitaient les cellules scientifiques.

Au coin de la rue Craig, il s'était arrêté chez son marchand préféré pour s'offrir une nouvelle paire de chaussures importées d'Italie. La bonne odeur du cuir souple, l'empressement respectueux du vendeur, l'impression de marcher sur une nouvelle planète... Cinq dollars, c'était un peu cher, mais rien ne valait l'achat d'une paire de chaussures pour se sentir un homme nouveau. Ensuite, il avait renouvelé sa garde-robe: deux chemises à un dollar chacune, les meilleures, quelques manchettes et faux cols, un complet-veston tout laine à quatre dollars. Son salaire allait y passer, peu importe... il puiserait dans ses économies. Ce n'est pas tous les jours qu'on se fiance.

Il avait ensuite dîné en solitaire dans un restaurant, place d'Armes, et avait savouré la meilleure pâte feuilletée qui se fît en ville. Repu, il avait lu le journal distraitement, puis était allé chez le bijoutier. Sur le chemin du retour, il n'avait tenu les rênes que d'une seule main, l'autre tenant fermement au fond de sa poche l'écrin de la bague qu'il venait d'acheter – la plus belle bague de fiançailles qu'il ait jamais vue. Tout à fait digne d'une épouse de médecin. À peine entré dans la maison, il avait aussitôt offert la bague à Florence. Émue, elle l'avait enfilée tout de suite, puis l'avait enlevée pour mieux la regarder. Elle l'avait fait tourner quelques instants entre ses doigts, songeuse, avant de la remettre dans son écrin et de déposer celui-ci au fond du coffret métallique, à l'épreuve du feu, dans lequel elle conservait ses papiers importants. Bernard n'avait pas osé lui demander pourquoi elle ne voulait pas la porter. Aussitôt après le souper, il s'était enfermé dans la grange.

* * *

L'opération visant à retirer des cerveaux de poulets de leur coquille osseuse est une opération délicate qui exige beaucoup de dextérité, une maîtrise de soi hors du commun et une patience à toute épreuve. Après des heures de travail acharné, l'expérimentateur novice n'aura réussi qu'à briser la moitié de son stock de crânes, en pure perte. Ou bien la scie à métal écrabouille les os, auquel cas le cerveau n'est plus d'aucune utilité, ou bien elle passe tout droit, ce qui aboutit au même résultat. Si le chercheur persiste, il finira par trouver une méthode qui a le mérite d'être infaillible mais le défaut de prendre un temps fou : il s'agit d'abord d'enlever complètement la peau, puis, un peu à la manière d'un tailleur de verre, de pratiquer au bistouri une petite entaille circulaire qui marquera l'os sans toutefois le découper entièrement. Ensuite, il saisira le sommet du crâne entre le pouce et l'index de la main gauche, et la base entre le pouce et l'index de la main droite. Si l'entaille a été bien pratiquée, il suffira parfois d'un simple mouvement des deux mains, qui exerceront une poussée en sens contraire, pour que le crâne s'ouvre d'un coup sec. Le chercheur aura alors la chance d'obtenir un cerveau parfait, qu'il pourra ajouter à sa collection. Mais neuf fois sur dix, il lui faudra passer encore le bistouri et se résigner à frapper le crâne sur un coin de l'établi, comme on cogne un œuf sur le bord d'un bol. La précision du geste étant un élément indispensable de la réussite de l'opération, l'expérimentateur devra toujours être parfaitement sobre, sans quoi il ne réussira qu'à gaspiller ses précieux cerveaux, ce qui ne fera qu'ajouter à son exaspération.

Ce n'est qu'au prix d'une obstination têtue qui frôle la démesure qu'il réussira à obtenir, au bout de dizaines d'heures d'efforts soutenus, une cinquantaine de cerveaux convenablement décortiqués. Cinquante petites masses rosâtres, sans circonvolution, cinquante petites chiques à peine plus grosses que des petits pois, cinquante boulettes de cellules mortes. Pas même de quoi faire une soupe.

Nullement arrivé au bout de ses peines, il lui faudra encore les peser, séparer les hémisphères, et finalement scruter au microscope toutes les cellules qui se trouvent à proximité du point d'attache de la moelle épinière. Sa patience aura alors atteint son ultime limite, mais, curieusement, c'est son orgueil qui en prendra un coup. Il découvrira en effet que les cellules cérébrales des poulets sont en tous points semblables à celles des humains : le même type de cellules blanches, les mêmes cellules grises autour du canal central de l'axe cérébro-spinal, la même substance granuleuse qui leur sert de trame. Il y a évidemment quelques différences notables : les lobes frontaux sont moins développés, l'organisation des cellules semble plus primitive, mais n'est-il pas humiliant de constater qu'il ne doit y avoir, somme toute, aucune différence de nature entre le cerveau d'un poulet et celui de Louis Pasteur? L'étude des cerveaux de poulets est certainement l'activité la plus déprimante qui se puisse imaginer.

Bernard ne s'était pas laissé abattre. Parmi les cinquante cerveaux de sa collection, vingt-trois avaient appartenu à des gallinacés heureux. Qu'avaient-ils de particulier? Bien peu de chose, en vérité. Leur cerveau était généralement plus lourd de quelques centigrammes que celui de leurs infortunés voisins, mais l'écart par rapport à la moyenne était si grand qu'il aurait été hasardeux d'en déduire une loi générale. Le léger renflement de la partie postérieure du lobe pariétal gauche avait amené Bernard à formuler l'hypothèse que l'hémisphère droit des poulets heureux devait, toutes choses égales, être un peu moins lourd, ce qui avait été très facile à vérifier.

L'étude microscopique des cellules extraites de la région de la moelle épinière lui avait révélé en outre une absence totale de cellules géantes, ou pyramidales, tant dans les cerveaux heureux que dans les malheureux. Dans ces derniers, cependant, une étude plus poussée avait fait apparaître dans l'objectif de son microscope une esquisse d'organisation cellulaire qui aurait pu, à la rigueur, évoquer des grappes de raisin, structure qu'on ne retrouvait jamais dans les cerveaux heureux. Bernard avait donc réussi à confirmer l'intuition de Gall, le père de la phrénologie, selon laquelle le cerveau subit indéniablement l'influence des mœurs. De la même façon que l'usage intempérant de l'alcool influençait le développement du foie, la pratique du bonheur modifiait donc la configuration du cerveau... Cette découverte, pourtant capitale, plongea Bernard dans une grande perplexité. Ce que d'autres auraient salué comme une prodigieuse victoire de la science moderne, ce que lui-même, s'il n'avait été aussi fatigué, aurait normalement considéré comme une étape importante de ses recherches, un début spectaculaire, laissait un arrière-goût d'échec en réalité : le secret du bonheur se trouvait dans le bonheur lui-même. Comment trouver pire tautologie?

Que fait le chercheur quand l'oculaire de son microscope ne lui inspire plus que du dégoût? quand il découvre qu'il a complètement perdu son temps et que les conséquences de ses recherches ne lui apparaissent que sous leur plus mauvais jour? Il ramasse les cerveaux qui lui restent et les met sur la glace, ferme la porte de l'étable sans même saluer son cheval, entre à la maison et se dirige tout droit vers le garde-manger où l'attend une amie trop longtemps délaissée : une bonne bouteille de brandy.

11

En fermant les yeux, Bernard pousse un long soupir et se sent aussitôt glisser doucement sur une pente lisse et chaude. Avec une confiance absolue dans les vertus réparatrices du sommeil, il se laisse tomber au plus profond du gouffre, là où la lumière ne pénètre jamais, où même les rêves les plus noirs n'osent pas s'aventurer. Une éternité plus tard, il sent la main de Florence secouer son épaule. Dans le lointain, une voix l'appelle. Le ton est ferme, mais c'est à peine s'il réussit à l'entendre. «Il est six heures, Bernard, il faut que tu ailles travailler. Bernard? Tu m'entends, Bernard? Il est six heures...»

Bravement, il tente de s'agripper aux parois du gouffre, mais la pente est trop abrupte, la surface trop glissante... Il abandonne. «Il est six heures dix, Bernard. Bernard?» La voix vient de la cuisine et se mêle au tintamarre des ustensiles, du tisonnier et des rondelles du poêle. Six heures dix. Quelques cellules de son cerveau commencent à se dégourdir, et entreprennent de rappeler aux autres que les êtres humains, dans certains pays civilisés, ont eu la curieuse idée de découper les journées en vingt-quatre tranches, puis celles-ci à leur tour en soixante parties, et d'associer chacune d'elles à des tâches toutes aussi désagréables les unes que les autres : se réveiller, se laver, se vêtir, atteler un cheval insignifiant à une voiture, se présenter au travail, soigner des fous... Quelques cellules veulent résister à cette tyrannie, mais à peine ont-elles commencé à s'organiser que la voix de Florence se fait entendre une troisième fois, ce qui tue la résistance dans l'œuf : «Bernard ! Il est six heures vingt ! Tu vas être en retard ! »

De peine et de misère, écartant les fragments de rêve qui cherchent à le retenir, cessant d'écouter le chant des sirènes qui l'invitent sans cesse à se laisser retomber au fond, tout au fond de l'abîme, il entreprend de remonter lentement sa paroi glissante. Au prix d'un effort héroïque, il finit par ouvrir les yeux, quand un rayon de soleil pénètre dans la chambre, l'atteint en plein dans l'œil, lui causant une vive douleur.

Encore mal réveillé, Bernard descend vaille que vaille jusqu'à la cuisine. La première gorgée de thé lui brûle la gorge. (Qu'est-ce que c'est que cette eau parfumée ? Si j'ajoutais les quelques gouttes qui traînent au fond de ma bouteille de brandy, ça passerait mieux...) Puis une deuxième gorgée... Au fond de l'estomac un concert interminable de gargouillis et de borborygmes... Six heures vingt-sept. Mon Dieu, faites que ce soit une journée simple, sans complication, sans opération, donnez-moi cent paires d'oreilles à déboucher, je le ferai, cent échardes à retirer, je m'acquitterai consciencieusement de ma tâche, mais pas d'opération, mon Dieu, pas d'opération...

— C'est bien le temps de prier !

— Bonjour, Florence. Comment sais-tu que je prie ?

— Je le lis sur tes lèvres. Je peux même réciter le reste de ta prière, si tu veux : mon Dieu, délivrez-moi de mon mal de tête, dégonflez ma langue, donnez-moi la force de soulever mes paupières... Si tu veux mon avis, Il ne t'écoutera pas. Tu ne penses pas que tu ferais mieux de ne pas aller travailler?

— Non, il faut que j'y aille. Est-ce qu'il reste un peu de pain?

— Il est en face de toi, mon pauvre Bernard.

En face de moi? C'est pourtant vrai. Pas d'opération, mon Dieu... Quelques bouchées de pain pour faire taire l'estomac, et on y va. Se lever, enfiler son paletot, ses bottes, ouvrir la porte, subir les assauts des rayons de soleil, respirer une grande bouffée d'air frais, se diriger vers la grange, ouvrir la lourde porte de cèdre, pester contre les pentures rouillées, atteler cet imbécile de cheval: du calme, le jeune, tu vas vieillir un jour, toi aussi. Regarder Florence saluer par la fenêtre – ce n'est après tout qu'une mauvaise journée à passer – et aller son chemin.

Quand la voiture de Bernard disparaît à l'horizon, Florence range la vaisselle, puis s'assoit dans la berceuse, un tricot à la main. Pourquoi faut-il que tous les hommes boivent, dans ce pays de misère? Le froid et le travail ne les font-ils pas déjà assez souffrir? Comme s'ils allaient réussir, à coups de verres d'alcool, à dissoudre le gros malheur qui leur fait une boule dans l'estomac. Ne comprendront-ils jamais qu'ils sont nés avec le malheur et qu'ils mourront avec lui? Les doigts de Florence ralentissent, le cliquetis des aiguilles se fait plus doux, puis finit par se calmer tout à fait. Les mains se posent sur les genoux, la tête se perd dans les nuages qui traversent lentement les carrés de ciel parfaitement découpés par l'armature de la fenêtre. Bernard est parti, il va revenir, toute une journée à l'attendre... Elle pousse un soupir, puis reprend son tricot.

— Dieu vous bénisse, sœur Jeanne. Quoi de neuf ce matin?

— Rien de bien particulier, docteur Dansereau. Il faut d'abord aller voir Pierre-Henri Champagne, à la salle Saint-Luc : on l'a trouvé paralysé dans son lit. J'ai demandé qu'on apporte de la ciguë, l'infirmière est au courant. Pendant que vous y serez, il faudrait constater le décès de Tancrède Laporte. Je me suis occupée des formulaires; la famille est aisée, on leur demandera de fournir le cercueil. Ensuite, vous irez du côté des femmes. On m'a dit que Jeanne Sénécal – vous savez, la noyée de Chambly? – a recouvré la mémoire. Le problème, c'est qu'elle ne s'en remet pas, elle a passé la nuit à crier, il lui faudrait un sirop calmant...

Calmants, foulures, entorses, que de la routine, merci, mon Dieu.

— ...À onze heures, vous irez au bureau de sœur Thérèse, elle ne se sent pas bien.

— Sœur Thérèse? Qu'est-ce qu'elle a?

— Je ne sais pas.

— Je devrais peut-être y aller tout de suite?

— N'en faites rien! Elle négocie avec les électriciens. Elle a insisté pour que vous vous présentiez à onze heures, mieux vaudrait ne pas la contrarier.

* * *

Pierre-Henri Champagne est un beau cas : quand il était journaliste à *La Presse*, il avait la réputation de pouvoir très vite écrire un article sur n'importe quel sujet. Un marchand de Montréal retirait-il sa publicité à la dernière minute qu'on allait trouver Champagne pour qu'il ponde quelques articles. Politique, sport, recettes de cuisine, chiens écrasés, conseils pratiques ou jardinage, dix minutes plus tard le texte était prêt à être publié. Au faîte de sa carrière il avait commencé à déraper. Le surcroît de travail, l'abus d'alcool – si courant dans ce milieu –, le manque de sommeil... Un jour, il ne s'était pas présenté au journal. On l'avait cherché partout, mais en vain. Deux semaines plus tard, un collègue l'avait rencontré, par hasard. Assis au bout du quai Sutherland, complètement hagard, il regardait passer les bateaux. Dépression mélancolique.

Bernard écoute d'une oreille distraite les propos de garde Girard, une des rares infirmières laïques de l'asile. Il a du mal à se concentrer : les vapeurs du brandy qui paressent encore dans son cerveau, la maladie de sœur Thérèse, la belle voix de garde Girard, ses magnifiques cheveux noirs ramassés en chignon sous la coiffe immaculée, la dose de ciguë à administrer, le malheur du journaliste, tout se confond... Deux fois il rate son injection. Veine fuyante, invoque-t-il, un peu honteux : la veine est tellement évidente qu'on aurait pu diagnostiquer une varice.

— Pensez-vous qu'il va s'en tirer, docteur?

— Je ne sais pas. La dose était un peu forte, mais le bonhomme fait plus de six pieds, il devrait bien réagir. Tout dépend de l'origine de la paralysie... Je repasserai à la fin de la journée.

— Et d'ici ce temps-là?

— Aucun traitement particulier. Ou plutôt, oui : venez le voir toutes les heures, penchez votre tête au-dessus de la sienne, et souriez-lui. Ça lui fera le plus grand bien.

* * *

À onze heures moins dix, Bernard quitte la salle Sainte-Cécile et se dirige vers le bureau de sœur Thérèse. Il s'arrête un moment à la salle de toilettes, le temps de se rincer la bouche et de tenter maladroitement de recoiffer une mèche rebelle qui pointe insolemment au sommet de son crâne. Chaque fois qu'il abusait du brandy, le même phénomène se produisait : comme si ses cheveux se révoltaient contre l'alcool. Il a beau se passer et se repasser la main sur la tête pour mouiller ses cheveux, l'épi se redresse toujours. Il doit enfin se résigner à utiliser du savon.

Il arrive au bureau de sœur Thérèse à onze heures pile, au moment du départ de l'électricien en chef, qui s'éloigne, l'air dépité.

— Bonjour, sœur Thérèse, comment allez-vous?

— Plutôt mal, docteur. Savez-vous combien me demande cet homme pour sept cents pauvres petites lampes électriques? Même en calculant les économies de cire et de pétrole, il me faudra deux ans pour payer la facture. Je lui ai demandé un délai, et savez-vous ce qu'il a osé me répondre? Qu'il me compterait des intérêts! Des intérêts, vous vous rendez compte! Puisque c'est comme ça, je lui ai dit qu'il pouvait commencer immédiatement à démonter ses lampes et à enrouler ses fils. Je n'en veux plus de son électricité.

— Vous n'y pensez pas, sœur Thérèse! L'électricité, c'est le progrès, et puis avez-vous pensé au risque d'incendie? Les lampes à huile sont extrêmement dangereuses.

— Docteur Dansereau, vous me désespérez. Vous êtes sans doute un excellent médecin, mais jamais je ne vous confierais la direction de l'asile. Le jour où les médecins dirigeront les hôpitaux, tout l'argent de la Province y passera. Mais je ne vous ai pas demandé de venir pour discuter d'électricité. Je ne me sens pas très bien, depuis quelques jours. Je suis toujours fatiguée, j'éternue souvent, la gorge me picote... Une mauvaise grippe, sans doute. N'auriez-vous pas un médicament qui pourrait me remonter?

— Il faudrait d'abord savoir ce que vous avez, sœur Thérèse.

— Ce n'est pas nécessaire, je vous dis que c'est une mauvaise grippe. Tout ce dont j'ai besoin, c'est d'un tonique pour me remonter.

— Pardonnez-moi si j'insiste, sœur Thérèse, mais je pense qu'il vaudrait mieux que je vous fasse un examen.

— Quelle sorte d'examen?

— Il faudrait d'abord que je regarde vos yeux et votre gorge, puis que je fasse une auscultation. C'est l'affaire de quelques instants.

— Non, non. Je n'ai pas besoin d'examen.

— Sœur Thérèse...

Bernard sait d'instinct trouver le ton de voix qui convient, ferme et rassurant, celui qu'on utilise pour montrer aux enfants qu'on parle sérieusement.

— Bon, d'accord, mais vous m'ausculterez *dans le dos*, uniquement dans le dos.

— Mais, sœur Thérèse...

— N'insistez pas, docteur. Vous m'ausculterez *dans le dos* ou alors pas du tout. C'est cela ou rien d'autre.

— Bon, comme vous voudrez.

Au moment où Bernard s'installe derrière sœur Thérèse, la porte du bureau s'ouvre. Un pied paraît d'abord, qui retient la porte, puis une religieuse poussant un chariot.

— Qu'est-ce que vous venez faire ici, sœur Pudentienne?

— Je viens arroser les plantes, ma sœur. Je n'ai pas pu venir plus tôt...

— Vous reviendrez plus tard. Sortez d'ici, vous m'entendez? Qu'est-ce que c'est que cette manie d'entrer sans frapper?

— Mais, sœur Thérèse, c'est ce que je fais chaque jour...

— Sortez d'ici!

— Bien, ma révérende.

— Et vous, docteur, faites vite. Vous voyez dans quelle situation vous m'avez placée, avec votre examen? Pardon, mon Dieu.

— Il faudra déboutonner votre robe, ma sœur.

— Il n'en est pas question!

— C'est un ordre, ma sœur.

— De quel droit me donnez-vous des ordres?

— Du droit du médecin qui s'inquiète de l'état de santé de sa patiente. Je suis aussi désolé que vous, sœur Thérèse, mais il le faut.

— Bon. Dans ce cas, vous allez éteindre les lumières.

— Les lumières sont déjà éteintes, sœur Thérèse. C'est le soleil qui nous éclaire; j'ai bien peur de ne pouvoir rien y faire. De quoi avez-vous si peur?

— Peur? moi? Je n'ai pas peur du tout. Allez-y, auscultez-moi. Ça ira, comme ça?

— J'ai peur que ce ne soit pas suffisant. Combien d'épaisseurs de vêtements avez-vous donc?

Sœur Thérèse finit par dégager une épaule, étroite et d'un blanc laiteux, qui porte encore la cicatrice laissée par le coup de couteau que lui a donné l'un des patients de l'asile, quelques années plus tôt. Bernard a bien réchauffé le stéthoscope dans sa main pour que sœur Thérèse ne sursaute pas lorsqu'il le glissera sur l'étroite surface de peau qu'elle a découverte.

Dieu que ce cœur bat vite! Il est vrai qu'elle est toute petite et que les pulsations sont en fonction inverse de la taille – le cœur d'un homme bat plus lentement que celui d'un chat, lequel bat plus lentement que celui d'une souris... –, mais tout de même, tout de même, cent quarante, ce n'est pas normal!

— Et alors, qu'est-ce que j'ai?

— Je viens à peine de commencer. Et si vous parlez tout le temps, je n'entendrai rien... Essayez de vous calmer, sœur Thérèse, prenez de grandes inspirations.

— Me calmer! Vous voudriez que je sois calme alors que n'importe qui peut entrer à tout moment et me trouver à moitié nue!

— Vous n'êtes pas à moitié nue, sœur Thérèse, et puis personne ne peut vous reprocher de prendre soin de votre santé: l'asile a besoin de vous. Pensez à vos malades... et prenez de grandes inspirations.

Cent vingt... Cent dix... Bon, ça va mieux. Mettons cela sur le compte de l'énervement. Les poumons maintenant: inspirez... expirez... inspirez... retenez votre souffle... expirez. C'est bien, encore une fois... Non. Les poumons ne sont pas atteints, les bronches non plus.

— Bon, ça suffit comme ça. Alors, qu'est-ce que j'ai?

— Pour le moment, un simple rhume, mais ça peut toujours se compliquer. Avez-vous des douleurs musculaires? Des raideurs?

— Oui, le matin, quand je me lève.

— Portez-vous toujours du camphre sur votre poitrine?

— Comment le savez-vous?

— Je l'ai senti. En portez-vous toujours?

— Oui. Et j'ai aussi un scapulaire, si vous voulez tout savoir.

— C'est bien. N'oubliez pas de changer votre morceau de camphre une fois par semaine. Essayez de ne pas prendre froid et de bien vous reposer. Évitez les contacts avec les patients. Ça passera peut-être.

— Dites-moi la vérité, docteur Dansereau, qu'est-ce que vous craignez?

— Pour le moment, je ne vois rien de bien sérieux. On ne sait jamais à quoi s'attendre avec l'influenza... Parfois, ce ne sera qu'un simple rhume, mais parfois les épidémies sont mortelles...

— C'est tout? Mon Dieu, si ce n'est que ça, je m'en sortirai! Merci, docteur. Maintenant, allez vous asseoir et fermez les yeux, je vous prie, le temps que je me rhabille. J'ai à vous parler.

— Si vous voulez que je vous informe de l'état de mes recherches, dit Bernard en regagnant sa chaise, j'aime autant vous dire tout de suite que je n'ai rien trouvé.

— Je sais, je l'ai lu dans vos yeux.

— Qu'est-ce qu'ils ont, mes yeux?

— Ils ne sont pas tout à fait en face des trous, comme chaque fois que vous abusez de l'alcool. Et quand vous buvez, c'est que vos recherches piétinent... Au fait, est-ce que je vous ai déjà raconté ce qui m'est arrivé quand je suis allée en Oregon?

— Je ne crois pas, non, mais pourquoi...

— ...c'était en 1852. J'étais partie de Burlington, au Vermont, pour me rendre à Oregon City, à l'autre bout du continent, pour y fonder une institution de charité. Quand je suis descendue de la diligence, il ne restait plus de la ville que quelques planches et un immense nuage de poussière: on avait trouvé de l'or en Californie, tout le monde était parti. Je me retrouvais toute seule dans une ville déserte. J'étais désespérée. Un mois de voyage pour rien... J'ai prié le Seigneur, qui m'a recommandé de rentrer chez moi. Comme je voyageais à bord d'un bateau qui devait me mener à Los Angeles, où je pourrais prendre le train vers l'Est, une formidable tempête s'est levée au moment où nous arrivions à San Francisco. Les voiles se déchirent, le gouvernail se brise... Nous voguons pendant un mois sans direction aucune, pour finalement accoster à Valparaiso, au Chili! Sur le quai, un frère m'accueille, un Canadien comme vous et moi: «Sœur Thérèse, c'est la Providence qui vous a envoyée, m'a-t-il dit plus tard, nous avions justement besoin de quelqu'un pour diriger notre hospice.» J'y suis finalement restée cinq ans! Je l'ai dirigé, cet hospice, j'ai fondé un hôpital, puis je suis rentrée à Montréal pour m'occuper de l'asile... Voilà.

— C'est une belle histoire, mais pourquoi me l'avez-vous racontée précisément aujourd'hui?

— Parce que, la semaine prochaine, je pars pour l'Europe. J'irai d'abord visiter des asiles en Écosse et en Belgique, puis je me rendrai à Paris, où j'assisterai au Congrès international de médecine mentale. J'aurais bien aimé que vous m'accompagniez pour y communiquer les résultats de vos recherches mais... ce sera pour une autre fois, j'imagine. Le docteur Bourque viendra avec moi, de même que le docteur Paquette – malheureusement – et le docteur Vallée de Québec. Si le Seigneur le veut, nous serons de retour dans trois mois. Pendant ce temps vous n'aurez plus de patron, plus de comptes à rendre à personne. Pendant trois mois, je ne saurai rien de ce qui se passera à l'asile. J'avoue que je suis inquiète. Il peut arriver tant de choses en trois mois. Une épidémie, un incendie, un tremblement de terre... Il pourrait même passer par la tête de quelqu'un d'abattre tous les arbres de l'asile que je n'en saurais rien. Que pourrais-je y faire, à trois mille milles d'ici?

— Craignez-vous vraiment qu'il puisse arriver quelque chose aux *arbres*, sœur Thérèse?

— Non. Cependant, il pourrait se produire qu'un patient ou un membre du personnel éprouve une vive compassion envers les arbres malades et qu'il tente de les guérir en utilisant des méthodes nouvelles... Le Seigneur n'aimerait peut-être pas qu'on prenne Sa place, mais Il sait parfois fermer les yeux, quand la cause est juste. Il faudrait évidemment que ces arbres soient à l'article de la mort, entendons-nous bien... On ne sait jamais ce qui peut se produire quand on tente des expériences. On s'imagine qu'on rentre chez soi et on se retrouve au Chili, à l'autre bout du continent. Rien ne se passe jamais comme on le veut, docteur Dansereau, mais on arrive toujours quelque part. Quand je suis rentrée du Chili, en 1863, il n'y avait ici qu'un champ en friche. Cent soixante-six arpents de terre, achetés trois mille piastres. Sur cette terre, il y a maintenant un asile – que le monde entier nous envie. Croyez-vous que cela aurait été possible si nous avions abandonné? Non, docteur, et les fous dormiraient encore dans des loges. Chaque fois que nous avons désespéré, le Seigneur nous a aidés. Je prierai pour vous, docteur Dansereau.

— Merci, ma sœur, mais je crains que vous ne deviez prier bien fort.

— On ne prie jamais assez fort. Pendant que vous êtes là, j'en profite pour vous remettre une lettre qui m'a été adressée par erreur. Elle est signée Oscar Parent... Il compte beaucoup sur vous, je crois... Je l'ai lue par erreur, je m'en excuse... Vous connaissez sœur Pudentienne: elle est si distraite...

«Cher docteur Dansereau...» Bernard n'écoute plus: dès les premières lignes, il comprend qu'il doit réussir. Sœur Thérèse proteste encore de son innocence pendant quelques instants, puis elle se tait : rien qu'à voir les yeux de Bernard parcourir à toute vitesse la prose d'Oscar, elle sait qu'elle a gagné.

* * *

Bernard arrive au réfectoire à midi. Le docteur Villeneuve vient de quitter sa place; le docteur Paquette s'apprête à commencer son repas. Bernard ne pourra échapper à ce dernier. Il se lave longuement les mains en se demandant quelle attitude adopter, puis, après avoir fixé pendant un long moment son image dans la glace – l'épi rebelle pointe encore vers le ciel; à quel moment s'est-il donc redressé? sœur Thérèse l'a-t-elle remarqué? – il va s'asseoir, encore vaguement honteux, à la table du docteur Paquette.

— Bonjour, docteur Dansereau! Nous avons de la chance, aujourd'hui, il y a du poulet au menu. Ça nous change de la soupane et de la bouillie de blé d'Inde, non?

— Moi, j'aime bien la soupane.

— On voit bien que vous n'êtes jamais allé à Paris, cher docteur! Quand je pense que, dans quelques semaines, je mangerai dans les meilleurs restaurants... C'est vraiment dommage que vous ne puissiez venir : le congrès de Paris réunira les plus brillants aliénistes du monde entier! Il est vrai qu'un médecin généraliste n'y entendrait pas grand-chose... Infect, ce poulet.

— Vous trouvez? Le mien est délicieux.

— Non, c'est infect. Tout ce qu'ils savent faire, ici, c'est le café. Je me demande bien comment ils y arrivent, d'ailleurs. Ah, Paris! ... Vous nous quittez déjà, docteur?

— Oui, je vais aller prendre l'air. Bonne journée, docteur Paquette.

En sortant de l'asile, Bernard se dirige tout droit vers le poulailler. Quelques pas sur le chemin boueux, de profondes respirations, la chaleur du soleil...

— Mon cher Wilfrid, j'ai encore besoin de votre aide. Seriez-vous capable de reconnaître une poule heureuse?

— Bien sûr, rien de plus facile.

— Comment faites-vous?

— Quand on observe le fond de ses yeux, on voit parfois comme des cheveux blonds: c'est ceux de l'archange Gabriel. Si on continue à regarder, on voit le bout de son aile et son épée qui brille. Vous voulez voir? Prenez celle-là, elle est si heureuse que l'ange Gabriel a une auréole. Vous la voyez?

— Non, je ne vois rien.

— C'est une question d'habitude. Ça viendra.

— Si je la rendais malheureuse, l'ange disparaîtrait?

— Évidemment. Quand les poules sont malheureuses, c'est le diable qui apparaît. Il me semblait que je vous l'avais déjà dit.

— Et si nous rendions heureuse une poule malheureuse, que se produirait-il?

— Le diable s'en irait, et l'ange reviendrait. Ils vous ont rien appris, à l'université?

— Le bonheur des poules n'était pas une matière obligatoire. Wilfrid, j'ai besoin de vous. Savez-vous ce que nous allons faire? Nous allons prendre des poules malheureuses et nous allons mélanger toutes sortes de substances à leur nourriture. Peut-être trouverons-nous un médicament contre le malheur? Demain, j'irai à la pharmacie et je vous apporterai quelques produits: du laudanum, de la ciguë, du zinc...

— Moi, je veux bien vous aider mais, à mon avis, vous arriverez à rien si vous ajoutez pas quelques graines de chanvre indien.

— ...Vous avez essayé?

— Évidemment. J'ai aussi essayé le ginseng, la gomme d'épinette, les fourmis, les fleurs de moutarde, les racines de pissenlits... Non, c'est vrai, il y a seulement les graines de chanvre qui sont efficaces.

— Qu'est-ce que ça leur fait?

— Au début, elles sont comme excitées, puis ça se calme un peu. Elles se mettent à marcher plus doucement, leurs mouvements sont moins saccadés, elles picorent tranquillement : elles ont vraiment l'air heureuses! Un peu plus, on jurerait qu'elles sourient. La petite boule noire au fond de leurs yeux s'agrandit, et puis quand on regarde au fond on voit plus le diable, seulement les traces de ses sabots. Elles sont heureuses, y a pas de doute.

— Et... avez-vous déjà pensé à consommer ces graines?

— Ça m'est arrivé, oui.

— Et alors?

— J'ai été malade. J'ai pas un estomac de poule, moi.

— Mais vous êtes-vous senti moins malheureux?

— Oh non! De toute façon, j'ai jamais été malheureux, moi.

— Mais alors, pourquoi êtes-vous ici?

— Parce que je suis fou. Vous n'aviez pas remarqué? Je suis peut-être fou mais pas malheureux. Si vous cherchez la recette du bonheur, il faut oublier le chanvre indien.

— Et pourquoi donc?

— Parce que l'effet dure pas. Au bout d'une heure ou deux, le diable revient. Je me sers du chanvre au moment de les tuer, pour chasser le diable. C'est ma façon de leur donner l'extrême-onction. À votre place, j'essaierais plutôt les aimants.

— Les aimants?

— Vous savez ce que c'est un aimant, non? Vous avez juste à placer deux petits aimants de chaque côté de la tête d'une poule, puis le diable disparaît aussitôt. Mais il faut qu'ils soient bénis, évidemment, autrement ça change rien. Dites-le à personne, mais c'est moi qui vole l'eau bénite, à la chapelle. J'en dilue des petites gouttes dans une pinte d'eau, je mélange pour que ça soit béni partout, j'en applique un peu sur les aimants, ensuite je les attache sur les tempes des poules, c'est tout.

— C'est magnifique.

— C'est vous qui le dites. Mais j'aime autant vous prévenir: si vous cherchez à vous en servir pour autre chose, vous y arriverez pas.

— Pourquoi?

— Parce que ça change strictement rien au goût du poulet: ils meurent heureux mais leur chair est toujours dure. C'est pas un vrai bonheur, vous comprenez? Et avant que vous me posiez la question, je peux vous dire tout de suite que, oui, j'ai déjà essayé de dormir avec des aimants sur mes tempes et que, ça change rien: quand je me réveille, je suis toujours aussi fou. La seule différence, c'est que je suis de bonne humeur.

— C'est déjà beaucoup. Combien de temps vous faut-il pour obtenir ce résultat?

— C'est selon... Pour une poule, quelques heures, c'est assez, mais pour un être humain c'est plus long. J'ai commencé à observer des résultats au début de la deuxième année, mais il faut dire que j'ai une tête de cochon.

— En avez-vous parlé aux médecins?

— Comment voulez-vous que j'en parle aux médecins, ils viennent jamais ici que pour se plaindre de mes poulets! Ils ont bien raison, d'ailleurs. Quand un fou n'aime pas un médecin ou un gardien, il vient me voir et on s'organise pour qu'ils mangent seulement du poulet dur ou bien pour que leurs œufs soient pas trop frais... Si vous voulez repérer rapidement ceux qui sont gentils avec les fous, regardez-les manger leur poulet.

— Ce n'est pas très gentil de votre part, mais je comprends.

— Ce n'est rien, docteur Dansereau, si vous saviez ce qu'il y a dans leur café!

* * *

Des aimants... Supposons qu'on retrouve dans les cellules-raisins quelques particules de fer et que ce fer, attiré par l'aimant, désagrège les grappes sur son passage; ou bien supposons que des courants magnétiques passent dans le cerveau et soient responsables de la constitution des fougères, un fluide qui... Une boussole, il y aurait dans le cerveau une sorte de boussole qu'il suffirait d'orienter correctement – d'ailleurs ne dit-on pas d'un fou qu'il a perdu le nord? Supposons... Au diable les hypothèses, ce qu'il me faut, c'est des aimants. Mais où trouver des aimants dans un asile? Allons voir à la pharmacie.

— Dieu vous bénisse, docteur Dansereau. Un verre de brandy?

— Non merci, sœur Marie. Auriez-vous des aimants?

— Non. À votre place, j'irais voir le docteur Villeneuve. La semaine dernière, je l'ai vu faire des tours de magie devant les aliénés : il mettait une clé sur un morceau de carton, et il faisait semblant de donner l'ordre à la clé de bouger... C'était très drôle. Vous allez pouvoir lui demander tout de suite, d'ailleurs, le voilà qui arrive.

— Bonjour docteur Villeneuve. Sœur Marie me dit que vous sauriez où trouver des aimants?...

— Des aimants? Certainement, j'en ai même beaucoup. Pourquoi me demandez-vous ça? Vous avez perdu une aiguille dans une botte de foin?

— Exactement. Une toute petite aiguille, dans une immense botte. Non, j'aurais plutôt envie de faire quelques expériences.

— Comme Mesmer?

— Comme qui?

— Mesmer. Vous n'avez jamais entendu parler de lui? C'est un médecin autrichien qui s'imaginait pouvoir guérir les maladies en plaçant des aimants dans la main des patients. C'était à la fin du siècle dernier. Il s'est aussi intéressé à l'hypnose, il a eu des clients célèbres, des têtes couronnées, même la famille de Mozart. Ses expériences ont fait tant de bruit qu'on a mis sur pied un comité d'études dans lequel on retrouvait aussi Benjamin Franklin et Lavoisier.

— Et alors?

— Ils ont conclu que le magnétisme animal était une fumisterie. Il faut dire que ce Mesmer était plutôt bizarre. Certaines jeunes filles qu'il avait hypnotisées se sont réveillées avec de drôles de surprises. La même chose s'était produite avec lord Durham, vous vous souvenez?

— Je me souviens, oui; j'ai même assisté à une séance d'hypnose, à l'université, c'était très impressionnant... Mais les aimants? Lavoisier et Franklin ont-ils condamné l'usage des aimants?

— Il me semble que non.

— Avez-vous mangé du poulet, ce midi?

— Oui.

— Comment était-il?

— Délicieux. Je ne comprends pas les lamentations du docteur Paquette : chaque fois qu'il y a du poulet ou de l'omelette au menu…

— Docteur Villeneuve, il faut absolument que je vous parle… Pourriez-vous venir chez moi, ce soir?

12

Sœur Thérèse, qui avait beaucoup voyagé dans sa vie, savait apprécier les petits déjeuners, les longues promenades solitaires, les menus achats et les conversations avec les cochers, toutes ces petites choses que l'on fait chez soi sans trop y penser et que l'on ne savoure vraiment que lorsqu'on est à l'étranger. À la différence d'un grand nombre de voyageurs cependant, elle n'en profitait jamais pour négliger ses devoirs spirituels et encore moins pour faire des gestes que la morale eût réprouvés.

En voyage, elle n'aimait rien tant que d'accomplir ses devoirs religieux et y mettait même un surcroît de zèle. Dès son réveil, elle s'agenouillait au pied de son lit et priait pour la santé de ses mille patients, pour celle de ses deux cents religieuses, qu'elle nommait une à une pour que le Seigneur n'en oubliât aucune, pour les médecins et le personnel laïque, ajoutant parfois à sa police d'assurance un avenant, adressé directement au Saint-Esprit, pour qu'Il éclairât de Ses lumières les recherches du docteur Dansereau. Elle aimait penser que ses prières, venues d'un autre lieu, arrivaient plus rapidement au ciel et que le Seigneur y accordait une plus grande attention.

Le soir, avant de s'endormir, elle s'agenouillait à nouveau pour demander au Seigneur de veiller sur ses bâtiments. Elle avait composé pour cela une longue obsécration qui était censée protéger chacune des ailes et des annexes de l'asile contre toute espèce de catastrophe : inondation, incendie, tremblement de terre, raz-de-marée, foudre, glissement de terrain, tempête de grêle, invasion de termites, tornades et typhons – la liste était interminable. Elle aurait évidemment pu s'en tirer à meilleur compte en demandant tout simplement une protection permanente et totale contre toute forme de cataclysme, mais elle était convaincue que le Seigneur, en matière de prières, n'appréciait guère l'esprit d'économie. C'est le propre des mortels de bâcler; les êtres éternels, eux, ont le souci du détail. Elle se disait de plus que la concurrence était forte à l'heure du coucher : de partout sur la terre montaient à cette heure-là des milliers de prières! Celles qui n'étaient pas sincères ne volaient pas bien haut, mais il devait tout de même en rester quelques centaines qui se pressaient aux portes du ciel. Pour franchir cet ultime seuil, il importait de se distinguer, ce à quoi sœur Thérèse s'appliquait sans réserve. À en juger par les lettres rassurantes qu'elle recevait presque quotidiennement de l'asile, ses prières étaient efficaces.

Que ce fût en Écosse, en Angleterre, en Belgique, en Italie ou en France, dernière étape de son voyage, elle ne manquait jamais non plus d'assister à sa messe quotidienne. Elle communiait aussi souvent que possible, et les subtiles nuances de goût distinguant le pain de chacun de ces pays ne lui faisaient qu'apprécier davantage la présence du Seigneur.

Parmi tous les sacrements, aucun toutefois ne lui apportait autant de grâces que celui de la pénitence. Les aumôniers de l'asile étaient sans doute d'excellents confesseurs, ils respectaient totalement le secret de la confession, mais il était difficile de fouiller le fond de son âme en présence de quelqu'un que l'on côtoyait quotidiennement. Quand elle était à Saint-Jean-de-Dieu, elle se contentait généralement d'avouer de petits péchés, sans trop de conséquences. Lorsque ses fautes lui semblaient plus graves, elle parlait de vagues *mauvaises pensées*, sans jamais en préciser la teneur. À trois mille milles de chez elle, devant un confesseur qui ne comprenait pas parfaitement le français et qu'elle ne reverrait sans doute jamais, ses confessions étaient en revanche vraiment satisfaisantes.

Elle avait remarqué que les prêtres de pays différents avaient parfois des vues très variées. Un péché mortel restait toujours un péché mortel, cela va de soi, mais souvent l'interprétation que l'on faisait des préceptes de l'Église différait sur quelques aspects qui, bien que mineurs, avaient tout de même leur importance. Telle faute qui ne lui avait valu qu'une toute petite pénitence en Belgique avait été beaucoup plus mal reçue en Italie, et tel autre péché considéré comme presque mortel en Écosse devenait tout au plus une broutille en France. Ces différences de perception avaient évidemment quelque chose de troublant d'un point de vue théologique, mais elles avaient aussi un côté bien commode pour qui savait les utiliser.

Comme elle disposait de quelques moments libres avant le début de la dernière journée des assises du Congrès international de médecine mentale de Paris, elle avait décidé de les utiliser pour se confesser une dernière fois. Elle avait ouvert la lourde porte du confessionnal, s'était agenouillée et avait récité lentement quelques prières préparatoires: ses yeux pouvaient ainsi s'habituer à l'obscurité. Le prêtre avait beau n'être que le représentant de

Dieu sur la terre, elle voulait tout de même savoir à qui elle avait affaire. À travers le grillage ornementé de croix qui recouvrait le guichet, elle n'avait réussi à voir que ses cheveux grisonnants – ce qui était rassurant – et sa main blanche, posée sur son menton. L'homme avait une fort belle voix de basse, aussi avait-elle décidé de lui accorder sa confiance. Après avoir avoué quelques menus péchés et récité les formules d'usage, elle était restée dans le confessionnal et avait toussoté pour indiquer au prêtre qu'il serait sans doute avisé de sa part de tendre une perche à la religieuse. Le vieux prêtre, qui en avait vu d'autres, avait saisi le message.

— Y a-t-il autre chose, ma sœur?

— Non, mon père... C'est-à-dire que... Est-ce que je peux vous poser une question?

— Certainement, ma sœur, je vous écoute.

— Dites-moi, mon père, vous arrive-t-il de vous entretenir avec le Seigneur?

— Bien sûr : chaque fois que nous prions, nous sommes en contact avec Lui, c'est une évidence...

— Vous est-il déjà arrivé d'entendre Sa voix, mon père?

— Parfois, dans le secret de mon cœur, j'ai l'intime conviction de L'entendre, oui.

— Quelle voix a-t-Il, mon père?

— Comment, quelle voix a-t-Il?

— Parle-t-Il vite ou lentement? D'une voix grave ou aiguë? En français ou en latin? Comment peut-on être certain que c'est bien Lui qui nous parle?

— Je vois ce que vous voulez dire... C'est une question délicate, et je crains qu'il n'existe pas de méthode infaillible pour Le reconnaître. Je pense d'ailleurs qu'il est abusif de parler de *voix* dans Son cas... Mais si vous me disiez plutôt ce qui vous tracasse, ma sœur?

— ... Ce que je veux savoir, c'est s'il est possible que le Malin imite la voix du Seigneur?

— Certainement, ma sœur, certainement. Il n'est pas de fourberie dont il ne soit capable. Il faut toujours se méfier des voix, particulièrement des voix nocturnes. Entendez-vous ce type de voix, ma sœur?

— Supposons que le Seigneur vous parle, mon père, ou supposons plutôt que vous ayez la conviction qu'Il vous parle. Supposons qu'Il ait sa voix habituelle et qu'Il vous dise de faire confiance à une créature de votre connaissance, une femme laïque, par exemple, pour laquelle vous auriez de l'admiration, ou même de l'affection... Croiriez-vous que ce serait l'œuvre du Malin?

— Si vous voulez que je vous vienne en aide, je vous prierais de répondre à mes questions : avez-vous de mauvaises pensées nocturnes, ma sœur, de celles qui viennent des bas instincts?

— Non, mon père, bien sûr que non! Je me demandais seulement si vous connaissiez un moyen de reconnaître la voix de Dieu quand Il vous parle...

— Je ne sais pas, ma sœur. La seule recommandation que je puisse vous faire, c'est de prier, prier, et encore prier. Maintenant, je vais vous demander de réciter votre acte de contrition.

— Bien, mon père.

Tout en récitant sa prière, sœur Thérèse se disait que le prêtre n'avait pas rempli sa tâche correctement et qu'il avait péché par manque de curiosité. Elle ne tiendrait donc pas compte de son avis.

Elle avait jusque-là consulté sept prêtres. Un seul d'entre eux, au début de son voyage, lui avait affirmé qu'elle avait bel et bien entendu la voix du diable; mais c'était un Irlandais, et elle avait décidé qu'on ne pouvait faire totalement confiance aux Irlandais. Ces gens-là avaient beau se dire catholiques, ils ne parlaient pas un langage chrétien; de plus, il lui avait semblé, à travers le grillage, qu'il avait le nez un peu fort. Pourquoi aurait-elle accordé sa confiance à un Irlandais qui était peut-être juif? En Belgique, les deux curés qu'elle avait consultés, deux bons diables joufflus et rougeauds, n'avaient pas voulu se prononcer. En Italie et en France, les confesseurs, nettement plus consciencieux, l'avaient pressée de questions pour finalement conclure qu'il n'y avait là rien de très grave, que le diable, quand il voulait faire succomber sa victime à de mauvaises pensées, savait utiliser des moyens autrement plus terrifiants – ils en savaient quelque chose! – et qu'elle n'avait donc pas à s'inquiéter pour le moment. Puisque quatre prêtres l'avaient absoute de ses fautes, elle pouvait vaquer à ses affaires l'âme en paix. Elle avait fait quand même toutes les pénitences qui lui avaient été imposées, par acquit de conscience.

* * *

Ses devoirs religieux dûment accomplis, le reste de la journée lui appartenait. À chaque étape de son périple, elle avait profité des nombreuses occasions qui lui avaient été données de s'instruire.

En Angleterre et en Écosse, elle avait visité de nombreux asiles et n'en avait trouvé aucun qui fût doté d'un équipement plus moderne que celui de Saint-Jean-de-Dieu, ce qui lui avait procuré un sentiment de fierté bien légitime. Elle avait aussi remarqué que les Anglo-Saxons ne croyaient guère aux vertus de l'hydrothérapie et préconisaient plutôt le grand air. Si leurs asiles étaient décevants, les jardins qui les entouraient étaient en revanche de pures merveilles. Sœur Thérèse avait passé de longues heures à circuler dans les sentiers sinueux en admirant les saules qui pleuraient le long des vieux ruisseaux, les pelouses, aussi bien taillées que la barbe du docteur Dansereau, et les arbres fruitiers qui semblaient avoir un excellent rendement. Pendant que les médecins discutaient des mérites respectifs de l'hydrothérapie et du grand air, elle faisait des croquis de certains aménagements, notait les noms de certaines plantes particulièrement intéressantes et s'informait auprès des jardiniers des soins à y apporter : où pouvait-elle se procurer des semences, avaient-elles quelque vertu médicinale, sauraient-elles résister au rude climat canadien? Elle avait été très étonnée de rencontrer partout des médecins, des religieuses et même des jardiniers qui parlaient un français impeccable. Quelle race bizarre, tout de même, que ces Anglais! Autant ils pouvaient être doués *chez eux* pour l'apprentissage des langues étrangères, autant ce don s'évanouissait quand ils venaient vivre au Canada…

En Belgique elle avait encore visité des asiles, dont elle avait beaucoup apprécié l'architecture. Aux grandes constructions des Anglais et des Américains, les Belges semblaient préférer un système de petits pavillons séparés, reliés entre eux par des allées bordées d'arbres. S'il y avait moyen, pensait-elle, de réunir en un même lieu des architectes belges et des jardiniers anglais, les asiles seraient de véritables petits paradis terrestres. Elle avait caressé cette idée des pavillons séparés pendant quelques jours, puis avait dû l'abandonner, bien à contrecœur. En Amérique, avait-elle noté dans son rapport, ce genre est malheureusement impraticable : «Le chauffage de pareille étendue coûterait à lui seul un prix énorme. Nos tempêtes de neige rendraient les communications impossibles; il faudrait une cuisine séparée pour chaque pavillon; on aurait à doubler tout le service.»

En France, elle avait visité l'asile de Citeaux, près de Lyon, et celui de Mettray, fondé par l'illustre docteur Demetz. Elle avait attendu beaucoup de ces visites dont elle allait pourtant sortir cruellement déçue. D'un point de vue architectural, les asiles français n'avaient rien de particulièrement intéressant. On pouvait bien sûr leur trouver une certaine élégance, mais ils étaient beaucoup moins spacieux que les asiles nord-américains, et surtout très mal chauffés. Les soins qu'on y donnait ne se distinguaient en rien de ce qui se faisait ailleurs dans le monde, et les conditions d'hygiène lui avaient semblé franchement déplorables. Pourtant, ses hôtes n'avaient cessé de lui affirmer qu'elle avait perdu son temps à visiter les asiles de Belgique et d'Angleterre puisque, de toute évidence, il ne se faisait de véritable médecine mentale qu'en France. Quand elle leur avait dit qu'elle avait vu des hôpitaux très modernes en Amérique et que Saint-Jean-de-Dieu n'avait rien à envier à quelque asile que ce fût, ils avaient semblé atteints d'une surdité totale. Lassée de tant de mauvaise foi, elle avait fini par leur raconter qu'en fait il n'y avait pas de véritables hôpitaux au Canada, qu'on creusait tout simplement un trou dans la neige pour y coucher les malades et que seuls ceux qui étaient à l'article de la mort avaient droit à une petite tente en peaux de loup. Elle avait laissé à ses hôtes un excellent souvenir.

* * *

Elle avait assisté aux assises du congrès du 6 au 10 août. Cinq longues journées à rester assise sur une chaise droite, à écouter d'ennuyeuses conférences, cinq interminables journées qu'elle aurait su utiliser à bien meilleur escient auprès des siens. Les docteurs Bourque, Paquette et Vallée avaient semblé, quant à eux, prendre un grand plaisir à ces bavardages... S'il n'en avait tenu qu'à elle, elle aurait interdit la tenue des conférences internationales, source d'un gaspillage éhonté : si ces messieurs avaient tant besoin d'échanger des propos, que ne s'écrivaient-ils point?

Il lui fallait tout de même admettre qu'il y avait eu quelques conférences intéressantes, comme celle de ce vieil Allemand qui avait raconté avec humour les premiers tâtonnements de l'hydrothérapie : dans son asile, on donnait parfois des bains qui duraient jusqu'à dix-huit mois. À défaut d'être guéris, les fous en ressortaient avec une splendide paire de branchies. Dans les jardins de cet asile, on avait même construit un pont qui enjambait un étang; après y avoir attiré un aliéné, par quelque habile stratagème, on déclenchait un mécanisme qui faisait s'ouvrir une trappe pratiquée au milieu du pont, et le fou tombait à l'eau. On croyait beaucoup aux vertus thérapeutiques de la surprise... Faute de pouvoir être répétée, cette pratique n'avait évidemment pas été poursuivie. Le vieil Allemand était un fameux conteur et son fort accent ne faisait qu'ajouter à son charme : il avait donc connu un énorme succès. Dans les congrès savants, ces pages d'histoire permettent toujours de mesurer le progrès accompli et procurent aux congressistes un immense sentiment d'autosatisfaction. Le savant avait conclu son exposé en assurant l'auditoire que dans une cinquantaine d'années, tout au plus, on en aurait fini avec la folie : il avait eu droit à une ovation. Sœur Thérèse avait applaudi poliment. Disparue, la folie? Voyons donc! Si Dieu l'avait mise dans la tête des hommes, il faudrait plus que des bains pour l'en enlever.

Elle avait aussi beaucoup apprécié l'exposé d'un aliéniste français qui avait rappelé les grandes étapes de la doctrine des localisations cérébrales: dix-neuf ans auparavant, soit en 1870, deux Allemands, messieurs Fritsch et Hitzig, qui avaient déjà remarqué qu'un courant électrique traversant la tête de gauche à droite déclenchait le mouvement de certains muscles des yeux, en étaient venus, en explorant les différents points de la surface cérébrale, mis à nus après trépanation, à découvrir que tous les centres moteurs siégeaient dans le lobe pariétal et dans la moitié postérieure du lobe frontal. Le conférencier avait donné toutes ces informations très rapidement, à voix basse, comme s'il avait parlé de maladies honteuses. Ensuite il avait pris quelques gorgées d'eau, s'était éclairci la voix, et avait ajouté, solennel, que c'était à un Français qu'on devait la découverte la plus intéressante: l'illustre professeur Charcot avait en effet découvert que le siège de la sensibilité se trouvait dans la partie postérieure du lobe pariétal, et ses recherches les plus récentes tendaient à démontrer que la faculté du langage se trouverait dans la deuxième et surtout dans la troisième circonvolutions frontales du lobe antérieur gauche. Sœur Thérèse avait noté tout cela dans un calepin à l'intention du docteur Dansereau. Malheureusement l'exposé de l'aliéniste français avait été interrompu par un savant allemand qui avait répliqué que la doctrine des localisations cérébrales était bel et bien allemande et que les Français étaient en retard d'une décennie sur l'Allemagne, patrie de la Science. Un Américain était ensuite intervenu, et la discussion avait failli tourner à la bagarre. Renonçant à poursuivre sa prise de notes, sœur Thérèse s'était contentée d'écrire sur une page de son calepin: « Merci, mon Dieu, de m'avoir accordé la faveur d'être née dans un pays qui n'est pas, et qui ne sera sans doute jamais, une grande puissance.»

Ce même jour, on avait demandé au docteur Bourque de faire une conférence. Le brave homme avait parlé avec beaucoup de modestie et de chaleur des progrès de la médecine mentale au Canada: la province de Québec, avec son million six cent mille âmes, comptait quatre asiles très modernes, et il fallait en remercier les religieuses qui avaient tout bâti à partir de rien. Il s'était ensuite prononcé en faveur de l'affermage – la meilleure méthode pour gérer un asile dans un pays neuf comme le Canada, et le meilleur système qui fût tant pour les patients que pour les gouvernements. Sœur Thérèse avait à peine eu le temps de savourer ces propos raisonnables et sensés que le docteur Paquette, qui n'attendait que cette occasion, était intervenu pour dénoncer les propos de son collègue: L'État, avait-il d'abord affirmé, doit prendre lui-même soin de ses aliénés. Il avait enchaîné en dénonçant les religieuses, qui freinaient tout progrès, et le système de l'affermage, avec lequel il fallait en finir une fois pour toutes. Elle avait accepté avec calme et d'un regard presque bienveillant les propos du docteur Paquette; seuls ses doigts, qui couraient un peu plus vite sur les grains de son chapelet, trahissaient une certaine nervosité.

L'intervention du docteur Paquette avait provoqué un grand débat: certains l'avaient appuyé, d'autres avaient défendu vigoureusement le travail des religieuses, et d'autres enfin, plus pragmatiques, s'étaient demandé si l'on pouvait se passer de cette contribution gratuite. Pendant tout ce débat, pourtant fort enlevé, sœur Thérèse était restée de glace. Au bout d'un moment, elle avait rangé son chapelet et avait enfin sorti de son sac une longue lettre qu'elle avait reçue, poste restante, à son arrivée à Paris. Elle avait tourné et retourné entre ses doigts l'épaisse enveloppe, puis l'avait rangée dans son sac, non sans l'avoir longtemps palpée. En reprenant son chapelet pendant que la discussion faisait rage, elle s'était adressée au Seigneur pour Lui dire de ne pas s'en faire: le docteur Paquette pouvait bien pérorer tant qu'il voulait, il ne perdait rien pour attendre.

* * *

Après le banquet qui avait clôturé le congrès, le 10 août, les participants canadiens s'étaient approchés de sœur Thérèse pour lui demander si elle voulait tenir une dernière réunion, à la veille de leur départ, pour faire un bilan de leur voyage. Elle avait bien senti, au ton du docteur Bourque, que cette requête n'avait été dictée que par la politesse, aussi s'était-elle amusée à faire semblant de réfléchir longuement avant de répondre.

— À bien y penser, docteur Bourque, je ne crois pas que ce soit nécessaire, nous aurons amplement le temps de discuter au cours de la traversée. Et puis nous avons bien travaillé, il serait donc juste, je pense, de nous accorder un peu de repos. Pourquoi n'iriez-vous pas vous divertir un peu? Nous sommes à Paris, après tout, les occasions ne devraient pas vous manquer.

— ...Et vous, sœur Thérèse?

— Moi? Je vais me reposer dans ma chambre, je me sens un peu fatiguée. Allez, docteur Bourque, et amusez-vous bien. Vous aussi, docteur Paquette.

* * *

Une heure plus tard, les docteurs Bourque, Paquette et Vallée assistaient à un spectacle que sœur Thérèse n'aurait certainement pas apprécié : il était difficile de tenir une conversation dans un endroit aussi bruyant et l'ambiance n'incitait pas aux profondes réflexions. Pourtant, le docteur Paquette avait le front plissé comme celui de Beethoven sur ses bustes.

— Soit dit entre nous, docteur Bourque, ne trouvez-vous pas que le comportement de sœur Thérèse est bizarre?

— Que voulez-vous dire?

— Je veux dire qu'elle n'a pas répliqué à mon discours... Et puis vous trouvez ça normal, vous, qu'elle nous incite à la débauche?

— La débauche! Vous y allez un peu fort, docteur Paquette. Je trouve que ce spectacle est très intéressant, les danseuses sont très douées, et j'apprécie beaucoup la chorégraphie...

— N'empêche que c'est bizarre. Elle nous prépare quelque chose, j'en suis convaincu.

— Sœur Thérèse n'est pas aussi terrible qu'elle en a l'air, docteur Paquette. Elle gagne à être connue. Si vous n'étiez pas aussi intraitable...

— Je suis intraitable, moi? C'est elle qui l'est.

— Vous ne pensez pas que nous devrions reprendre cette conversation ailleurs, docteur Paquette? Détendez-vous, que diable, et profitez de ces derniers moments pour vous amuser un peu!

— N'empêche qu'elle nous prépare quelque chose...

* * *

Pendant ce temps-là, sœur Thérèse s'était installée à sa table de travail pour transcrire ses notes des derniers jours. Elle s'était ensuite agenouillée pour réciter ses prières qu'elle avait ce soir-là, elle devait bien l'avouer, un peu bâclées. Ensuite, elle s'était couchée et avait relu pour la dixième fois la longue lettre du docteur Villeneuve.

13

Longue-Pointe le 10 juillet 1889.

Chère sœur Thérèse,

Quand, à la veille de votre départ, vous m'avez appelé à votre bureau pour me demander, à mots à peine couverts, de surveiller le docteur Dansereau pendant votre absence, j'avoue en avoir été profondément choqué. Quoi? vous me demandiez d'espionner un de mes collègues, de dénoncer ses agissements, de jouer les agents doubles? On a beau exercer sa profession dans un asile, on a tout de même son honneur. Vous m'aviez alors affirmé que je vous avais mal comprise, qu'il ne s'agissait pas d'espionner mais plutôt de venir en aide à un collègue qui avait un fâcheux penchant pour l'alcool, à un médecin dont nous avions grand besoin à l'asile de même qu'à un savant qui se livrait à d'importantes recherches. J'avoue que vous aviez réussi à piquer ma curiosité, mais cela n'avait certes pas été le motif principal de mon consentement. Si je vous ai promis de vous écrire aussitôt que je serais témoin de quelque événement important le concernant, c'est surtout, soyez-en certaine, en raison de la grande estime que j'ai toujours eue pour vous.

Ce que je fais en ce moment, je ne l'aurais fait pour personne d'autre.

Je vous écris donc aujourd'hui de notre cher asile pour vous annoncer que le docteur Dansereau est effectivement un grand savant, qu'il a fait une découverte qui pourrait bien être capitale pour le traitement des maladies mentales, et je vous remercie infiniment de m'avoir confié cette mission. Sans votre requête, jamais je n'aurais eu la chance de participer à ces passionnantes recherches. Quand je vous aurai fait le récit des expériences que nous avons menées en votre absence, vous verrez que mon enthousiasme, que j'arrive encore mal à dissimuler, n'a rien de factice et vous n'aurez de cesse, j'en suis convaincu, que de revenir dans notre beau pays.

Reprenons donc, si vous le voulez bien, au moment où je sortais de votre bureau. Quelques instants plus tard, le hasard, ou plutôt la Providence, n'en doutons pas, me mit en contact avec le docteur Dansereau, qui conversait alors avec sœur Jeanne au bureau des médecins. Je n'étais pas aussitôt entré qu'il me demandait si j'avais encore de ces petits aimants avec lesquels, comme vous le savez sans doute, je m'amuse parfois à faire des tours de magie à l'intention de nos malades. Comme je lui répondais par l'affirmative, il s'est aussitôt mis à déverser sur moi un torrent de théories concernant le fonctionnement du cerveau. À l'en croire, il suffirait de disposer quelques aimants de chaque côté du crâne d'un de nos aliénés pour que son malheur se dissolve à jamais. Il m'affirma avoir déjà fait sur des poules des expériences qui s'étaient avérées concluantes; il ne lui restait plus qu'à tenter ce traitement sur des êtres humains, ce pour quoi il requérait mon assistance.

Ce n'était pas la première fois que je l'entendais tenir de tels propos. Vous savez comme moi que le docteur Dansereau, s'il est d'un commerce agréable, a cette fâcheuse tendance à formuler de semblables spéculations dès lors qu'il est sous l'effet de quelque boisson enivrante. Bien que fébrile, il me sembla pourtant ce jour-là parfaitement sobre. Si vous n'aviez pas, quelques instants plus tôt, piqué ma curiosité, il est fort probable que j'aurais décliné son invitation et que je lui aurais proposé de lui prêter mes aimants, sans plus. J'acceptai donc de l'assister dans ses recherches et, le soir même, je l'accompagnai jusque chez lui pour visiter son laboratoire.

J'ouvre ici une parenthèse pour vous dire que madame veuve René Martineau, la propriétaire de la maison où il habite, m'a semblé une excellente chrétienne, de même qu'une hôtesse remarquable, deux qualités inséparables chez les Canadiennes. J'ai tenté, comme vous me l'aviez demandé, de leur faire préciser la date de leur mariage, mais je n'ai eu droit qu'à une réponse évasive. Je peux cependant vous affirmer qu'ils sont bel et bien fiancés : madame Martineau m'a montré sa bague, qu'elle tient cachée, pour d'obscures raisons, dans un coffret métallique.

Je referme la parenthèse et je poursuis mon récit. Après un copieux repas bien arrosé de ce vin de gadelle qui fait la réputation des sœurs de la Providence, nous allâmes visiter ce que le docteur Dansereau appelle son laboratoire (en fait, il s'agit d'installations assez grossières, aménagées dans une section de la grange). Quelle ne fut pas ma stupeur d'y trouver une formidable collection de cerveaux humains, conservés dans des bocaux de verre dûment étiquetés et d'y lire les noms de certains de nos patients récemment décédés. Quand il m'affirma avoir pu monter cette étrange collection avec votre accord plein et entier, j'avoue n'avoir été qu'à demi rassuré. Il m'invita ensuite à observer au microscope quelques cellules extraites de cerveaux de patients qui auraient eu une vie particulièrement malheureuse. En observant bien ces cellules, j'aurais dû, à ses dires, y trouver quelque chose qui ressemblait à des grappes de raisin. J'eus beau observer du mieux que je pouvais, j'avoue n'y avoir décelé aucune trace de ces grappes de raisin, non plus que des cellules-fougères que j'aurais dû apercevoir, selon lui, dans certaines sections des cerveaux d'imbéciles ou d'idiots. Il est vrai que ma vue baisse dangereusement, dure rançon de l'âge, mais même avec les meilleures intentions du monde, je n'y vis qu'un magma de cellules disparates. Il me raconta alors que c'était en étudiant le cerveau des poules qu'il avait acquis la certitude que les cellules-fougères étaient la source du bonheur.

Quand je rentrai dans ma chambre de l'asile, ce soir-là, j'étais fort perplexe. Vous dire que je n'accordais que peu de crédit aux théories du docteur Dansereau serait un euphémisme : en fait, je n'en accordais aucun. Comment pouvions-nous croire que de vagues expériences tentées sur des poules, sans doute l'animal le plus stupide de la création, pouvaient être étendues à l'être humain, créé à l'image et à la ressemblance du Créateur ? Comment penser que de simples aimants, placés sur le crâne d'un patient, arriveraient à modifier tant soit peu les si complexes cellules cérébrales ? J'étais à ce moment-là, sans le savoir, aveuglé par mes propres théories : l'hérédité, l'hérédité seule détermine, pour moi, la configuration du cerveau, c'est ce que j'avais toujours cru jusqu'alors. Malgré l'engagement que j'avais pris envers vous, j'avais bien envie de lui annoncer dès le lendemain que je renonçais à l'assister dans ses recherches. Seule ma faiblesse m'a empêché d'agir ainsi : j'imaginais ce pauvre homme, tout seul dans son laboratoire, si content de pouvoir enfin parler à quelqu'un de ses recherches, et que j'allais sûrement décevoir en lui refusant mon appui. Je me suis alors rendu compte que, malgré certains traits de son caractère qui m'ont toujours agacé, et malgré – ou peut-être à cause de – ses idées farfelues, j'aimais bien le docteur Dansereau. Je décidai donc de mettre une sourdine à mon esprit critique et de l'accompagner dans ses démarches, quoi qu'il arrive. Après tout, le fait de placer des aimants sur la tête d'un patient ne me semblait pas une entreprise si risquée; peut-être allait-on ainsi faire une découverte spectaculaire? (Sont-ce là les véritables raisons qui m'incitèrent à ouvrir mon esprit à ses théories? J'en doute, et j'aurai tantôt à vous entretenir des véritables motifs qui m'animaient alors, mais je peux d'ores et déjà vous dire que, quels qu'ils eussent été, cela se révéla finalement avoir été une heureuse décision.)

Le lendemain soir, après nos heures de travail, nous entrâmes en contact avec Oscar Parent pour commencer nos expériences. C'est le docteur Dansereau qui avait suggéré de faire nos premiers tests sur ce patient, et ses raisons m'avaient paru convaincantes. Bien qu'il n'existe pas d'aulne pour mesurer le malheur, il ne faisait aucun doute qu'Oscar Parent était à ce moment-là le patient le plus malheureux de l'asile et, qui plus est, le seul qui ne fût que malheureux (je veux dire par là qu'outre son grand malheur il ne semblait, fort curieusement, affecté d'aucune maladie ou tare congénitale, ni physique ni morale). De plus, Oscar Parent était un homme relativement instruit, sachant lire et écrire, ce qui nous permettrait, le cas échéant, de vérifier facilement les conséquences de notre traitement sur d'autres facettes de sa personnalité. Aussitôt mis au courant de nos intentions, le brave homme accepta sans condition de devenir notre cobaye. Il n'allait pas le regretter.

Pour ne pas éveiller les soupçons de sœur Pudentienne, nous recommandâmes à Oscar de feindre de violents maux de tête, puis de venir nous rejoindre à l'infirmerie. Pendant qu'il allait la prévenir de son absence prolongée, nous allâmes demander l'assistance de garde Girard : ayant eu maintes fois l'occasion de travailler avec elle, je comptais sur son talent en matière de pansements autant que sur son exemplaire discrétion. Elle accepta de nous aider et, quelques heures plus tard, nous nous retrouvâmes tous à l'infirmerie pour nos premières expériences.

Nous installâmes d'abord Oscar sur un lit, puis nous assujettîmes quelques aimants sur sa nuque, d'autres sur ses tempes, que nous avions précédemment humectées, et nous attendîmes pendant une heure. Quand nous lui enlevâmes les aimants, il affirma n'avoir rien senti de particulier. Nous fûmes un peu déçus, bien qu'aucun d'entre nous ne s'attendît à des résultats rapides, moi le premier. Ce soir-là, nous répétâmes l'expérience en modifiant le nombre et l'emplacement des aimants, sans plus de succès. Il devait être minuit passé quand nous nous séparâmes, non sans nous être donné rendez-vous pour le lendemain, à la même heure.

Toute la journée suivante, nous réfléchîmes chacun de notre côté et, quand nous nous réunîmes de nouveau, vers les sept heures, nous décidâmes d'un commun accord qu'il fallait multiplier le nombre des aimants et les laisser agir pendant toute une nuit. Je dois ici rendre hommage à garde Girard : jamais je n'aurais cru qu'il eût été possible de faire tenir tant d'aimants sous des pansements de gaze. Il faut aussi reconnaître la patience et le courage d'Oscar. Songez donc que le pauvre homme a dû supporter ces horribles aimants pendant douze nuits consécutives et qu'il ne s'est jamais plaint de son inconfort. La seule chose qu'il nous avait demandée, c'était d'installer à son chevet quelques fougères. (Il semble en effet que, pour quelque obscure raison, la vue de ces végétaux lui procure un soulagement efficace, bien que temporaire.)

Autant vous le dire tout de suite : ces douze nuits n'ont modifié en rien l'état d'esprit d'Oscar. Le brave homme a toujours eu une grande confiance envers le docteur Dansereau, une confiance qui confine quelquefois à la vénération, et il ne semblait pas découragé. Je ne saurais en dire autant, cependant, du docteur Dansereau : il nous quittait de plus en plus tôt, le soir, et nous l'entendions, le matin, se plaindre de violents maux de tête. Une fois de plus, le sentiment d'échec l'avait entraîné sur la pente glissante de son vice. Ce médecin a été doté par la nature d'un cerveau bouillonnant, toujours prêt à jongler avec de nouvelles idées. Malheureusement, il semble souffrir d'un singulier manque de persistance. Il en est souvent ainsi : j'ai remarqué à maintes reprises ce phénomène chez ces gens qu'on pourrait qualifier de trop intelligents, qui ont des tonnes de bonnes idées mais qui n'en mènent aucune à terme. Les véritables esprits scientifiques, j'en suis convaincu, sont des gens plutôt obtus.

Après deux semaines d'essais infructueux, il nous annonça de but en blanc qu'il abandonnait ses expériences avec les aimants et qu'il procéderait à des trépanations : puisque les cellules-grappes ne voulaient pas se dissoudre, il les extirperait par chirurgie. Avec toute l'énergie dont je suis encore capable, je m'opposai violemment à ce changement de cap. Comment, nous abandonnerions des expériences aussi prometteuses après seulement quelques semaines d'efforts! Étions-nous de véritables chercheurs ou de simples bricoleurs du dimanche? Et je lui dis de songer un instant à ce que vous, sœur Thérèse, penseriez de tout cela, en lui rappelant que c'est vous qui, à force de patience et de ténacité, aviez créé, à partir de rien, un asile que le monde entier nous enviait?

Mes arguments semblèrent l'ébranler. Mais pour qu'ils fussent pleinement efficaces, il fallait aussi que je les associasse à de nouvelles pistes de recherche, sans quoi l'enthousiasme que je m'employais à recréer n'eût été que temporaire. N'en ayant aucune à proposer, je suggérai, pour gagner du temps, d'abandonner provisoirement nos essais pratiques afin de parfaire nos connaissances théoriques. Après tout, nous ne connaissions rien des champs magnétiques et il y avait longtemps que nous avions quitté l'université... Il accepta ma proposition sans grand enthousiasme et le lendemain soir, de même que chaque soir pendant les deux semaines suivantes, nous nous retrouvâmes chez lui pour étudier.

Après un bon repas, nous lisions, chacun de notre côté, certains livres que nous avions empruntés à la bibliothèque de l'asile puis, vers 10 heures, nous nous réunissions autour d'une délicieuse collation que Florence nous avait préparée pour discuter de nos lectures. Nous constatâmes assez vite que les charges de nos petits aimants, sans doute suffisantes pour produire leur effet à travers le mince crâne d'une poule, n'arriveraient sûrement pas à en faire autant sur le crâne d'un être humain et qu'il nous faudrait multiplier nos charges par cent, sinon par mille. Nous pouvions appliquer le même raisonnement aux quelques gouttes d'eau avec lesquelles il fallait frotter les tempes des poules : si nous respections les poids relatifs, n'aurait-il pas fallu utiliser des pintes d'eau au lieu de quelques gouttes? Le docteur Dansereau, à nouveau enthousiaste, voulut reprendre aussitôt les expériences avec des aimants plus puissants, mais je tentai de modérer son enthousiasme. Soir après soir, je proposais de reprendre nos calculs, de lire encore quelques traités de magnétisme et de tracer les plans d'un système qui nous permettrait de faire tenir des aimants aussi puissants sur le crâne d'un patient. J'aimais à me dire que j'agissais ainsi pour éviter à notre ami d'autres cruelles déceptions, mais je sais maintenant que je le faisais en vérité pour des motifs beaucoup moins nobles. Permettez-moi maintenant, chère sœur Thérèse, de vous faire part de mes réflexions à ce sujet.

Quand je rentrais chez moi, le soir, je me demandais souvent, avant de me mettre au lit, pourquoi j'aidais avec tant de zèle le docteur Dansereau alors même que je ne lui accordais aucun espoir de réussite. Bien que ce fussent sans doute des raisons importantes, l'amitié qui me lie à lui et l'engagement que j'avais pris envers vous ne me paraissaient pas suffisants. La véritable raison, je la saisis un de ces soirs où nous reprenions nos interminables calculs. En l'espace d'une seconde, je me souvins de mes jeunes années où, jeune étudiant à l'université, j'allais chez des collègues, à la veille des examens, pour étudier en leur compagnie. Nous passions des nuits blanches, chez l'un ou l'autre, à potasser nos livres et nos planches anatomiques, alors que chacun aurait pu, de toute évidence, en faire autant chez soi. Pourquoi agissions-nous ainsi? Je sais maintenant que c'était avant tout pour tromper la solitude et parce que nous appréciions la présence discrète de nos camarades. Nous cherchions à multiplier et à prolonger ces instants, et la préparation des examens nous semblait un prétexte tout à fait honorable. Pendant deux semaines, j'avais retrouvé un état d'esprit semblable avec Oscar, garde Girard et le docteur Dansereau : je cherchais simplement à le prolonger. De plus, je trouvais chez Florence une maison accueillante, une sorte de vie familiale que je regardais avec envie, moi qui n'ai jamais connu ce bonheur domestique.

Si je vous dis tout cela, sœur Thérèse, ce n'est pas pour que vous vous apitoyiez sur mon sort, mais plutôt pour que vous compreniez bien mon rôle dans les découvertes que nous avons faites. Il pourrait en effet vous sembler, à la lecture de mon récit, que c'est grâce à mon abnégation et à ma ténacité que ces expériences ont finalement abouti. Vous savez maintenant que j'ai toujours agi, au fond, par pur égoïsme; par conséquent, tout le mérite de nos découvertes doit revenir au docteur Dansereau, et à lui seul. Si jamais celles-ci lui valaient quelque notoriété, j'en serais le plus heureux des hommes et je n'en revendiquerais aucune part, si petite fût-elle. Le souvenir de ces moments heureux sera ma seule récompense et elle sera plus que suffisante.

Je reprends mon récit là où je l'avais laissé... Après avoir mis fin à nos travaux théoriques, nous dûmes régler quelques problèmes d'ordre technique. En tout premier lieu, il nous fallait trouver des aimants d'une grande puissance et dont l'intensité pût être contrôlée. Nous consultâmes pour cela l'électricien de l'asile qui, en échange d'une promesse de notre part d'intercéder en sa faveur auprès de vous à propos de quelque contrat (voilà qui est chose faite), voulut bien mettre à notre disposition une bobine William et nous en expliquer le fonctionnement. Dès que nous eûmes vu l'appareil, un second problème se posa: comment arriverions-nous à faire tenir une telle masse sur le crâne d'un homme? Comme nous en discutions en présence d'Oscar, celui-ci nous dit avoir travaillé dans une ferme durant sa jeunesse et avoir été un très habile harnacheur. Si nous lui procurions quelques brides et harnais, il nous bricolerait aisément quelque chose. En quelques heures à peine, il réussit fort ingénieusement à fabriquer une espèce de casque, qui ne pèche cependant pas par élégance (le patient à qui on l'enfile a l'air d'un chien dont on aurait relevé la muselière) mais qui, à l'usage, s'avéra très efficace.

Une fois ces problèmes réglés, il nous restait encore à trouver un endroit où nous aurions pu nous livrer à nos expériences à l'abri des regards indiscrets. C'est garde Girard, cette fois-ci, qui trouva la solution: pourquoi ne nous serions-nous pas installés dans un cachot? Comme nous nous montrions fort étonnés d'une proposition aussi incongrue, elle nous expliqua que jamais, de mémoire d'infirmière, elle n'y avait vu descendre un des médecins nommés par le gouvernement. Elle emporta ainsi l'adhésion enthousiaste de chacun de nous. C'est donc dans l'un de ces cachots où nous enfermons les fous les plus furieux que nous installâmes notre bobine William, le casque, de même qu'un tonneau qui tiendrait lieu de baignoire (en descendre une de la salle d'hydrothérapie nous avait semblé une solution trop risquée et, qui plus est, au-dessus de nos forces).

Le soir du 6 juin, nous étions prêts à commencer notre expérience. Nous enduisîmes d'abord le corps d'Oscar d'une épaisse couche de vaseline, puis il se glissa dans le tonneau, préalablement rempli d'eau tiède à laquelle nous avions ajouté quelques branches de tilleul. Nous tendîmes ensuite une toile de caoutchouc autour de son cou pour limiter la chute de température, puis nous lui fixâmes finalement le casque autour de la tête. Aussitôt le champ magnétique activé, Oscar, à notre grande surprise, sombra dans un profond sommeil. Comme son pouls nous semblait régulier, nous décidâmes de le laisser dormir: après tout, le pauvre homme en aurait pour trois jours et trois nuits à mariner dans son bain; mieux valait donc le laisser dormir tout son soûl. Pour cette première nuit, garde Girard voulut bien veiller sur Oscar, prenant son pouls toutes les heures, et sa pression puis sa température toutes les trois heures.

Le lendemain matin à l'aube, lorsque nous vînmes prendre la relève, Oscar ne s'était toujours pas réveillé. Son pouls était toujours lent et régulier, sa température et sa tension parfaitement normales. Nous nous inquiétâmes de ce sommeil prolongé, qui ressemblait fort à une transe hypnotique, voire même à un état comateux. Parfois, ses paupières étaient agitées de légers frissons qui laissaient croire qu'il rêvait; comme ces rêves, à en juger par le faible sourire qu'on lisait sur ses lèvres, semblaient fort agréables, nous décidâmes de le laisser dormir. Après tout, le pauvre homme était si malheureux à l'état de veille que trois jours et trois nuits d'oubli ne lui feraient certainement pas de tort. Si notre expérience échouait, au moins aurait-il eu droit à un court répit.

Lorsque nous nous réunîmes à nouveau, ce soir-là, nous dûmes cependant l'interrompre dans ce sommeil du juste pour le nourrir et changer son eau. Nous eûmes alors toutes les peines du monde à le tenir à demi éveillé pendant une heure, au cours de laquelle d'ailleurs il ne souffla mot; nous n'avions pas sitôt réactivé le champ magnétique qu'il retombait dans sa profonde léthargie. Ce fut le docteur Dansereau qui le veilla en cette seconde nuit. Le lendemain matin, rien n'avait changé. Nous fûmes tous trois fort inquiets devant ces développements inattendus et nous songeâmes une fois de plus à interrompre le traitement. Après en avoir longuement discuté, nous convînmes toutefois que sa santé physique n'était pas en danger et que nous devions poursuivre coûte que coûte. Je dois vous avouer, sœur Thérèse, qu'aucun d'entre nous n'a réussi à dormir au cours de cette troisième nuit, pas plus moi, qui étais alors de garde, que les deux autres qui venaient souvent me rejoindre. Au moins Oscar dormait-il pour nous trois.

Le matin du 9 juin, n'en pouvant plus d'attendre, nous décidâmes d'interrompre le traitement. Incapables de réveiller Oscar, nous dûmes faire force pour le retirer de son tonneau et l'étendre sur un brancard, puis nous le conduisîmes à l'infirmerie, où nous lui fîmes respirer des sels d'ammoniaque. Il ouvrit lentement les yeux, lança sur nous un regard éteint et se rendormit aussitôt. Après avoir une seconde fois respiré des sels, il ouvrit encore une fois les yeux et nous demanda à manger. Pendant qu'il dévorait comme un ogre sans jamais nous adresser la parole, nous observions la moindre de ses réactions, le moindre de ses gestes pour y déceler quelque changement, mais en vain. Il affichait parfois un sourire idiot et semblait complètement absent. Aussitôt son repas terminé, il retomba dans les bras de Morphée. Le docteur Dansereau était profondément découragé : son traitement semblait avoir effacé, en même temps que le malheur, toute trace d'intelligence. (C'est ce qu'il avait craint le plus tout au long de ses expériences.)

Il fallut deux jours entiers à Oscar pour retrouver ses esprits, deux jours au cours desquels nous vécûmes un tel état d'abattement que c'est à peine si nous réagîmes quand il nous annonça, le matin du 11 juin, qu'il se sentait définitivement guéri, qu'il en avait acquis la certitude dès son réveil, et qu'il avait feint l'idiotie jusqu'à ce qu'il fût absolument convaincu du caractère permanent de sa guérison. Étions-nous trop fatigués pour manifester quelque joie? lui en voulions-nous de nous avoir induits en erreur? nous méfiions-nous d'un emportement prématuré? Je ne sais trop. Toujours est-il que, voyant que nous n'avions aucune réaction devant cette bonne nouvelle, il nous répéta plusieurs fois qu'il se sentait tout à fait guéri. À ce moment-là seulement nous osâmes lui poser quelques questions. N'était-il plus malheureux? «Pas le moins du monde!» Était-il heureux alors? ressentait-il une sorte de béatitude? comment pouvait-il nous décrire son état? «Je ne sais pas ce que c'est que le bonheur... Tout ce que je peux vous dire, c'est que je me sens de bien bonne humeur.»

Dix fois, cent fois au cours de la journée, nous repassâmes le voir et, chaque fois, il nous fit les mêmes réponses. Inutile de vous dire que nous passâmes une excellente journée de même qu'une excellente nuit. Le lendemain, nous entreprîmes de lui faire passer une batterie de tests, auxquels il se livra de bon gré, pour mesurer d'autres aspects de ses activités cérébrales. Comme le docteur Dansereau s'inquiétait beaucoup des conséquences du traitement sur l'intelligence d'Oscar, nous commençâmes par lui poser quelques problèmes de mathématiques, en utilisant pour cela le questionnaire d'un examen que les religieuses font passer aux élèves des écoles primaires. À l'exception d'un obscur problème de baignoire et de robinets avec lesquels, nous avoua-t-il, il avait toujours éprouvé des difficultés, il s'en tira avec brio. Ensuite, nous lui demandâmes de nous rédiger une composition de deux pages sur un sujet de son choix. Il s'acquitta de sa tâche avec beaucoup de zèle et nous remit, trente minutes plus tard, un texte de plus de cinq pages sur le thème de l'arrivée du printemps. Nous jugeâmes alors, le docteur Dansereau et moi, que son texte était convenable du point de vue du fond, et passable quant à la forme: son vocabulaire était tout de même assez précis et sa syntaxe, tout à fait conforme à ce qu'on pouvait décemment attendre d'un homme de sa condition, bien qu'elle comportât certaines lacunes : le pauvre homme semble tout ignorer de la ponctuation, et ses phrases sont d'une longueur démesurée, mais le docteur Dansereau, qui avait déjà eu l'occasion de lire sa prose, m'assura qu'il avait toujours écrit ainsi.

Pour mesurer sa mémoire, nous lui demandâmes de réciter ses prières, ce à quoi il s'appliqua avec un recueillement touchant, dédiant le Pater au docteur Dansereau, le Credo à votre humble serviteur, le Gloria à garde Girard et pour vous, sœur Thérèse, la plus belle d'entre toutes, l'Ave Maria. Je ne devrais peut-être pas vous l'avouer, mais jamais prières ne m'avaient autant bouleversé.

Ne voulant rien laisser au hasard, nous continuâmes à sonder sa mémoire en utilisant l'annexe à la Formule C. Oscar se souvint parfaitement des noms de ses parents, de ses nombreux frères et sœurs, du curé de sa paroisse et des principaux vicaires, et même de l'évêque qui lui avait administré le sacrement de la confirmation. Sa mémoire nous semblait donc intacte, à une seule exception près : Oscar nous avoua ne plus avoir aucun souvenir de Véronique, à qui il avait pourtant écrit d'innombrables lettres, et que je croyais, quant à moi, à l'origine de son malheur.

Cette seule exception est sans doute riche d'enseignements. À vrai dire, nous ne savons rien du fonctionnement de notre appareil, mais le fait qu'il ait ainsi oblitéré la cause de son malheur laisse croire que le champ magnétique agit sur la mémoire, dans laquelle il efface quelques mauvais souvenirs, et peut-être même, qui sait? un seul souvenir particulièrement pénible. Obligée de réorganiser le passé, l'intelligence travaille alors à regrouper les souvenirs autour d'un événement heureux, et tout le passé du patient paraît sous un jour nouveau. J'en ai discuté avec le docteur

Dansereau, qui croit plutôt que le champ magnétique affecte les cellules-grappes et qu'il modifie la perception que nous avons des choses plutôt que leur souvenir. (Garde Girard a aussi sa petite théorie, dont je vous fais part à titre d'information. D'après elle, l'eau jouerait un rôle majeur dans la guérison : le champ magnétique aurait comme effet d'effacer temporairement toute mémoire et le patient se retrouverait, pendant trois jours, dans le sein de sa mère, dont il se trouverait à sortir une seconde fois... Nous rejetons bien sûr cette théorie de la seconde naissance avant examen ultérieur. De toute évidence, elle n'a aucun fondement scientifique.)

Au moment où je vous écris cette lettre, il y a maintenant presque un mois qu'Oscar a subi son traitement, et son comportement de même que son humeur demeurent stables. En tant que médecin, je n'hésiterais pas une seconde à vous recommander de signer son congé. Pour le moment, en attendant votre retour parmi nous, qu'il attend avec grande impatience, il a repris ses activités avec sœur Pudentienne, et n'a soufflé mot à personne de sa guérison.

Il est évidemment trop tôt pour tirer des conclusions définitives et nous devons nous garder de porter un jugement hâtif. Après tout, la méthode du docteur Dansereau n'a réussi que sur un seul patient, et nos connaissances du fonctionnement du cerveau et des champs magnétiques sont encore si incomplètes que nous n'avons qu'une très vague idée du fonctionnement de notre machine... mais, tout de même, que de chemin parcouru depuis votre départ!

Je dois m'arrêter ici, bien malgré moi. La vie continue, les patients doivent être soignés encore et toujours... et le courrier se rendre à destination. Si tout va bien, le navire sur lequel est partie cette lettre arrivera tout au début du congrès. À l'heure où je vous écris ces derniers mots, nous nous apprêtons à tenter une seconde expérience, dont nous pourrons vous parler à votre retour.

Puisse le Seigneur veiller sur vous et vous ramener en bonne santé. Puisse l'Esprit saint nous éclairer de Ses lumières afin que nous puissions, tous ensemble, trouver un baume pour soulager nos pauvres malades! Priez pour nous, sœur Thérèse, et dites-vous que dans quelques années, peut-être, nous serons tous à Paris pour écouter la conférence du docteur Dansereau! Le monde entier aura alors les yeux tournés vers votre asile, sœur Thérèse, comme aujourd'hui les prières de tous les patients et du personnel se dirigent vers le Seigneur pour Lui demander de vous ramener saine et sauve dans notre cher Canada.

Lucien Villeneuve, médecin.

14

À son retour des vieux pays, sœur Thérèse fut accueillie en grande pompe. Elle fut conduite du port à l'asile dans le magnifique carrosse qui ouvrait d'ordinaire le défilé de la Saint-Jean-Baptiste; plusieurs villageois s'étaient même massés sur le parcours pour la saluer. Florence, quant à elle, avait préféré regarder passer le cortège de sa fenêtre, tout en entreprenant un tricot qui n'exigeait pas une grande concentration. Malgré les invitations répétées de Bernard, elle avait refusé d'assister à la réception qu'on allait donner en l'honneur de sœur Thérèse. «La compagnie de tous ces fous ne me dit rien qui vaille, je n'ai pas le cœur à la fête, c'est tout, n'insiste pas.» Bernard s'était incliné sans poser de questions mais il avait été fort étonné de l'attitude de sa compagne. Pourquoi donc rentrait-elle ainsi dans sa coquille? Pourquoi son regard s'était-il soudainement assombri?

Florence en était à sa troisième rangée de mailles lorsque ses doigts se mirent à ralentir. Pourquoi était-elle revenue, celle-là? Au cours des trois derniers mois, Bernard n'avait plus été le même homme; le changement avait été graduel, à peine perceptible d'un jour à l'autre, mais constant. S'il était encore trop souvent perdu dans ses pensées, il savait trouver quelques instants, le soir, pour lui confier ses doutes et s'informer de ce qu'elle avait fait pendant la journée. Il commençait à écouter, à écouter vraiment. La fréquentation du docteur Villeneuve lui avait sans doute fait le plus grand bien. Cet homme avait le don de lui remettre les pieds sur terre. Chaque fois qu'il était venu à la maison pour étudier, il avait fait part de ses regrets de ne s'être jamais marié et ses paroles avaient forcé Bernard à réfléchir. Cela allait-il durer maintenant qu'*elle* était de retour dans les parages? Depuis l'annonce de son arrivée, Bernard était redevenu distant, rêveur, préoccupé uniquement par ses problèmes *scientifiques*. Peut-être, au bout du compte, la science n'avait-elle rien à voir là-dedans. Sœur Thérèse le manipulait comme une marionnette, et le pire, c'était qu'il ne semblait même pas s'en apercevoir. Seigneur! pourquoi ne pouvait-on faire confiance à personne, pas même aux religieuses?

* * *

Quand sœur Thérèse eut franchi les grilles de l'asile, à la tombée de la nuit, ce fut une véritable explosion de joie. On avait décoré les arbres du parterre de mille deux cents lanternes vénitiennes et pavoisé les édifices de plus de trois cents drapeaux et oriflammes. Quand elle sortit du carosse, la fanfare se mit à jouer et plus de mille patients, qui l'avait attendue dans la nervosité, lui lancèrent des bravos et des vivats. Les larmes aux yeux, elle distribua à la ronde des images pieuses qu'elle avait rapportées d'Italie, et ils furent si nombreux à s'agenouiller spontanément autour d'elle qu'elle ne put, pendant de longs moments, avancer d'un pas. Pour se dégager de cette marée humaine, elle leur ordonna de se relever mais, sa voix étant brisée par l'émotion, elle ne réussit pas à se faire entendre. Les religieuses durent intervenir avec fermeté et menacer les patients récalcitrants de les priver de la fête qui suivrait pour qu'elle pût enfin se rendre jusqu'à l'estrade temporaire qu'on avait installée en son honneur. Malgré ses protestations, elle dut y monter et serrer la main du Ministre, venu directement de Québec pour la circonstance, celles des deux députés, du maire, du curé de Longue-Pointe et finalement de l'aumônier, avant de pouvoir enfin s'entretenir à voix basse – de nombreux journalistes étaient aussi présents – avec sœur Madeleine-du-Sacré-Cœur, qui avait veillé au bon fonctionnement de l'asile pendant son absence.

— Que signifie cette foire, sœur Madeleine? Je croyais pourtant vous avoir interdit…

— Impossible de faire autrement, sœur Thérèse, les patients étaient si excités qu'il fallait les occuper. Ils auraient été cruellement déçus si nous ne leur avions pas donné une occasion de célébrer votre retour.

— Les patients, je veux bien, mais les députés, les journalistes…

— Ils se sont invités eux-mêmes, comme d'habitude. Mais assoyez-vous, ma révérende, le spectacle va bientôt commencer.

— Combien de temps cela va-t-il durer?

— Je crains fort que nous en ayons pour quelques heures, ma révérende.

— C'est beaucoup trop long, j'ai du travail qui m'attend. Au bout d'une heure, je feindrai une faiblesse et vous me conduirez à mon bureau.

— Vous ne pouvez pas faire ça à nos pauvres patients, sœur Thérèse! Pensez à la joie qu'ils ont de vous retrouver!

— Bon, d'accord, mais à une condition : vous resterez assise à mes côtés tout au long du spectacle, nous réglerons les affaires courantes à voix basse pendant les temps morts.

— Mais, ma révérende, où donc assoirons-nous le Ministre?

— S'il n'en tenait qu'à moi, il irait s'asseoir dans le parterre, dans la section des mégalomanes.

Sœur Madeleine finit par céder, mais elle ne put se résoudre à demander au Ministre de changer de place; aussi dut-elle rester debout derrière sœur Thérèse pendant toute la durée de la cérémonie. Elle eut à se pencher vers elle très souvent…

Après les discours de circonstance, qui furent brefs – un des avantages de la vie en asile, c'était que les patients n'avaient pas le droit de vote –, le spectacle put commencer. La fanfare des patients entama d'abord le *God Save the Queen*, pièce plutôt facile mais qui fut mal exécutée. On y commit un nombre incroyable de fausses notes et le tempo, d'abord très lent, accéléra d'une mesure à l'autre sans raison apparente. Après des applaudissements polis, on s'attaqua à *Vive la Canadienne*, qui fut prestement enlevé, la religieuse qui dirigeait la fanfare ayant réussi, semble-t-il, à transmettre enfin son enthousiasme aux musiciens. Sœur Thérèse profita de la première pause pour faire signe à sœur Madeleine de se pencher vers elle.

— Dites-moi, sœur Madeleine, où donc les médecins sont-ils assis?

— Ils devraient être aux premiers rangs, ma révérende, tout juste au pied de l'estrade.

— Je n'arrive pas à les voir.

— C'est que la nuit est sombre, ma révérende. Je n'y arrive pas, moi non plus.

— Sont-ils assis à droite ou à gauche de l'escalier?

— À droite, ma révérende.

Sœur Thérèse eut beau scruter l'obscurité, elle ne vit que les longues vagues noires que formaient les centaines de têtes sombres se dandinant lentement au rythme de la musique. Peut-être ses yeux finiraient-ils par s'habituer à l'obscurité? Pourquoi la lune ne s'était-elle pas encore levée?

Assis au premier rang, le docteur Dansereau cherchait en vain à attirer son regard. Pourquoi ses yeux balayaient-ils la foule sans jamais s'arrêter sur lui? Comment était-il possible qu'elle ne le vît pas? Son teint était bien pâle... Était-ce l'éclairage? Peut-être le voyage l'avait-elle fatiguée... Y aurait-il moyen de lui faire parvenir un message?

Poète et paysan, la pièce préférée de sœur Thérèse, fut ensuite si bien interprété qu'un long silence suivit son exécution. Lorsque les musiciens commencèrent à ranger leurs instruments, la foule sortit enfin de son engourdissement et se mit à applaudir, tout doucement d'abord, puis avec beaucoup de chaleur.

— Dites-moi, sœur Madeleine, savez-vous où se trouve Oscar Parent?

— Je ne saurais vous le dire, ma révérende. Il est sûrement quelque part dans la foule.

— Avez-vous remarqué quelque chose de spécial à son sujet, sœur Madeleine?

— Il y a longtemps que je ne l'ai vu, mais sœur Pudentienne me faisait justement remarquer ce matin qu'elle avait du mal à le reconnaître : il sourit maintenant très souvent, et il lui arrive même, paraît-il, de faire des blagues. Je ne sais pas si son humour est très raffiné... mais, en soi, c'est tout de même un progrès considérable. J'avoue que j'ai eu bien du mal à la croire.

— Sœur Madeleine, je voudrais qu'il se présente à mon bureau aussitôt la fin de la cérémonie. C'est entendu?

Quand la fanfare se fut retirée, l'assistance eut droit à une saynète intitulée *Le bedeau, le cheval et le curé*. Deux patients, assez costauds, jouaient le rôle du cheval, tandis qu'un autre, déguisé en curé et assisté de son bedeau, tentait en vain de le monter : le curé finit par prendre place sur la monture, celle-ci se divisa en deux «parties» qui se mirent à cavaler autour de la scène, laissant le curé choir sur son séant – moment fort de la pièce. À l'exception de l'aumônier, tous rirent de bon cœur, y compris sœur Thérèse qui, ayant en mémoire les anecdotes qu'avait racontées le vieil Allemand au congrès, fut prise d'un irrépressible fou rire, dont elle s'excusa aussitôt à sœur Madeleine, prétextant la fatigue du voyage. Elle ne put ensuite lui poser la moindre question...

On présenta quelques dialogues humoristiques, puis des chansonnettes. Émilienne Robichaud, une Acadienne récemment arrivée à l'asile, obtint un succès inespéré en interprétant *Les noces de mon cousin*, chansonnette qu'elle avait sans doute entendue souvent dans son village natal et qu'elle répétait innocemment, sans se douter le moins du monde qu'il n'y était guère question de mariage mais d'allusions grivoises où tous les fruits comestibles et tous les légumes du potager y passaient... Elle ne comprit sans doute jamais pourquoi l'assistance avait tant ri, ni pourquoi les visages des religieuses avaient soudainement rougi sous les cornettes. Ce fut le Ministre, cette fois-là, qui fut incapable de réprimer son fou rire. Sœur Thérèse, quant à elle, n'apprécia guère la chansonnette.

— Ça suffit, sœur Madeleine, il est déjà assez tard, les patients devraient être couchés depuis longtemps. Qu'on mette fin au spectacle immédiatement.

— Un peu de patience, sœur Thérèse, la fanfare a préparé deux autres morceaux.

— Dites-leur de n'en jouer qu'un, et qu'ils choisissent une pièce sérieuse : les patients sont surexcités, ils n'arriveront jamais à dormir.

Après un conciliabule entre sœur Madeleine et sœur Rose-de-la-Trinité, qui dirigeait la fanfare, on reprit finalement *Poète et paysan*, qu'on joua très lentement.

Bernard, qui s'était résigné à attendre la fin du spectacle, se laissait bercer par la musique : la soirée était magnifique, le vent frais du mois d'août faisait frémir les feuilles et, dans le ciel, les étoiles filaient doux. L'espace d'un instant, il eut l'impression d'avoir vingt ans : il se revoit à Longueuil, où les parents de Viviane donnent une fête... Viviane s'est mise au piano... lui est resté à l'écart et en a voulu à cette foule de lui enlever ainsi l'élue de son cœur...

Sœur Thérèse, sur l'estrade, noyée sous un immense bouquet de fleurs qu'on venait de lui apporter, regarda au même moment vers le ciel et vit elle aussi la pluie d'étoiles filantes : c'est l'été, à Saint-Hyacinthe... l'orchestre joue une valse lente et elle attend qu'Édouard, si distingué et si sensible, l'invite à danser... à la fin de la soirée, ils marchent dans le parc... il lui confie qu'il a la vocation religieuse et qu'il entre au séminaire en septembre... Elle ne l'avait plus jamais revu.

Bernard était encore perdu dans ses rêves quand la fanfare termina sa pièce et, confondant les applaudissements de la foule avec le bruit du vent dans les branches, il mit un long moment à sortir de sa torpeur. Quand il voulut se diriger vers l'estrade, il était trop tard : les patients voulant tous s'en approcher, eux aussi, les religieuses et les gardiens avaient dû intervenir fermement pour les en empêcher. Après avoir tenté par trois fois de se frayer un chemin dans la foule pour être finalement refoulé loin derrière à chaque tentative, il finit par se résigner à entrer dans l'asile par une porte dérobée et tenta de rejoindre sœur Thérèse par l'intérieur du bâtiment. Elle, de son côté, avait été entraînée vers l'entrée principale de l'asile, non sans s'être plusieurs fois retournée vers ces grandes vagues noires qui ondulaient près d'elle.

* * *

Une fois dans l'asile, elle dut encore serrer des mains, offrir un vin d'honneur aux notables et remettre au Ministre le rapport de son voyage à Paris. Elle fut prise d'une forte envie de chasser du temple ces voleurs à grands coups de fouet, mais elle résista à la tentation et s'adressa plutôt à sœur Madeleine.

— Je ne me sens pas très bien, j'aurais besoin de me retirer quelques instants. Avez-vous réussi à rejoindre Oscar?

— Il devrait déjà vous attendre à votre bureau, ma révérende.

— Parfait. Dès que vous verrez le docteur Dansereau, vous me l'enverrez : je crains fort d'avoir pris froid pendant la traversée. Vous m'excuserez auprès de nos invités...

Sœur Madeleine n'eut même pas à l'excuser. Sous l'éclairage cruel des ampoules électriques, tout le monde avait remarqué que sœur Thérèse était d'une pâleur inquiétante.

La conversation qu'elle eut avec Oscar fut très brève.

— Comment vous sentez-vous, Oscar?

— De bonne humeur, ma sœur, grâce au docteur Dansereau...

— N'en dites pas plus, je suis au courant. Voulez-vous que je signe votre congé?

— J'en souhaite pas plus, ma sœur.

— Je m'en occuperai demain, à la première heure. Mais auparavant j'aurais une question à vous poser, une seule question, à laquelle je voudrais que vous répondiez franchement. C'est très important pour moi. Jurez-vous de me répondre franchement, Oscar?

— Ce n'est pas bien de jurer, ma sœur.

— Si c'est moi qui vous le demande, le Seigneur comprendra. Le jurez-vous?

— Je le jure.

— C'est bien. Dites-moi, Oscar, craignez-vous encore le diable?

— Plus que tout, ma sœur.

— Bien. C'est tout ce que je voulais savoir. Vous viendrez me voir demain matin. Comptez-vous retourner à Joliette?

— Non. Avec votre permission, ma sœur, j'aimerais rester à l'asile, comme employé. Je pense que le docteur Dansereau aura bien besoin de mon aide, et puis... je voudrais continuer à m'occuper des fougères. Je ne vous demanderais pas de salaire, ma sœur, seulement une chambre et mes trois repas.

— Tout travail mérite salaire, Oscar. Je verrai demain ce que je peux faire. En sortant, laissez la porte ouverte, je vous prie, le docteur Dansereau ne devrait pas tarder.

* * *

Le docteur Dansereau, bientôt suivi du docteur Villeneuve, arriva quelques instants plus tard. Une fois la porte fermée, sur la demande pressante de sœur Thérèse, ils s'assirent enfin tous les trois et eurent une longue, très longue conversation... Les deux médecins tentèrent d'abord d'intéresser la sœur aux bobines William, au fonctionnement de la mémoire, à la température de l'eau et aux cellules-fougères, mais elle les interrompit très rapidement : la technique ne l'intéressait pas, elle voulait des résultats; où en étaient-ils? Après avoir consulté Bernard du regard, le docteur Villeneuve fit d'abord la liste des patients qui avaient été traités en son absence : Tancrède Tarte, un épileptique de la salle Saint-Luc, Victorine Langevin, une ancienne modiste qui souffrait d'hypermanie nostalgique, Clara Dufresne, atteinte de délire religieux, et finalement Eugène Lavallée, un mélancolique qui souffrait aussi d'inversion sexuelle congénitale. Bernard interrompit alors le docteur Villeneuve pour dire que les résultats n'avaient cependant guère été encourageants, leur état n'ayant en rien changé.

Le docteur Villeneuve s'empressa alors d'intervenir pour manifester son désaccord : ils n'étaient peut-être pas guéris, mais au moins étaient-ils tous de bonne humeur. Entre ses crises, Tancrède était tout sourires et ses accès de violence semblaient à jamais disparus. Les délires de Clara avaient changé de nature : au lieu du diable, c'est la Vierge qui lui apparaissait quotidiennement pour lui livrer des messages d'espérance. Victorine, quant à elle, bien qu'elle souffrît toujours de la même maladie, semblait avoir tout oublié de son passé malheureux. Le cas d'Eugène était plus ennuyeux : il continuait d'être irrésistiblement attiré par les jeunes hommes sans cependant éprouver le moindre sentiment de culpabilité.

Bernard reprit alors la parole pour expliquer sa déception : peut-être étaient-ils de bonne humeur mais on ne les avait tout de même pas guéris; il faudrait modifier l'appareil, l'adapter à chaque type de maladie, découvrir les zones du cerveau où se logent les cellules qui causent chaque type de folie, adapter les champs magnétiques... tout restait encore à faire.

S'ouvrit alors un long dialogue entre les deux médecins. Le docteur Villeneuve répétait que la machine était extraordinaire, qu'ils avaient fait faire un grand pas à la médecine mentale et que le reste n'était qu'une affaire de temps. Bernard, lui, manifestait plus d'incertitude : à quoi servait d'améliorer l'humeur d'un épileptique si ses crises continuaient de le terrasser tout autant? Était-il moral d'enlever tout sentiment de culpabilité à un perverti sexuel? À l'entendre, seul Oscar, qui *n*'était *que* malheureux, avait été guéri; les cas de malheur *à l'état pur* étaient si rares que, à tout considérer, sa machine ne serait guère utile.

Sœur Thérèse regardait tour à tour les deux hommes. Chaque fois qu'ils terminaient une phrase, ils se retournaient vers elle, en quête du moindre signe d'approbation. Visiblement, ils ne faisaient que répéter des arguments dont ils avaient déjà amplement discuté en son absence. Ce n'était pas entre eux qu'ils parlaient, mais pour elle. Il en est toujours ainsi, avait-elle souvent remarqué, dès lors qu'une conversation a lieu en public. Elle les laissa donc parler jusqu'à ce que leurs arguments s'épuisent d'eux-mêmes. Ils sont de bonne humeur, répétait le docteur Villeneuve, leurs hallucinations sont maintenant joyeuses, les mégalomanes ne se prennent plus pour Napoléon Bonaparte mais pour saint François d'Assise! Que demander de plus? Il faut aller plus loin, répliquait le docteur

Dansereau, enlever les préjugés du cerveau des politiciens, créer des architectes qui n'auront plus que le souci des conventions, des poètes qui ne seront plus paresseux...

Ni l'un ni l'autre ne disait en fait ce qu'il pensait. Pourquoi Bernard n'affirmait-il pas clairement qu'il était très satisfait de son travail mais qu'il ne voulait pas trop le montrer, et ne suppliait-il pas les deux autres de lui lancer les fleurs qu'il savait mériter? Et le docteur Villeneuve n'aurait-il pas gagné à affirmer tout de go qu'il avait lui aussi des doutes sur leurs expériences mais que tout cela n'avait, au fond, aucune importance puisqu'il les menait par amitié pour Bernard?

Comme elle s'y attendait, la conversation s'étira sur plus d'une heure. Il y fut question successivement, et parfois cumulativement, du bien et du mal qui se cherchent comme deux frères siamois récemment séparés, du sentiment moral qui n'est peut-être rien d'autre qu'une forme particulièrement perverse d'épilepsie, des remords dont ne souffre visiblement pas la vieille dame à la faux, de la mince couche de papier de soie qui sépare la raison de la folie, de Dieu qui s'amuse de nos maladresses, de Son aveuglement quand meurent des enfants innocents, de la science qui ne viendra sans doute jamais à bout de la guerre, et de toutes sortes d'autres sujets qu'aiment aborder les hommes entre eux quand ils sont en présence d'une femme.

— Et vous, sœur Thérèse, qu'en pensez-vous?

Elle était tellement occupée à observer la danse des mots autour de leur tête qu'elle ne réagit pas à la question de Bernard. Le docteur Villeneuve dut la répéter pour attirer enfin son attention.

— Moi? Bien peu de chose, en vérité. Mais ne vous occupez pas de moi, continuez votre conversation.

— J'ai bien peur qu'elle ne finisse jamais.

— Pourquoi donc la reprenez-vous sans arrêt, dans ce cas? Je ne comprendrai jamais les hommes. Bon, puisque vous m'avez demandé mon avis, je vais vous le donner. La situation est fort simple. Je ne suis ni médecin ni théologien et je laisse ces problèmes à plus compétents que moi. En tant que directrice de cet asile, je pense que la découverte du docteur Dansereau est capitale. Les patients ne sont pas guéris? Et alors? Quelqu'un s'attendait-il à ce qu'on trouve en quelques années une panacée contre les maux de l'âme? Vous attendiez-vous à ce que vos aimants effacent la tache originelle? Les patients sont de bonne humeur, me dites-vous... C'est peut-être un grand pas en avant pour la science, ce n'est pas à moi d'en juger. Ce que je peux vous dire cependant, en tant que directrice de cet asile, c'est que je pense que nous avons franchi un pas de géant. Vous rendez-vous compte des sommes énormes que l'on doit dépenser, chaque année, rien que pour distraire nos pauvres fous ou pour isoler un patient qui pousse des cris si perçants pendant ses cauchemars qu'il réveille les autres? Avez-vous pensé aux sommes qu'on économiserait si on pouvait se passer des camisoles de force et des sirops calmants? Imaginez quelques instants ce que serait notre asile si tous les patients subissaient votre traitement : finies les plaintes sur la qualité de la nourriture, les grandes peurs pendant les orages, les bagarres dans les dortoirs... Et pensez aussi à votre travail, messieurs les médecins. Ne seriez-vous pas heureux de cesser de passer l'essentiel de vos journées à nettoyer les oreilles de nos pauvres persécutés, qui croient entendre des voix? Combien de temps faudrait-il, d'après vous, pour traiter chacun des mille deux cent quarante-six patients?

Cette fois-ci, ce furent les deux médecins qui mirent quelques instants à réagir. Le docteur Dansereau finit par répondre qu'au rythme de trois jours par patient, en moyenne, cela prendrait une bonne dizaine d'années. On réduirait ce délai en utilisant plus d'une machine, mais cela risquait fort d'éveiller les soupçons des médecins du gouvernement...

La conversation ayant pris une tournure pratique, tout fut réglé en un tournemain. On décida d'appliquer immédiatement le traitement au plus grand nombre possible de patients, et avec une seule machine, jusqu'à ce que le docteur Dansereau eût publié un article affirmant au monde entier que la gestion des asiles par les religieuses n'empêchait en rien le progrès scientifique, bien au contraire. On convint de traiter d'abord les enfants, puis les mères et les hommes soutiens de familles, et enfin les célibataires des deux sexes, les monomanes érotiques et les invertis ne devant être traités qu'en tout dernier lieu. Peut-être, avec le temps, perfectionnerait-on assez la machine pour qu'elle n'efface pas toute trace de culpabilité.

Il était presque deux heures du matin quand le docteur Villeneuve, complètement épuisé mais ravi, quitta le bureau de sœur Thérèse, non sans lui avoir recommandé de veiller sur sa santé: elle était bien pâle. Bernard resta quelques instants de plus. La porte était restée ouverte... Ils parlèrent à voix basse de choses et d'autres, puis ils se turent. Pendant un long moment ils restèrent silencieux et immobiles, à savourer leurs retrouvailles.

* * *

De l'automne 1889 au début du printemps 1890, les docteurs Dansereau et Villeneuve, assistés d'Oscar Parent et de garde Girard, traitèrent avec succès près de cinquante patients. Si Bernard avait entamé plus tôt la rédaction de son article, ils auraient sûrement pu en traiter beaucoup plus, d'autant que leur technique s'était raffinée : ils arrivaient souvent à éliminer toute trace de malheur en l'espace de quelques heures. Chaque fois qu'on lui demandait si son article allait bientôt être publié, il se contentait de répondre : «J'y travaille.» En vérité, il n'avait mis sur papier que quelques notes éparses. À nouveau passionné par ses expériences – et, de ce fait, relativement sobre –, il réussit, à force d'essais et d'erreurs, non seulement à guérir la nostalgie et la violence, mais aussi quelques cas de kleptomanie, de manie ébrieuse et de folie circulaire. Comme il procédait par tâtonnements et qu'il devait, le soir, veiller les patients pour vérifier le fonctionnement de sa machine, modifiant l'emplacement des aimants par-ci et l'intensité du champ magnétique par-là, il ne lui restait que bien peu de temps pour écrire.

* * *

Si l'on connaît l'effet d'une seule pomme pourrie dans un panier, on n'a cependant jamais pu vérifier ce qui eût résulté du cas inverse. Il n'en restait pas moins que la bonne humeur finit par atteindre près de cinq pour cent des habitants de l'asile, ce qui, dans quelque type d'hôpital que ce soit, est une proportion remarquable.

De nombreuses délégations étrangères visitèrent l'asile au cours de l'année. Tous les rapports concordaient : Saint-Jean-de-Dieu était un asile impeccable, on ne pouvait trouver plus moderne et il y régnait partout une atmosphère de calme, voire de joie de vivre – très étonnante en de pareils lieux, où la misère morale semblait toujours aller de soi. Cette qualité de vie était attribuable, pour certains, à la pureté exceptionnelle de l'air de Longue-Pointe, pour d'autres aux nombreuses et magnifiques plantes vertes qui ornaient chacune des salles, mais tous soulignaient comme facteur premier l'abnégation et le dévouement des religieuses, toujours souriantes. Que tant de choses eussent été possibles avec si peu de moyens était stupéfiant. Au début d'avril 1890, sœur Thérèse signait une entente à long terme avec le gouvernement, au grand désespoir du docteur Paquette.

Peu après la signature de cette entente, les expériences durent être interrompues pendant quelques jours, sœur Thérèse allant de mal en pis. Sa température grimpait dangereusement, elle se plaignait de douleurs dans le haut de la poitrine et de difficultés à respirer. Après l'avoir examinée tour à tour, les docteurs Dansereau et Villeneuve, constatant une inflammation du pharynx et du larynx, conclurent à l'évidence : elle était atteinte de l'influenza. Des pastilles de camphre et des infusions de berce laineuse, un remède de sauvage souvent efficace, lui étaient prescrites et elle devait absolument garder le lit. Elle n'accepta qu'à la condition de voir les deux médecins retourner à leurs expériences.

Ils obéirent et même redoublèrent d'ardeur : au rythme où ils allaient, ils auraient sûrement réussi à traiter tous les patients à la fin de l'année suivante.

15

Le mardi 6 mai 1890 devait rester une journée mémorable.

Il faisait nuageux et plutôt froid pour la saison, quoique le soleil du printemps eût déjà commencé son œuvre: la neige avait depuis longtemps disparu des champs boueux qu'on avait commencé à labourer, les feuilles commençaient à pousser dans les peupliers et les abeilles affamées se dégourdissaient les ailes avant de se lancer frénétiquement à la recherche des trop rares fleurs. À l'asile, on avait ouvert grand les fenêtres.

Tous les patients en état de travailler étaient à l'extérieur. Wilfrid avait commencé à laisser sortir ses poules et surveillait ses coqs d'un œil inquiet. Les trente-six chevaux et les soixante-quatorze vaches avaient maintenant de la compagnie: quelques jours plus tôt, les religieuses avaient acheté aux fermiers des environs cent soixante jeunes bœufs, cinq cents moutons et une centaine de porcs qu'on engraisserait tout l'été et qu'on abattrait aux premières neiges pour mettre leur viande en barils.

On rêvait déjà au soir où l'on se regrouperait sur les balcons pour écouter les chants d'amour des grenouilles qui peuplaient les nombreux étangs de la montée Saint-Léonard, les hommes en fumant leur pipe, les femmes en tricotant.

À l'asile, comme partout ailleurs, le réveil de la nature ne se faisait pas sentir que chez les animaux. Le changement le plus remarquable se produisait chez les religieuses, qui grandissaient soudainement de quelques pouces, comme des fougères qui se seraient lentement dépliées au soleil. Leur sourire semblait plus épanoui et un peu moins triste qu'à l'habitude. Ce petit rien, qui semblait se répandre par contagion, suffisait à procurer à tout le monde, patients, médecins et gardiens, un surplus de chaleur.

Chez les patients, du moins chez ceux qui n'avaient pas encore subi le traitement du docteur Dansereau, l'arrivée du printemps n'avait généralement que des effets positifs : les idiots, les imbéciles et les déments semblaient un peu plus éveillés, presque plus intelligents; dans les yeux des mélancoliques et des nostalgiques apparaissaient parfois quelques lueurs de joie, malheureusement bien fugaces car, au moindre nuage, à la moindre pluie, ils retombaient plus profondément encore dans leur marasme; les maniaques ordinaires, quant à eux, avaient des réactions extrêmes selon la phase qu'ils traversaient : ou c'était l'euphorie totale – il fallait alors se méfier de leurs épanchements – ou ils se sentaient plus abattus que d'habitude et passaient de longues journées à pleurer; enfin, les hystériques, les érotomanes et ceux qui souffraient d'inversion sexuelle devenaient si dangereux qu'il fallait redoubler d'attention à leur égard.

Vers onze heures, tout était encore bien calme dans les salles des hommes. Les quelques patients qui n'étaient pas occupés à travailler aux champs fumaient la pipe sur les balcons en attendant le dîner, jouaient aux cartes ou bien se berçaient en rêvassant.

Du côté des femmes, par contre, on travaillait fort. Comme à chaque retour du printemps, il fallait ranger dans de gigantesques malles les couvertures de laine et les vêtements d'hiver. L'odeur de la terre mouillée entrait par les fenêtres et venait se mêler à celle des boules à mites et ce curieux mélange provoquait étrangement, comme chaque année, des élans nostalgiques : quand l'une des patientes de la salle Sainte-Marthe entonna les premières mesures du *Canadien errant*, toutes les patientes reprirent le refrain avec tant de conviction que bientôt les femmes de la salle voisine enchaînèrent à leur tour. Quelques instants plus tard, les femmes de toutes les salles, à l'exception de la salle Sainte-Cécile, chantaient en chœur la chanson des exilés de 1837. Le vent aidant, leurs voix furent transportées jusque du côté des hommes, qui se joignirent à ce magnifique concert.

Dans la salle Sainte-Cécile, tout était différent. Quand on payait quarante piastres par mois de pension on était dispensée de tout travail qui ne s'accordait pas à son rang. On bénéficiait d'une chambre privée dans laquelle de jolis petits rideaux cachaient les barreaux des fenêtres, de repas un peu plus raffinés, de jeux de cartes complets et d'un piano bien accordé, d'un parloir séparé pour recevoir ses visiteurs et finalement du droit de porter ses vêtements personnels en toute circonstance.

Tous ces petits privilèges allaient de soi pour ces dames de la haute société qui, passé le choc de l'internement, reprenaient vite leurs anciennes habitudes et ne se trouvaient finalement pas trop dépaysées à l'asile : si leurs servantes portaient maintenant des costumes religieux, elles se comportaient pour le reste exactement de la même façon que leurs domestiques. Ces grandes dames ne voyaient jamais les cuisiniers, mais pouvaient tout de même se plaindre de la nourriture par l'intermédiaire des idiotes des salles publiques qui leur apportaient leurs repas dans des plateaux d'étain plaqués d'argent. Ce que la plupart d'entre elles n'osaient pas avouer, cependant, c'est qu'elles étaient secrètement soulagées d'être internées : elles n'avaient plus à se casser la tête pour organiser des repas cérémonieux en l'honneur de l'évêque, ni à supporter les assauts de leurs riches maris, qu'elles ne voyaient plus de toute manière que les dimanches, ni à s'inquiéter des résultats scolaires désastreux de leurs enfants ingrats qui ne venaient jamais les voir.

Quand on arrivait dans cette salle, on était toujours étonné par le calme, la sérénité, la joie de vivre presque, qui y régnaient. Ces dames n'avaient plus à comparer avec qui que ce soit la richesse de décoration de leur salon, la progression sociale de leur mari ou la provenance de leurs chapeaux. Libérées des terribles exigences de la concurrence effrénée qui était l'apanage de leur classe, il s'était tissé entre elles une véritable solidarité, qui, bien plus que les privilèges matériels, retardait leur guérison. Sœur Thérèse s'inquiétait d'ailleurs souvent des statistiques concernant ce groupe : alors que le taux de guérison moyen de l'asile atteignait 83,81 pour 100, il n'était que de 31,27 pour 100 chez les patientes de la salle Sainte-Cécile. Mais si on abolissait leurs privilèges, pourrait-on exiger de leur famille qu'elle versât une pension et profiter de leur visite pour leur rappeler discrètement leurs devoirs de charité ? Il faudrait alors se contenter des cent pauvres petites piastres que versait annuellement le gouvernement, ce qui n'aiderait en rien ni ces dames ni les autres patients. Et si on les entassait dans les salles publiques, ne leur infligerait-on pas un terrible traumatisme, pis encore que celui de l'internement... C'était comme ça, bon, on ne pouvait quand même pas résoudre tous les problèmes en même temps. Pour toutes ces raisons, sœur Thérèse avait recommandé au docteur Dansereau de ne traiter ces patientes qu'en tout dernier lieu.

Ce matin-là, les dames de la salle Sainte-Cécile s'occupaient à préparer des bonbonnières, qu'elles distribueraient ensuite aux patients des salles publiques pour célébrer le printemps – même à l'asile, ces dames avaient leurs œuvres –, ou encore à nourrir les serins et les perruches qui faisaient leur orgueil. Elles avaient eu en effet le droit de garder avec elles leurs oiseaux, ce qui était sûrement le plus agréable de leurs privilèges : réunis dans une même salle, ils s'en donnaient à cœur joie, et au printemps, quand on ouvrait les fenêtres, leurs chants se répandaient dans les parterres et venaient réjouir les promeneurs. (L'oiseau le plus pittoresque de la volière était sûrement Jocko, un splendide perroquet d'Amazonie qui avait un répertoire fort varié, imitait à s'y méprendre les cloches de la chapelle ainsi que les craquements du plancher et savait répondre aux prières par un «Ainsi soit-il» un peu éraillé, certes, mais parfaitement articulé.)

Pendant ce temps, Bernard, Oscar et garde Girard adaptaient leur casque à la tête d'un hydrocéphale particulièrement difforme et s'apprêtaient à installer le pauvre homme dans la cuve. Sœur Pudentienne soignait ses plantes, le docteur Villeneuve se reposait à la chapelle et les médecins du gouvernement étaient tous à la salle d'hydrothérapie pour assister au bain d'Angélique. Sœur Thérèse, quant à elle, était étendue sur son lit. On venait tout juste de lui apporter une infusion de berce laineuse qu'elle buvait à petites gorgées tandis que sœur Germainede-l'Annonciation, l'économe de la communauté, lui faisait la lecture du bilan annuel de la cuisine. Le docteur Dansereau lui avait recommandé de garder le lit, ce qu'elle faisait consciencieusement, mais il ne lui avait jamais interdit de travailler... Combien restait-il des neuf cents livres de fraises avec lesquelles elles avaient fait des confitures l'été dernier? Pourraient-elles aller en vendre à la ville? Si elles organisaient une vente de charité? À dix sous le pot, elles pourraient couvrir une partie des frais de chauffage: l'hiver avait été plus dur qu'elle l'avait prévu...

En ce matin du 6 mai 1890, rien donc ne laissait présager le drame qui allait survenir.

* * *

Vers onze heures dix, Idola Bergeron, une pauvre idiote de bonne famille, s'était éloignée de la volière pour demander à sœur Henriette-de-l'Immaculée-Conception la permission de regagner sa chambre pour aller y chercher des ciseaux. Sœur Henriette n'y avait vu aucune objection, Idola étant la plus docile et la plus inoffensive de toutes les patientes de la salle Sainte-Cécile et peut-être même de l'asile tout entier.

Elle gagna donc sa chambre, au troisième étage, referma la porte derrière elle et s'enferma dans le placard. L'obscurité était totale: Idola était heureuse. Enfin elle allait pouvoir craquer une des allumettes qu'elle avait dérobées à la cuisine et admirer à son aise la jolie flamme jaune qui apparaissait comme par magie au bout du petit bâton de bois. Elle craqua une première allumette, et la jolie flamme naquit, toute jaune d'abord et entourée d'étincelles; ensuite le centre devint bleu, comme une grotte au milieu du soleil, puis la flamme se détacha du bâton et il n'y eut plus rien qu'un trou noir d'où surgirent les cornes de Lucifer, suivies de sa fourche et de ses sabots : la flamme se promenait lentement le long de l'allumette, Idola, craignant que le diable ne lui piquât le doigt, l'éteignit et en alluma aussitôt une autre. Qu'allait-elle voir, cette fois-ci? La Vierge Marie allait-elle enfin lui apparaître, comme elle l'avait déjà fait tant de fois auparavant? Elle eut beau en brûler cinq, la Vierge ne se montrait toujours pas.

Quand il ne lui en resta plus qu'une seule, elle hésita longtemps avant de l'allumer, puis elle eut subitement l'idée d'utiliser le lampion qu'elle avait pris à la chapelle: il ne restait presque plus de cire au fond du verre rouge, et la vitre était ternie... ce n'avait donc pas vraiment été un vol... non, elle l'avait plutôt emprunté pour le nettoyer... La flamme était toujours jaune et bleue quand on regardait le lampion d'en haut et d'un beau rouge foncé quand on la regardait à travers la vitre: c'était vraiment magnifique! Un tout petit mouvement suffisait à faire danser la flamme à droite et à gauche, et dès qu'on arrêtait le mouvement, la flamme se redressait et pointait vers le ciel. Idola n'avait plus aucun doute: la Vierge Marie allait lui parler.

L'apparition eut bientôt lieu au centre de la flamme. Idola entendit la Vierge lui dire qu'elle était bien contente d'elle, qu'elle l'aimait beaucoup, et lui demanda d'alimenter le feu, car il faisait froid dans le ciel. Immédiatement, Idola ajouta les six allumettes à moitié consumées d'abord, puis quelques boulettes de papier, enfin le couvercle de carton d'une boîte à chapeaux. Lorsqu'elle vit la fumée se répandre dans le placard, elle essaya d'éteindre le feu avec ses mains, mais ne parvint qu'à se brûler. Prise de panique, elle descendit l'escalier à toute vitesse pour aller prévenir sœur Henriette. Parvenue au premier palier, elle se ravisa :

il ne fallait pas faire de peine à sœur Henriette... il valait mieux qu'elle éteignît le feu elle-même. Elle remonta, ouvrit la porte du placard et y lança le contenu de son pot de chambre, mais le placard était devenu un enfer. Il était onze heures trente-cinq quand elle redescendit l'escalier à toute vitesse pour aller trouver sœur Henriette :

— Ma sœur, la Sainte Vierge m'a fait faire une bêtise dans le placard.

Sœur Henriette leva les yeux vers l'étage et aperçut les flammes qui avaient déjà commencé à déchirer le mur. Il fallait sans tarder déclencher l'alarme et évacuer les patients.

* * *

On eut beaucoup de mal à combattre l'incendie. Les flammes, véhiculées par les ventilateurs, gagnaient une à une les salles de l'aile des femmes et le vent, qui soufflait du nord-ouest, les ramenait toujours vers l'asile. Elles étaient si énormes que, même avec les pompes et les réservoirs intérieurs, on n'arrivait pas à les éteindre, et on ne songea qu'à sauver les malades. Les employés, les médecins et les sœurs cherchaient les survivants affolés à la lueur des flammes qui dévoraient les plafonds. La fumée rendait le sauvetage de plus en plus difficile, sans compter qu'il fallait vaincre la résistance des patientes qui, attirées par une force invincible, revenaient constamment au brasier.

Quand les pompiers de Montréal arrivèrent, toute l'aile des femmes était enflammée. Espérant un instant préserver le côté occupé par les hommes, on fit un barrage de médailles et d'images pieuses. Mais le vent changea brusquement et les flammes attaquèrent le reste de l'édifice.

À quatre heures de l'après-midi, il ne restait plus de l'immeuble que des pans de murs calcinés et des ruines fumantes. Seule la voûte de sûreté placée près de l'entrée avait échappé au désastre. On n'avait réussi à préserver que la buanderie et les bâtiments de service.

On compta quatre-vingt-six victimes, tant infirmières que patientes. Aucune du côté des hommes.

* * *

Les survivants étaient regroupés dans la cour, autour de sœur Thérèse, juchée sur une charrette. Tandis que les pompiers terminaient leur travail et que les mille patients, à la demande de la directrice, récitaient en chœur des prières, il se mit à tomber une pluie froide. Elle arrivait bien tard...

«*Notre Père, qui êtes aux cieux, que Votre nom soit sanctifié, que Votre règne arrive, que Votre volonté soit faite sur la terre comme au ciel*... Tout de même, Seigneur, tout de même, Vous n'y allez pas de main morte. Pourquoi tant d'épreuves, à la fin de ma vie? Si j'ai péché quelquefois par orgueil, Vous aviez bien le droit de me punir, mais ces pauvres innocents n'y sont pour rien. Pourquoi, Seigneur?

«*Je vous salue Marie, pleine de grâce, le Seigneur est avec vous*... Et Vous, Sainte Vierge, ne pouviez-vous pas intercéder? Pardonnez-moi, je ne sais plus ce que je dis. Pour le moment, je les tiens occupés à prier, mais qu'est-ce que je ferai ensuite? Mille innocents à loger, mille! Il y a bien quelques fermes dans les environs, mais jamais suffisamment pour accueillir tous mes fous... Combien de temps faudra-t-il pour tout reconstruire?»

À la fin du chapelet, sœur Thérèse avait eu le temps de reprendre ses esprits et d'établir son plan de campagne.

Elle profita du recueillement de la foule pour rappeler les paroles de Job: «Le Seigneur m'avait tout donné, le Seigneur m'a tout ôté; il n'est arrivé que ce qui Lui a plu; que le nom du Seigneur soit béni.»

— «Que le nom du Seigneur soit béni», reprit la foule.

— Et maintenant, il s'agit de nous organiser. Sœur Rose-de-la-Trinité, vous êtes là?

— Je suis ici, ma révérende, dit-elle en se détachant de la foule.

— L'écurie est encore intacte, vous allez y loger les cinquante patients les plus dangereux. Les nuits sont encore fraîches, mais ils auront du foin pour se garantir du froid. Vous demanderez à Louis Campagna de les surveiller. Ils n'oseront pas s'évader.

— Bien, ma révérende.

— Sœur Vipérine? Où est sœur Vipérine?

— Ici, ma révérende.

— Sœur Vipérine, vous allez examiner la buanderie. Si le bâtiment n'a pas été trop endommagé, vous devriez réussir à y loger une centaine de femmes. Choisissez celles qui, selon vous, ne supporteraient pas de voyager. Sœur Jeanne?... Vous réunissez les femmes de la salle Sainte-Cécile et vous les amenez au poulailler. Wilfrid, allez sortir vos poules, et faites attention de ne pas briser les œufs, nous en aurons besoin. Sœur Huguette, vous allez partir immédiatement avec deux cents femmes: la maison de campagne des Jésuites est à deux lieues d'ici, vous y serez dans quelques heures.

— Ne vaudrait-il pas mieux prévenir les Jésuites, sœur Thérèse?

— Pour qu'ils se défilent? Certainement pas. Allez-y et, s'ils protestent, vous leur direz qu'ils auront affaire à moi. Les autres, restez ici, j'ai à parler avec le chef de police; je reviens dans un instant. Sœur Jeanne, faites-les prier en attendant.

— Sœur Thérèse?

— Qu'y a-t-il, sœur Huguette?

— Est-ce que je dois emporter le perroquet?

— Le perroquet? Quel perroquet?

— Celui de la salle Sainte-Cécile, ma révérende. Il a été sauvé, par miracle. Devons-nous l'amener avec nous?

— C'est bien le moment de s'occuper d'un perroquet! Mais puisque vous allez chez les Jésuites, je crois que ce serait tout indiqué...

À la voir sauter de sa charrette, puis marcher dans la boue et sous la pluie, enjambant les décombres en relevant sa robe, personne n'aurait dit que cette pauvre vieille était quelques instants plus tôt alitée, gravement malade.

— Monsieur le chef de police, dites-moi, combien d'hommes peut-on entasser dans une charrette à foin de grandeur normale?

— ...Une vingtaine, ma sœur.

— C'est bien. Et combien de temps mettrait-elle pour se rendre jusqu'à Verdun?

— Au moins cinq heures, ma sœur.

— Bon. Pourriez-vous charger quelques-uns de vos hommes d'aller emprunter quelques charrettes dans les fermes de Longue-Pointe? J'aurai trois cents patients à faire transporter: il me faudra donc quinze charrettes. Si elles arrivent d'ici une heure, ils pourront être à Verdun à la tombée de la nuit. L'asile des protestants est bien assez grand pour accueillir trois cents patients de plus, n'est-ce pas?

— Mais, ma sœur, vous ne croyez pas qu'il serait préférable que mes hommes restent ici pour vous protéger?

— Nous protéger de quoi, monsieur le chef de police? Que voulez-vous qu'il nous arrive de pire?

— Et si les fous cherchaient à fuir?

— Ils ne s'enfuiront pas: je le leur interdirai.

— Bon, c'est comme vous voulez.

— Envoyez vos hommes chercher des charrettes immédiatement, je m'occupe de rassembler les trois cents malades qui partiront avec vous.

Elle se dirigea aussitôt vers sœur Pauline, qui pleurait à chaudes larmes.

— Il est trop tard pour arroser, sœur Pauline, maîtrisez-vous, je vous en prie. Quand le Seigneur nous envoie des épreuves, il faut se montrer digne. Sœur Pauline, vous allez immédiatement me regrouper trois cents patients, les plus violents d'entre eux de préférence : nous les envoyons chez les protestants... Si vous pouviez en trouver qui soient à la fois violents et incontinents, ce serait parfait : nous avons assez soigné leurs fous, maintenant c'est à leur tour. Et cessez de pleurer immédiatement!

Elle se dirigeait vers sœur Madeleine lorsqu'elle croisa Bernard, qui était occupé, avec les autres médecins de l'asile, à monter une infirmerie de fortune dans la grange.

— Sœur Thérèse? Mais vous devriez être couchée! Venez tout de suite avec moi, nous vous ferons une place dans la grange.

— Pas avant que j'aie placé tous mes fous.

— Mais vous n'y pensez pas! Si vous restez dehors sous cette pluie, vous allez mourir!

— Docteur Dansereau, j'ai soixante-trois ans et je ne suis pas encore morte une seule fois. Je ne vois pas pourquoi ça m'arriverait aujourd'hui. Maintenant ça suffit, vous perdez votre temps et vous me faites perdre le mien. Au travail, docteur Dansereau. Sœur Madeleine? Venez ici un instant.

— Oui, ma révérende.

— Sœur Madeleine, vous allez partir immédiatement avec cinquante idiotes et vous irez trouver le curé de Longue-Pointe pour lui demander de me les placer dans les fermes de ses paroissiens, et qu'il en garde quelques-unes dans son presbytère, ce n'est pas la place qui manque. Vous direz à sœur Berthe de faire de même avec cinquante hommes en bonne santé, qui pourront marcher jusqu'à Pointe-aux-Trembles. En passant, dites au chef de police qu'il vienne me voir: il faudrait emprunter des omnibus de Montréal pour transporter certains patients à la maison mère des sœurs de la Providence. Dites-lui de prévoir au moins quinze omnibus, et qu'ils soient tirés par quatre chevaux: il y aura des côtes à monter. Où en sommes-nous? Vous êtes encore là, docteur Dansereau? Je croyais vous avoir dit d'aller vous occuper de vos patients? Puisque vous y êtes, vous pourriez demander à votre..., disons à votre «fiancée» d'accueillir quelques patients. Elle a une grange?

— Oui, sœur Thérèse.

— Alors, qu'elle en prenne dix. Pour une fois qu'elle se rendra utile, celle-là.

— Oui, sœur Thérèse.

— Et ne restez pas planté là à répéter «Oui, sœur Thérèse», ça m'énerve.

— Bien, sœur Thérèse. Je voulais seulement vous dire que je vous admire beaucoup.

— C'est fait. Maintenant, au travail!

À sept heures trente, un certain nombre de patients avaient été logés à différents endroits, tandis que d'autres étaient en route vers un refuge temporaire. Une voiture arriva alors à toute vitesse, s'immobilisa devant sœur Thérèse, et on en vit sortir un homme très élégant.

— Bienvenue à Saint-Jean-de-Dieu, monsieur le député.

— Pauvre sœur Thérèse, quel désastre! J'ai accouru aussitôt que j'ai pu...

— Malheureusement, comme vous le voyez, il est trop tard.

— Que puis-je faire pour vous, ma sœur?

— Vous avez une pelle?

— Une pelle? Pourquoi?

— Il y a eu quelques victimes, il faudrait les enterrer.

— C'est-à-dire que...

— J'ai compris. Retournez chez vous, monsieur le député, nous nous occuperons de nos morts. Si jamais vous rencontrez le premier ministre, dites-lui de ma part que malgré les inconvénients que nous avons subis, nous n'avons eu besoin de personne pour nous tirer d'affaire. Et... qu'il soit sans crainte: l'asile sera reconstruit d'ici la fin de l'été. J'y veillerai personnellement.

* * *

À neuf heures trente, les derniers blessés ayant été transportés, Bernard put enfin rentrer chez lui; il prit place à l'avant de sa voiture, en compagnie du docteur Villeneuve – qui n'avait plus de logis – et on réussit à asseoir six patients à l'arrière. Personne ne souffla mot de tout le voyage. Oscar Parent, Tancrède Tarte, Édouard Tremblay et Jacques Linteau, eux, suivirent la voiture à pied.

Quand ils arrivèrent tous chez Florence, elle les accueillit sur le balcon.

— Combien sont-ils?

— Dix, en plus du docteur Villeneuve.

— Le docteur Villeneuve occupera la chambre des amis, et je peux en loger quatre autres dans la maison, j'ai déjà préparé les lits... Certains devront dormir dans la grange. Mais entrez d'abord, je vous ai préparé de la soupe.

Pendant que les patients refaisaient leurs forces, Bernard demanda à Oscar de venir l'aider à faire un peu de ménage dans la grange. Quand ils furent sortis, ils creusèrent d'abord une fosse, près du jardin. Ensuite, pendant plus d'une heure, Oscar apporta des bocaux à Bernard, qui procéda à l'inhumation de plus de deux cents cerveaux.

16

Le lendemain matin, à son arrivée à l'asile – ou plutôt à ce qui en restait –, Bernard fut à peine étonné d'y trouver sœur Thérèse, en compagnie d'un groupe d'hommes qui la suivaient en prenant des notes.

— Messieurs, nous avons mille deux cents fous à reloger. Le temps presse. Inutile de penser reconstruire en pierre pour le moment; nous utiliserons du bois. J'ai calculé qu'avec un million cinq cent mille pieds de planches, nous pourrions construire quatorze pavillons temporaires de deux étages. Je vous ai préparé des plans très simples, inspirés de bâtiments que j'ai vus en Belgique. Il faut les suivre à la lettre: nous récupérerons ainsi les planches quand viendra le temps des constructions permanentes. Les pavillons seront réunis entre eux par des corridors, ce qui nous permettra d'installer une seule cuisine et une seule pharmacie. Pour le chauffage, il me faudra huit chaudières. Les tuyaux passeront par les corridors.

— Mais, ma sœur, ne craignez-vous pas les incendies?

— C'est justement pour cette raison que nous construirons des pavillons séparés. Si jamais le feu se déclare dans l'un d'eux, il sera plus facile à circonscrire et l'ensemble des bâtiments n'y passera pas. De plus, vous recouvrirez les armatures en bois de feuilles métalliques parfaitement jointes. Nous serons ainsi armés non seulement contre le feu, mais aussi contre le froid et l'humidité. Vous peindrez ces feuilles en rouge.

— Pourquoi en rouge?

— Pour frapper l'imagination: dans trois mois, quand tout sera terminé, tout le monde parlera des pavillons rouges des sœurs de la Providence. Ils seront le symbole de notre efficacité.

— Trois mois? Mais nous n'y arriverons jamais!

— Bien sûr que si. Vous engagerez deux cents ouvriers, parmi les meilleurs de Montréal, et ils se feront assister par tous les patients en état de tenir un marteau. Il faut absolument que tout soit terminé avant le début de l'automne. J'ai déjà commandé les planches et les clous; je veux que les travaux commencent dès demain. Vous avez toute la journée pour trouver vos ouvriers. Si vous avez des questions, adressez-vous à moi. Je serai ici chaque matin, de sept heures à onze heures, et l'après-midi de trois à cinq : je superviserai les travaux. Et je vous préviens que je ne supporte ni la paresse ni les blasphèmes sur le chantier. Maintenant vous allez m'excuser, j'ai à m'entretenir avec le docteur Dansereau.

L'électricien, le plombier, le menuisier et le charpentier se regardèrent tour à tour, estomaqués, puis, ne trouvant à répondre à la directrice que par un haussement d'épaules, ils s'en furent chacun dans sa direction, à la recherche d'ouvriers à engager. Chacun avait en outre en sa possession une liste fort complète de tous les matériaux et outils nécessaires aux travaux de réfection, ainsi que des indications sur le prix maximum à payer. Les bâtiments n'étaient assurés que pour deux cent mille piastres, il fallait ménager.

— Bonjour, docteur. En forme ce matin?

— Moins que vous, assurément... Où donc puisez-vous toute cette énergie?

— La prière, docteur, la prière est encore la meilleure source d'énergie sur terre. En connaissez-vous une autre qui soit capable de nous faire traverser des millions de milles en un instant? ...Pour être bien franche, docteur – et... strictement entre nous –, je dois aussi vous avouer que j'ai toujours aimé les situations difficiles. Tout allait trop bien dans l'asile, ce n'était pas normal. Le Seigneur n'aime pas que la vie soit trop aisée.

— Est-ce que c'est aussi la prière qui vous a guérie de l'influenza?

— Ne vous fiez pas aux apparences, docteur. En vérité... je me sens très faible... j'essaie seulement de ne pas le montrer. S'il en était autrement, croyez-vous que j'aurais dit à ces messieurs que je ne serais ici que six heures par jour? Mais assez parlé de moi. Que comptez-vous faire, docteur Dansereau?

— Continuer à soigner les patients.

— Mais où donc les soignerez-vous?

— Je ne sais pas...

— Votre absence d'esprit de décision me surprendra toujours, docteur. Tous ceux qui avaient besoin de surveillance médicale sont maintenant à l'hôpital Notre-Dame, où ils seront bien soignés. Les autres sont à Verdun, ou bien chez les Jésuites, ou encore dispersés dans les fermes, à la caserne d'Hochelaga... Vous voyez-vous faire la navette entre Verdun et Pointe-aux-Trembles?

— Ça me semble assez difficile, en effet.

— Voici ce que je vous propose : avec le docteur Villeneuve, vous allez vous installer dans la grange de l'asile. S'il arrivait quelque accident de travail, vous seriez sur place pour donner les premiers soins aux ouvriers et aux patients. Vous travaillerez le matin et le docteur Villeneuve l'après-midi.

— Et que ferons-nous du reste de nos journées?

— Le docteur Villeneuve se reposera, le brave homme l'a bien mérité. Saviez-vous qu'il m'avait annoncé il y a un an qu'il prendrait sa retraite? S'il a continué, c'est pour vous aider – à ma demande d'ailleurs. Quant à vous, il est inutile de penser à vos machines pour le moment. Vous allez donc profiter de votre temps libre pour rédiger au plus vite votre article : je veux que, dans trois mois, à l'inauguration des bâtiments temporaires, il soit non seulement terminé mais publié. Nous annoncerons alors au monde entier – aux médecins du gouvernement en particulier – que nous avons inventé un traitement révolutionnaire. Aussitôt les pavillons temporaires terminés, nous entreprendrons sur le coteau la construction d'édifices permanents. Cette fois-ci, nous ne répéterons pas les mêmes erreurs : nous construirons des pavillons séparés, réunis par un grand corridor, ce qui nous aidera à combattre l'hiver, ainsi que de vastes balcons qui donneront sur les jardins. Dans le pavillon central, nous aménagerons une salle d'hydrothérapie encore plus moderne : chaque bain sera doté d'une bobine William. Au fait, combien coûtent ces bobines?

— Je n'en ai aucune idée. Il faudrait en parler à l'électricien.

— Il ne vous est jamais venu à l'esprit d'en demander le prix?

— Non, ma sœur.

— Décidément, vous m'étonnerez toujours. Pendant que nous y sommes, docteur, je voudrais en profiter pour vous poser une question. J'espère que vous ne la jugerez pas trop indiscrète...

— Allez-y, ma sœur.

— Dites-moi, docteur, vous avez traité à ce jour plus de cinquante patients. Étaient-ils tous vraiment fous?

— Plus ou moins, oui. Nous avons suivi vos directives en commençant par les enfants, puis les mères et les soutiens de familles nombreuses...

— C'est tout?

— C'est tout, oui. À qui d'autre pensez-vous?

— À vous-même, ou au docteur Villeneuve...

— Mais nous ne sommes pas malades, ma sœur!

— Et alors? Vous êtes en train de me dire que vous avez travaillé pendant près de six mois avec une machine qui avait la propriété de vous rendre perpétuellement de bonne humeur, et que vous n'avez jamais songé à l'utiliser sur vous-même?

— ... Pour y avoir songé, j'y ai songé, ce serait mentir que de prétendre le contraire. Le docteur Villeneuve aussi, bien sûr; nous en avons même souvent discuté. Au début, nous nous sommes dit qu'il fallait d'abord traiter les patients: sur l'échelle du malheur, nos cas n'étaient pas les plus urgents. Au bout de quelques mois, la question s'est reposée avec plus d'acuité. La machine était efficace, Oscar nous invitait fortement à l'utiliser. Quelques heures de traitement auraient sans doute suffi, les patients n'en auraient pas souffert...

— Et alors?

— Et alors: rien. Nous n'arrivions pas à nous décider.

— Pourquoi?

— À franchement parler, je suis incapable de vous l'expliquer. C'est fou, non?

— Pas du tout, docteur, pas du tout. Le Seigneur s'en souviendra.

* * *

Le 14 mai, les décombres de l'ancien asile avaient été nettoyés et on avait entamé les premiers travaux de construction : les ouvriers, aussi efficaces les uns que les autres, les patients, qui les aidaient du mieux qu'ils le pouvaient, tous étaient animés de cet esprit de corvée qui fait si vite oublier la fatigue. Les plans de sœur Thérèse étaient une telle merveille de simplicité que, dès qu'on eut érigé le premier bâtiment, le reste se fit presque tout seul. Quand vint le temps de construire le quatorzième pavillon, exactement semblable aux treize autres, l'équipe était si bien rodée qu'on l'acheva en trois jours, électricité et tuyauterie comprises.

La bonne humeur qui régnait sur les chantiers explique sans doute le fait qu'on n'eut à déplorer aucun accident de travail tragique. Le docteur Dansereau soigna bien quelques menues entorses et coupures, mais on le vit beaucoup plus souvent utiliser la plume que le bistouri. Quand il avait un moment libre, il allait marcher en ruminant ses pensées, puis revenait en toute hâte consigner ses réflexions sur ses cahiers de notes. L'après-midi, il retournait chez Florence, prenait un bon repas en compagnie du docteur Villeneuve, d'Oscar Parent et des neuf patients, puis il s'installait à la table de la cuisine pour rédiger quelques pages de son article. Le soir, après le souper, il écrivait encore, à la lumière de la lampe, jusqu'à minuit.

Chez Florence, la vie était devenue plus difficile en raison de l'encombrement, mais, faisant contre mauvaise fortune bon cœur, on était arrivé somme toute à s'organiser relativement bien. Florence avait presque toujours fait preuve d'une grande patience avec les malades. Presque toujours... parce qu'il faut bien dire qu'à quelques reprises elle avait eu des sautes d'humeur, qui se manifestaient surtout le vendredi soir. Pour résoudre ce problème, il fut convenu que, chaque semaine, Oscar et le docteur Villeneuve partiraient faire une longue promenade le long du fleuve en compagnie des patients et ne rentreraient pas avant onze heures.

À la fin du mois de juillet, les travaux étaient suffisamment avancés pour qu'on commencât à accueillir de petits groupes de patients; le dernier groupe, en provenance de Verdun, arriva le 10 août. Le lendemain, on célébra la première messe dans le nouvel asile. Le quatorze, le docteur Dansereau mettait à la poste un article fort volumineux et sœur Thérèse engageait un architecte, Hippolyte Bergeron, pour l'aider à tracer les plans des édifices permanents, car elle n'avait plus la force de tout faire elle-même.

* * *

Une semaine plus tard, le docteur Georges Clément, médecin chef à l'hôpital Notre-Dame, professeur à la faculté de médecine de l'Université de Montréal et directeur de la *Revue médicale du Canada français*, reçut un lourd colis, qu'il ouvrit aussitôt. Sur la première page du manuscrit, on pouvait lire: *De quelques considérations sur l'utilisation du magnétisme dans le traitement des maladies mentales à l'asile Saint-Jean-de-Dieu.* La seule lecture du titre indisposa le docteur Clément, qui nourrissait de nombreux préjugés à l'égard du magnétisme, cette pseudo-science qui inspirait tant de charlatans. Bernard Dansereau?... Il avait beau réfléchir, le nom ne lui disait rien. Quant à son grade – «médecin» –, c'était un peu court. Quoi! l'auteur n'était même pas aliéniste! S'il ne faisait pas mention de l'endroit où il avait étudié, c'était sûrement qu'il n'était pas diplômé d'une université européenne. La dédicace *À sœur Thérèse-de-Jésus, supérieure de l'asile Saint-Jean-de-Dieu, au docteur Villeneuve, médecin de l'asile, à Oscar Parent, gardien, à garde Girard, infirmière et à madame veuve René Martineau* l'irrita aussi au plus haut point. Depuis quand encombrait-on un article scientifique d'une dédicace? Et comment pouvait-on oser dédier un article sur les maladies mentales à une religieuse qui avait toute sa vie combattu la mainmise des médecins sur les asiles, freinant ainsi la marche indéfectible du progrès!

Après avoir feuilleté les premières pages, il fut étonné de voir que l'auteur n'avait même pas pris la peine de dactylographier son texte ni ne l'avait agrémenté du moindre graphique ou d'une formule mathématique quelconque... Il tourna le reste des pages en vitesse, s'attardant quelques instants sur le dessin grossier d'un tonneau dans lequel on avait placé un individu muni d'un casque ridicule... pour se retrouver en un rien de temps à la fin du livre. Trois cent treize pages! Pas de doute : il avait affaire à un illuminé. Il appela aussitôt sa secrétaire.

— Mademoiselle, veuillez prendre note de la lettre suivante : «Université de Montréal, le 20 août 1890... Très cher docteur Dansereau... J'accuse réception, au nom de la *Revue médicale du Canada français*, de votre volumineuse et certes très intéressante contribution à la science médicale... J'ai malheureusement le regret de vous informer que notre numéro de l'automne 1890 est déjà sous presse et que le numéro du printemps 1891 est presque achevé... Vu l'ampleur de votre étude, il nous serait peut-être possible de la publier par tranches à compter de l'automne 1891, ceci, bien entendu, dans l'hypothèse où elle serait retenue par notre comité de rédaction. Aussitôt qu'il se sera réuni, nous communiquerons avec vous le plus rapidement possible pour vous en informer...» Vous ajouterez quelques formules de politesse, puis, sous l'espace réservé à la signature, vous lui ferez la liste complète de mes titres: docteur en médecine de l'Université de Glasgow, directeur de la *Revue médicale du Canada français*, professeur agrégé de la faculté de médecine de l'Université de Montréal, médecin chef à l'hôpital Notre-Dame, trésorier de la corporation des médecins de la province de Québec et conseiller municipal.

— Ce sera tout, docteur?

— Ce sera tout, oui... Au fait, croyez-vous qu'ils aient le téléphone, à Longue-Pointe?

— C'est possible, oui.

— Si vous recevez un appel de ce docteur Dansereau, vous lui direz que je suis en conférence, ou plutôt en voyage. Loin, très loin. Prenez ce manuscrit avec vous et classez-le où bon vous semblera. Il finira peut-être par venir le récupérer.

* * *

Bernard reçut la lettre cinq jours plus tard et en fut très satisfait. Du moment que son article était en de bonnes mains, il pouvait vaquer à ses affaires. Sœur Thérèse accueillit la nouvelle avec moins d'enthousiasme: l'automne 1891, c'était bien tard...

Le 1er novembre, n'ayant pas encore reçu de réponse, Bernard téléphona au bureau du docteur Clément. Celui-ci était malheureusement absent et il communiquerait avec lui dès son retour de voyage... Trois mois plus tard, toujours aucun signe du professeur. À chacun de ses appels, la secrétaire lui avait répondu que son patron était en voyage ou en conférence... qu'il était inutile de s'inquiéter... que ces délais étaient normaux... qu'on communiquerait avec lui aussitôt qu'on aurait lu son article.

Au début du mois de mai, bien qu'il eût multiplié coups de téléphone et lettres, on lui retourna son manuscrit. Après en avoir longuement discuté avec les membres du comité de rédaction, disait la courte note du docteur Clément qui accompagnait le colis, on en était venu à la conclusion que son texte était malheureusement beaucoup trop long pour être publié dans leur revue, et on lui conseillait de s'adresser plutôt à un éditeur, en lui suggérant quelques maisons d'édition susceptibles de s'intéresser à ce type d'ouvrage.

Nullement découragé mais ayant profité de la leçon, Bernard avait passé l'été à recopier son manuscrit. Aussitôt qu'une copie était terminée, il la mettait à la poste et en recommençait une autre.

Bernard aimait beaucoup écrire à la lueur de la chandelle, le soir, quand toute la maisonnée était endormie. Il se contentait souvent de recopier littéralement quelques chapitres, mais parfois, stimulé par le brandy, il se laissait aller à décrire les perfectionnements qu'il apporterait à sa machine, à spéculer sur le rôle de certains groupes de cellules, ou encore à rédiger de longs passages dithyrambiques sur les progrès de la science. Emporté alors par le mouvement de sa propre prose, il voyait les mots s'emballer sous sa plume, les superlatifs se livrer à de véritables orgies, les phrases s'étirer dans des méandres de subordonnées interminables et s'envoler finalement en un crescendo irrésistible qui devait l'entraîner, de virgule en virgule, jusqu'au point d'exclamation final. Parfois, au terme d'un passage particulièrement lyrique, il était tellement ému qu'il devait s'arrêter pour se sécher les yeux. Même si son dos le faisait souffrir, si sa vision s'embrouillait, si le papier était rugueux et freinait les élans de sa plume, il persistait encore et encore, heureux d'avoir enfin découvert le laboratoire idéal.

Quand sonnait minuit, il se disait toujours qu'il était temps d'interrompre son travail et de monter se coucher... il le ferait immédiatement après avoir terminé son chapitre. À deux heures du matin, il était toujours assis à sa table de travail, notant quelques idées pour des développements futurs. À trois heures, il entendait les pas de Florence qui, encore à moitié endormie, finissait par le convaincre de venir enfin se mettre au lit. Après avoir rangé ses papiers, un peu à contrecœur, il trouvait à peine la force de monter l'escalier; aussitôt étendu, il sombrait dans un sommeil si profond qu'aucun rêve ne venait le troubler.

* * *

Le matin, il arrivait à l'asile un peu avant l'heure pour aller soigner sœur Thérèse. Il n'y avait plus grand-chose à faire, hélas! et il se contentait le plus souvent d'injecter dans ses veines, qu'il trouvait à grand-peine tant elle avait maigri, quelques millilitres de laudanum pour alléger ses souffrances.

— Qu'est-ce que vous m'injectez là, docteur? Ce n'est pas de l'opium, j'espère?

— Mais non, sœur Thérèse, seulement un calmant.

— J'aime mieux ça. Quand je rencontrerai saint Pierre, je veux être en pleine possession de mes moyens car j'ai l'intention de négocier avec lui. Il m'est arrivé déjà, dans une salle, à Paris, d'occuper une si mauvaise place que je n'avais vu que la moitié de l'orchestre pendant toute la durée du concert profane auquel j'assistais. M'imaginez-vous passant l'éternité à ne voir que la moitié de Dieu?

— On vous accordera sûrement une excellente place, sœur Thérèse.

— Vous êtes bien gentil, docteur. Croyez-vous que je rencontrerai saint Joseph?

— J'en suis sûr, sœur Thérèse.

— J'ai bien hâte de savoir ce qu'il pense de mes plans. Et si je vois le Saint-Esprit, je Lui parlerai de vous, docteur. Avez-vous des nouvelles de vos articles?

— Tout va bien, tout va bien. Hier matin, j'ai reçu une offre intéressante d'un éditeur parisien. Le livre devrait paraître à l'automne.

— Est-ce qu'il sera traduit en d'autres langues?

— Bien sûr, bien sûr. En allemand, en anglais, en espagnol...

— Vous me dites bien la vérité, n'est-ce pas?

— Rien que la vérité, sœur Thérèse!

Chaque matin, ils reprenaient la même conversation. Avait-elle oublié? était-elle dupe de ses mensonges? essayait-elle de le prendre en faute? Il ne le sut jamais.

Un jour de novembre, il lui annonça fièrement que le livre paraîtrait incessamment et qu'il le lui apporterait pour qu'elle pût le toucher. L'avait-elle seulement entendu? Il y avait deux semaines qu'elle ne parlait plus, et personne ne savait si elle était encore en mesure d'entendre. On lui avait depuis longtemps administré les derniers sacrements et les religieuses la veillaient jour et nuit en priant pour son âme. Bernard lui injecta alors une dernière dose de laudanum. Elle ne ressentit pas la piqûre. Sa respiration, à peine perceptible, se fit irrégulière.

Elle s'abîma ensuite lentement dans le rêve : le nouvel édifice permanent, puis les pavillons rouges dont elle était si fière réapparaissaient dans sa mémoire... Elle vit ensuite un incendie... une fête donnée en son honneur... des vagues sur l'océan... un congrès à Paris... la basilique Notre-Dame, où elle s'était arrêtée pour une courte prière... Elle avait ensuite visité en vitesse l'Italie, puis la Belgique, l'Angleterre, et l'Écosse... revoilà l'ancien asile, où elle avait fait le tour des pièces pour saluer les religieuses et les patients... ah! les fougères et les pianos... Pièce par pièce, pierre par pierre, l'édifice se désarticulait étrangement pour ne plus laisser apparaître qu'un champ en friche, une immense terre de cent soixante-six arpents, achetée pour trois mille dollars en 1868... Le cœur de sœur Thérèse commença à ralentir sensiblement... Un carrosse l'amenait jusqu'à Valparaiso... puis un bateau en Oregon, où un autre carrosse la conduisait au Vermont, puis à l'hôpital d'Hochelaga, où elle avait soigné les Irlandais atteints du typhus.

Elle sentit alors qu'on lui retirait son alliance: était-ce un rêve? était-ce la réalité? La sensation qu'elle éprouva alors fut très pénible. Elle ne s'appelait plus sœur Thérèse mais Cléophée Têtu, fille de Jean-François Têtu, notaire à Saint-Hyacinthe... de longs mois d'hiver au couvent, des étés à se bercer sur le grand balcon... La petite Cléophée se promène le long d'une jolie route fleurie, sans cailloux, sans mouches, elle traverse des prairies, des champs d'avoine... puis tout se brouille tout à coup. Ne restent que quelques odeurs d'enfance, de vagues sensations, puis une grande chaleur, très douce... Les souvenirs auront bientôt fini de s'enrouler sur eux-mêmes et sœur Thérèse ne sera plus de ce monde.

Elle respire doucement encore, très doucement, ses narines frémissent à peine, mais le cerveau s'est éteint, il n'a plus la force de commander aux poumons, qui se vident de leur dernière bouffée d'air. Son cœur bat encore, irrégulièrement. La vieille pompe résiste toujours un peu, par la force de l'habitude, mais elle n'envoie plus au cerveau que du mauvais sang noir, sans oxygène. Une à une, les cellules du cerveau meurent. Ensuite, ce sera le tour des principaux organes, cellule par cellule...

Sœur Thérèse devait mourir le 22 novembre 1891, à une heure que personne n'aurait su préciser. On ne fit pas d'autopsie, suivant en cela ses dernières volontés. Lui eût-on demandé de la pratiquer que Bernard aurait sûrement refusé. N'empêche que, pendant les semaines suivantes, il eut du mal à chasser de son esprit ce qu'il aurait pu découvrir: sœur Thérèse, plus petite, plus délicate encore que l'était Viviane... à l'intérieur, un inextricable réseau de nerfs solides comme des fils d'acier sur lesquels les ciseaux se seraient brisés... sous les nerfs, de jolis petits organes bien nets, bien rangés, enchâssés dans des écrins qui se seraient ouverts proprement... et, une fois les vaisseaux enlevés, un petit squelette tout blanc... avec lequel on aurait pu fabriquer des reliques qui auraient dégagé de l'énergie pendant des siècles et des siècles... Si seulement il y avait eu moyen d'enfiler une longue aiguille dans son crâne, d'en retirer quelques cellules et, aussitôt régénérées, de les injecter dans le cerveau de patients neurasthéniques...

* * *

Quelques jours après l'enterrement de sœur Thérèse, Bernard avait été convoqué au bureau de sœur Madeleine-du-Sacré-Cœur, qui avait été nommée supérieure de l'asile. C'était une femme forte et décidée, à la mâchoire volontaire et au front large. Sitôt entré dans l'ancien bureau de sœur Thérèse, il fut frappé par tous les changements qu'elle y avait apportés. En l'espace de quelques jours, elle avait fait enlever la moitié des plantes vertes, et sur le mur, derrière elle, elle avait suspendu un gigantesque portrait du pape Léon XIII. En s'assoyant en face de sa nouvelle directrice, Bernard ne put s'empêcher de voir en elle une usurpatrice.

— Dieu vous bénisse, docteur Dansereau. Sœur Thérèse m'a dit le plus grand bien de vous et j'espère que vous resterez longtemps avec nous.

— Je l'espère aussi, ma sœur.

— À la bonne heure. Si je vous ai convoqué ce matin, c'est d'abord pour vous annoncer que certaines choses vont changer à l'asile. Nous devons beaucoup à sœur Thérèse et nous vénérerons toujours sa mémoire. Cependant, il faut bien reconnaître que les temps changent et que nous devons nous adapter à la vie moderne. Nous sommes au seuil du XXe siècle, docteur. Sœur Thérèse avait d'immenses qualités, elle était une administratrice de grand talent, mais, pour des raisons que j'ignore, elle semblait se méfier à outrance du corps médical, et particulièrement des médecins nommés par le gouvernement. Le docteur Paquette, à qui j'en ai parlé ce matin même, m'a avoué avoir beaucoup souffert de cette méfiance quasiment maladive. Je l'ai rassuré. Désormais, je compte m'occuper de l'administration de l'asile et je laisserai aux médecins carte blanche pour tout ce qui concerne les traitements. Le docteur Paquette aura pleins pouvoirs et vous pourrez travailler en paix, docteur Dansereau.

— Je vous en remercie, sœur Madeleine, mais je tiens à vous faire remarquer que sœur Thérèse ne m'a jamais empêché de travailler, loin de là. Vous a-t-elle parlé de quelque chose au sujet de... des arbres de l'asile ou bien des fougères?

— Je ne vois pas ce que vous voulez dire. Cela a-t-il un rapport avec vos expériences? Le docteur Paquette se pose beaucoup de questions à ce sujet, il m'a dit ne pas avoir apprécié ces cachotteries... De quelles expériences s'agit-il donc, docteur?

— Rien de bien extraordinaire: sœur Thérèse et moi partagions un grand intérêt pour la botanique, nous en discutions souvent. Quant aux expériences, il s'agit simplement d'innocentes greffes. Il n'y a vraiment pas de quoi en faire un plat et je comprends mal les inquiétudes du docteur Paquette. Ce doit être un malentendu.

— Sans doute. Vous devriez vous en entretenir le plus vite possible avec le docteur Paquette. Il se fait beaucoup de souci, le pauvre homme.

— Je n'y manquerai pas.

— Parfait. Pendant que nous y sommes, docteur Dansereau, sœur Thérèse vous a-t-elle déjà parlé des nouvelles salles d'hydrothérapie?

— Vaguement, oui.

— Dans ce cas, vous pourriez peut-être m'aider à résoudre un problème. En consultant ces plans avec le docteur Paquette, nous avons constaté que chaque baignoire était équipée d'un curieux appareil électrique. Le docteur Paquette s'est montré tout aussi étonné que moi et même un peu fâché qu'on ne lui ait pas demandé son avis là-dessus. Avez-vous une idée de ce dont il s'agit, docteur?

— Non, je ne vois pas. Peut-être un système pour réchauffer l'eau?

— Ce système existe déjà, il ne servait à rien de le doubler... Bon, puisque personne ne semble savoir ce que c'est, je verrai à ce qu'on modifie les plans. C'est triste à dire, mais, pendant ses derniers jours, sœur Thérèse n'avait plus toute sa tête. C'est bien, docteur Dansereau, vous pouvez retourner à votre travail.

17

Quand Florence avait douze ans, elle croyait qu'il n'y avait sur terre que trois types de femmes : les enfants, les religieuses et les vieilles. Le mariage semblait en effet avoir cette étrange propriété de déformer instantanément les corps des jeunes filles. Après quelques grossesses, les rides sillonnaient les visages, la peau des bras devenait flasque, les coudes rugueux et noirs, les seins énormes et lourds, et le ventre se couvrait de vergetures. Bien avant qu'elles eussent atteint la cinquantaine, les mères devaient porter ces longues robes foncées qui, seules, semblaient leur convenir. Quand Florence s'était mariée, à l'âge de seize ans, elle était convaincue que la même chose allait lui arriver. Mais, son enfance n'ayant pas été particulièrement heureuse, ces changements ne lui avaient inspiré aucune crainte, bien au contraire : si les femmes mariées vieillissaient d'un seul coup, elles semblaient par contre accéder en même temps à une sorte d'état immuable, où l'âge cessait de compter – ce qui lui semblait équitable.

Après quelques années de mariage, elle avait dû revoir ses conceptions. Si son esprit était passé très rapidement de la naïveté au désenchantement, son corps, en revanche, n'avait vieilli que très lentement. Elle avait bien pris quelques livres, au grand plaisir de son mari, mais elle se sentait encore jeune, presque éternelle. Agréablement surprise, elle n'y avait plus repensé jusqu'à son trentième anniversaire, où elle avait découvert que des pattes d'oie étaient venues subrepticement plisser le coin de ses yeux et que des fils argentés se glissaient çà et là dans sa chevelure. Comme elle avait beaucoup mieux à faire que de s'apitoyer sur son sort, elle avait simplement haussé les épaules, puis était passée à autre chose.

Ce n'est qu'à la mort de son mari qu'elle avait pris son premier coup de vieux. Le Seigneur ayant agi comme un voleur particulièrement prévenant, le choc du décès n'avait pas été trop dur; elle se retrouvait néanmoins *veuve*, mot qui, pour Florence, quel que fût son âge et malgré l'excellent état de ses artères, était synonyme de vieillesse. Au retour du cimetière, elle s'était longtemps regardée dans la glace. Ce que l'absence de grossesses avait préservé jusque-là avait éclaté alors en morceaux: elle venait de prendre conscience que la moitié de son existence était irrémédiablement derrière elle.

Quand Bernard était entré dans sa vie, elle ne s'était pas bercée d'illusions. Ce n'était ni une deuxième jeunesse, ni un souffle de renouveau, ni un regain de vie. Au début de leur union, elle devait avouer cependant qu'elle s'était sentie rajeunir. Il faut dire que Bernard parlait beaucoup, contrairement aux autres hommes. Il lui faisait des compliments, s'intéressait à ses activités, lui demandait ce qu'elle pensait de tout et de rien, de sorte qu'à la longue sa vie avait paru plus intéressante à ses propres yeux. Mais cela n'avait pas duré longtemps: par la suite, il ne lui avait plus parlé que de ses ennuyeuses expériences. Si on pouvait appeler cela «parler» d'ailleurs... Ne se contentait-il pas plutôt de réfléchir à voix haute? Il était bien vite redevenu un homme normal, et elle avait dû apprendre à se satisfaire de cette présence lointaine. La transition s'était cependant faite tout naturellement et n'avait donc pas été si désagréable. Les longues absences de son compagnon permettaient à Florence de l'attendre, ce qui représentait encore pour elle la meilleure façon de meubler l'ennui et de donner un sens aux innombrables banalités de la vie. Sans cesse occupé à travailler, le jour à l'asile et le soir dans son laboratoire, Bernard était l'homme tout indiqué pour qui aimait attendre. Du moins jusqu'au décès de sœur Thérèse, événement qui allait tout chambarder.

Il y avait déjà neuf mois qu'elle était partie vers l'autre monde, et pourtant on aurait dit que son âme n'avait pas encore terminé son voyage vers le ciel, car son ombre planait encore sur tout le village de Longue-Pointe.

Le jour de l'enterrement de sœur Thérèse, Bernard, au grand étonnement de Florence, n'avait pas semblé particulièrement ému. Pendant la cérémonie, elle l'avait souvent regardé du coin de l'œil: bien que les témoignages eussent été pathétiques et la messe, interminable, il avait tenu le coup sans broncher, se montrant même d'une dignité exemplaire en répondant de sa belle voix grave aux nombreuses litanies et en adressant à l'église bondée une oraison funèbre d'une touchante sobriété. Désormais, pensait-elle en regardant son compagnon, ils seraient seuls, fin seuls. Mais était-ce vraiment ce qu'elle voulait? Au lieu de considérer sœur Thérèse comme une rivale, n'aurait-elle pas dû la remercier d'avoir insufflé un peu d'énergie à son fiancé, de l'avoir aiguillé sur la voie de la science? N'avait-elle pas trouvé d'instinct, elle qui n'avait jamais été mariée, la façon correcte de traiter un mari? Que ferait-il de ses journées, maintenant qu'elle avait disparu?

N'avait-elle pas honte d'avoir été si longtemps jalouse d'une religieuse? Contre toute attente, c'est Florence qui avait versé quelques larmes.

Si Bernard avait su contenir ses émotions pendant la cérémonie funèbre, le décès de sœur Thérèse allait l'affecter durement pendant les mois suivants. La vie, qui lui avait toujours paru filer à toute allure, lui sembla soudain désespérément lente. Le matin, il déjeunait en silence et allait travailler sans enthousiasme. Quand il passait devant la fenêtre, Florence ne l'entendait plus parler à son cheval que pour bougonner; le soir, il n'avait pas aussitôt posé le pied dans la maison qu'il se servait un grand verre de brandy, qu'il buvait silencieusement en regardant couler le fleuve. Quand il lui arrivait d'ouvrir la bouche, c'était invariablement pour se découvrir des maladies: son cœur ne lui permettait plus de monter les escaliers de l'asile sans ressentir une immense fatigue... Quand le facteur lui apportait une nouvelle lettre de refus concernant la publication de ses recherches, c'était pis encore: son cœur se trouvant au plus mal, il devait aussitôt boire quelques verres de brandy pour le stimuler.

Si l'attente d'un homme n'était pas pour Florence une activité désagréable, encore fallait-il que cette attente ne fût pas perpétuelle. Cela pouvait durer toute la journée, c'était encore raisonnable, mais s'il fallait en plus passer ses soirées à espérer qu'il se secoue enfin les puces, le jeu n'en valait plus la chandelle. Il lui fallait réagir.

En ménagère experte, elle connaissait les effets bénéfiques que pouvait parfois avoir un simple ménage de printemps sur les humeurs des habitants d'une maison. Quand les fous qu'elle avait gardés chez elle tout un été s'en étaient retournés à l'asile, elle avait entièrement refait l'aménagement de sa maison. Le docteur Villeneuve occupait désormais la grande chambre de l'étage et Oscar logeait au rez-de-chaussée, dans la petite chambre située derrière la cuisine, ainsi entouré de gens qu'il aimait, Bernard reprendrait peut-être goût à ses expériences. Mais ce n'est pas en multipliant les vies éteintes qu'on pouvait en bâtir une nouvelle. Le docteur Villeneuve avait beaucoup vieilli, lui aussi, depuis la mort de sœur Thérèse, et il n'était plus le compagnon chaleureux qu'il avait été pendant les quelques mois qu'avait duré la reconstruction de Saint-Jean-de-Dieu. Devenu rentier, il passait ses journées à lire les journaux, à faire des patiences et à se plaindre des méfaits de l'âge. Quant à Oscar, sa présence n'avait rien arrangé. Il aimait son travail à l'asile et rendait de menus services à la maison, mais pour le reste il demeurait silencieux. Il avait bien tenté quelquefois de remonter le moral aux deux médecins, mais ses tentatives ayant été vaines, il s'était discrètement effacé. Il avait bien vite senti qu'il est des moments où la bonne humeur des autres est insupportable.

Florence, qui avait toléré cette situation pendant tout l'été, avait décidé d'y mettre un terme. «Quand j'y songe, se disait-elle, avant que sœur Thérèse ne meure, Bernard passait la moitié de ses nuits à écrire et il se levait d'excellente humeur le matin; maintenant qu'il dort toutes ses nuits, il ne cesse de se plaindre de sa fatigue... Le docteur Villeneuve, lui, n'arrive même plus à lire deux lignes de son journal sans se lamenter de l'état de ses pauvres yeux; pourtant, il n'y a pas si longtemps encore, il pouvait lire des pages et des pages de traités sur le magnétisme... Non, décidément, l'oisiveté n'apporte rien aux hommes.»

Le mois d'août s'achevait. Viendraient les pluies, les jours sombres, le mois des morts, l'interminable hiver. Il fallait intervenir au plus vite avant qu'ils s'encrassent dans leur mauvaise humeur. Ses médecins avaient besoin de s'occuper? Rien de plus simple: une bouilloire, une machine à écrire et une conversation avec Oscar, voilà tout ce dont elle aurait besoin. La vieillesse est peut-être un naufrage, mais personne n'est obligé de passer ses journées dans la cale à regarder l'eau s'infiltrer entre les planches.

* * *

Florence avait entraîné Oscar sur la rive du fleuve où elle croyait trouver quantité de ces petits morceaux de bois bien sec qui provenaient des caisses que laissaient parfois tomber les bateaux. C'était si utile pour allumer le feu...

— Dites-moi franchement, Oscar, votre machine, elle fonctionnait vraiment?

— Bien sûr qu'elle fonctionnait! Si vous m'aviez connu avant mon traitement, vous n'en douteriez pas!

— Vous étiez fou, avant?

— J'étais surtout malheureux. Peut-être que j'étais un peu fou aussi, mais pas plus que tout le monde.

— Et maintenant?

— Il m'arrive parfois d'être malheureux pour les autres, mais pas pour moi.

— Bon, nous allons bien nous entendre. Combien Bernard, le docteur Villeneuve et vous-même avez-vous traité de patients avant l'incendie?

— Cinquante, soixante... je sais pas.

— Et ça marchait?

— Ça les guérissait pas de leur folie, mais ça les rendait au moins de bonne humeur.

— Qu'est-ce qui vous empêche de recommencer?

— C'est impossible, du moins tant que le docteur Paquette va être le surintendant. Si vous le voyiez faire, à l'asile! Depuis que sœur Thérèse est partie, il est toujours sur le dos du docteur Dansereau. Un jour, après le travail, on a essayé d'aller dans la nouvelle salle d'hydrothérapie, seulement pour voir. Quand le docteur Paquette a appris ça, il nous a interdit d'y retourner. C'est lui qui dirige, maintenant, et sœur Madeleine mange dans sa main. Du temps de sœur Thérèse...

— Ce n'est tout de même pas sœur Thérèse qui mettait les patients dans l'eau. Au fait, aviez-vous besoin d'autre chose que d'un bain?

— Du tilleul, de la vaseline et un casque.

— Quelle sorte de casque?

— Un casque de cuir. Dedans, il y avait des aimants, avec une machine électrique.

— Soit dit entre nous, Oscar, croyez-vous que Bernard reprendrait ses expériences si on lui procurait tout ce qu'il lui faut?

— Je pense pas.

— Et pourquoi donc? Vous êtes la preuve vivante que ça marche, non?

— C'est ce que je me tue à lui dire, mais il me répond toujours qu'aux yeux de la science, l'efficacité, c'est pas une preuve.

— Qu'est-ce que ça veut dire?

— Je sais pas, je fais que répéter ce qu'il dit.

— C'est bien la chose la plus stupide que j'aie jamais entendue... Et si la science disait qu'il avait raison?

— Il reprendrait ses expériences, c'est sûr.

Tout marchait comme elle l'avait espéré. Il y avait longtemps qu'Oscar ne ramassait plus de petit bois. Il regardait le fleuve, au loin... Quelque chose s'était allumé dans ses yeux...

— Dans ce cas, Oscar, accepteriez-vous de travailler avec lui?

— Rien me ferait plus plaisir, mais je vois pas comment vous pourriez y arriver.

— Donnez-moi votre parole que vous ne direz rien à Bernard et je vous garantis qu'il se remettra à ses expériences dès la semaine prochaine. J'aurai besoin de vous. Est-ce que j'ai votre parole?

— Vous l'avez. Qu'est-ce que je dois faire?

— D'abord, il faut trouver quelqu'un qui sait écrire à la machine.

— Je pourrais demander à sœur Sabithe. Elle travaille au bureau des admissions depuis que sœur Madeleine a pris les commandes. Elle nous permettrait peut-être d'utiliser sa machine?

Quand ils étaient rentrés à la maison, ni Oscar ni Florence n'avaient pensé à rapporter du bois. Bernard en avait été quelque peu étonné mais n'avait pas posé de question. Il avait plutôt replongé le nez dans son journal, se laissant emporter par l'enthousiasme d'un journaliste – il devait être bien jeune! – qui décrivait le fonctionnement du moteur à explosion et tentait de faire croire au lecteur qu'on monterait bientôt ce type de moteur sur des voitures. Bernard avait beau se creuser les méninges, il n'arrivait pas à voir dans cette invention un réel progrès : qui donc serait assez fou pour parler à un moteur?

* * *

Gouverner, c'est prévoir. Quelques mois avant le décès de sœur Thérèse, le docteur Paquette, qui avait su tirer une leçon de ses relations houleuses avec la supérieure, avait entrepris de faire la conquête de sœur

Madeleine. Il avait utilisé pour cela une tactique en deux étapes qui lui avait été souvent profitable en d'autres circonstances. Partant du principe selon lequel les femmes – car sœur Madeleine, après tout, était *aussi* une femme – ne s'intéressent jamais aux hommes médiocres, il importait dans un premier temps de susciter l'admiration de la religieuse. Comme elle avait toujours manifesté un profond respect à l'égard de toute autorité, il avait discrètement fait étalage de sa double fonction de médecin et de premier surintendant médical. De toute évidence, elle se laisserait impressionner par un homme qui incarnait la science en personne et qui était en outre l'émissaire du pouvoir civil; c'était la base indispensable sur laquelle il pourrait construire une relation plus profonde, le moment venu.

La seconde étape consistait à exploiter cet autre principe qui veut que l'esprit d'économie des femmes les conduit à ne pas supporter le gaspillage : elles remueraient mer et monde pour remédier à ce qu'elles croient être un gaspillage de talents. Petit à petit, sans jamais trop insister, il avait donc semé quelques phrases propres à provoquer chez la nouvelle directrice un élan de commisération. Sœur Thérèse lui en avait toujours voulu de s'être fait le porte-parole du gouvernement, et jamais il n'était parvenu à lui faire comprendre son point de vue. Pourquoi fallait-il qu'à cause de cette incompréhension il dût être victime de tant d'injustices? Pendant deux ans, il n'avait eu droit ni à un bureau pour ranger ses papiers ni à la clé de la pharmacie. Quand le docteur Howard avait démissionné, il était venu bien près de l'imiter, mais il était resté en place, convaincu que sœur Thérèse finirait par comprendre à quel point il lui était dévoué. Elle avait malgré cela continué de le mépriser. Seul le docteur Dansereau – qui était sûrement un excellent médecin par ailleurs, bien qu'il n'eût jamais étudié à Paris... – avait eu droit à ses faveurs. Il avait pu mener pendant longtemps ses mystérieuses recherches, sans jamais en souffler mot aux aliénistes, qui n'auraient pourtant demandé mieux que de l'aider...

La tactique du docteur Paquette avait fonctionné à merveille. Touchée par ses malheurs, éprouvant envers lui une sorte de pitié affectueuse, sœur Madeleine lui avait promis son appui inconditionnel : désormais, il serait le seul et unique responsable de toutes les questions médicales. S'il avait besoin de quoi que ce soit, il n'avait qu'à le demander. Triomphant, il en avait profité pour faire établir une longue liste de règlements visant à donner le monopole des soins aux aliénistes. Il n'avait pas réussi toutefois à obtenir d'elle le moindre renseignement pertinent sur les recherches du docteur Dansereau : sœur Madeleine n'en avait jamais rien su, mais elle s'en informerait.

Un peu déçu, mais fort tout de même de cet indispensable soutien, il avait poursuivi son enquête auprès des religieuses. Comme elles n'en savaient pas plus que leur supérieure, il s'était retrouvé tout simplement devant une interminable série de fausses pistes. En interrogeant les patients, il avait tout de même fini par apprendre que le docteur Dansereau avait donné des bains prolongés à plusieurs d'entre eux. Comment y était-il donc parvenu? Il n'utilisait pourtant jamais la salle d'hydrothérapie... Sœur Thérèse lui aurait-elle permis d'aménager une salle secrète dans l'ancien asile? Quelle sorte de traitement avait-il fait subir aux patients pour qu'ils soient tous atteints d'un état de béatitude proche de l'idiotie? Comment ce diable d'homme avait-il pu modifier aussi radicalement leurs comportements?

D'indice en indice, il avait fini par apprendre que garde Girard avait été complice de ces expériences. Il avait donc essayé de l'apprivoiser, mais l'infirmière s'était si souvent fait faire le coup de la pitié qu'elle l'avait senti venir à mille lieues. Elle avait pourtant résisté à l'envie de l'éconduire et avait fait semblant de jouer son jeu. Avec l'accord du docteur Dansereau, elle lui avait même avoué qu'elle avait bel et bien participé à ces expériences, mais qu'elle avait juré de garder le secret. Il n'était pas question qu'elle revînt sur sa parole. Jamais, de toute sa vie, elle n'avait reçu autant d'attention de la part d'un médecin. Le docteur Paquette lui avait d'abord offert des journées de congé supplémentaires, une augmentation de salaire, puis lui avait promis de l'aider à obtenir le poste de directrice de l'école des infirmières; il lui donnerait la lune... et une bonne partie du système solaire. Les distractions étant rares à l'asile, garde Girard n'allait pas manquer une si belle occasion de s'amuser; elle n'allait pas l'empêcher de s'humilier ainsi en la suppliant à genoux, c'était une si douce vengeance de le voir languir pendant des semaines.

Mais, toute bonne chose ayant une fin, garde Girard, qui craignait que le docteur Paquette n'abandonnât, avait fini par lui donner son petit morceau de sucre. Feignant une profonde douleur morale, elle lui avait avoué qu'elle se sentait déchirée: si elle ne pouvait pas trahir sa promesse, elle n'arrivait pas cependant à admettre que le surintendant médical ignorât des recherches aussi importantes... Pour se sortir de ce dilemme, elle avait décidé d'aider le docteur Paquette à trouver lui-même la réponse en le guidant vers une piste prometteuse: s'il allait trouver Wilfrid, au poulailler, peut-être que...

Elle n'avait pas terminé sa phrase que le docteur Paquette, trop fébrile pour penser à se vêtir correctement, se précipitait au poulailler. Quand la porte s'en était ouverte, il était complètement détrempé par la pluie et ses guêtres toutes neuves étaient tachées de boue.

— Docteur Paquette, je présume?

— En effet. Vous m'attendiez?

— Oui. C'est-à-dire que non... Si vous venez pour vous plaindre du goût de mes poulets, je tiens à vous dire que je suis pas responsable de leur cuisson.

— Je ne suis pas venu pour me plaindre, mais pour m'informer. Est-ce que je peux entrer?

— Impossible! mes poules dorment. Quand le ciel est couvert, elles s'imaginent que c'est la nuit. Je vous prierais d'ailleurs de parler à voix basse, elles ont le sommeil léger. Qu'est-ce que je peux faire pour vous?

— On m'a dit que vous pourriez me donner des informations concernant les expériences du docteur Dansereau.

— Vous voulez la recette du bonheur?

— Précisément. Vous la connaissez?

— Bien sûr que je la connais, c'est moi qui l'ai inventée.

— Est-ce que vous pourriez me la donner? Je suis le surintendant médical, voyez-vous...

— J'ai aucune objection à vous la donner quand même. Vous avez un crayon?

— Oui, mais je n'ai pas de papier, et même si j'en avais, il serait tout mouillé... Vous êtes sûr que je ne peux pas entrer? Il pleut à verse...

— Seulement si vous me promettez de pas faire de bruit.

— C'est promis.

Le docteur Paquette s'était installé sur un coin de table, et Wilfrid lui avait fait la dictée. Une heure plus tard, le docteur Paquette avait couvert d'écriture les quatre grandes feuilles de papier de soie que Wilfrid avait bien voulu lui donner. Ce soir-là, il avait passé de longues heures à transcrire la recette sur des feuilles propres : à en croire Wilfrid, il lui faudrait décortiquer les cerveaux de cinq cents poulets, nourris exclusivement aux graines de chanvre indien, en extraire des cellules – qui ressembleraient aux ailes de l'archange Gabriel – , les faire macérer dans du brandy, puis les faire sécher au soleil pendant six mois avant de les réduire en une fine poudre, qu'il administrerait finalement aux patients sous forme d'un breuvage composé d'une partie de cette poudre pour dix parties d'eau de Pâques...

Outre un vilain rhume qu'il allait mettre du temps à guérir, le docteur Paquette avait retiré de cette journée l'impression fort désagréable qu'on s'était joué de lui.

* * *

Aussitôt rentré à la maison, Bernard se verse un grand verre de brandy et jette un coup d'œil distrait à la lettre qu'on a négligemment laissée sur le comptoir de la cuisine. Florence pèle des pommes de terre tandis qu'Oscar donne un coup de balai; tous deux ont les yeux rivés sur lui. Bernard tourne et retourne l'enveloppe entre ses doigts, une lueur d'espoir furtive dans les yeux, la repose sur le comptoir en haussant les épaules, fait quelques pas vers son fauteuil préféré, s'arrête, semble hésiter quelques instants, puis retourne prendre la lettre. Bien assis dans son fauteuil, il boit quelques gorgées de brandy et s'allume un cigare avant d'ouvrir finalement l'enveloppe d'un coup sec. Après avoir déplié lentement le papier de soie, il lit quelques lignes et dépose la feuille sur la desserte, à côté du cendrier.

— Quoi de neuf dans les journaux, docteur Villeneuve?

— Rien de bien extraordinaire. On parle encore beaucoup de la question des écoles du Manitoba...

Florence et Oscar se regardent, incrédules. Elle laisse parler les deux médecins quelques instants, puis, en mettant le couvert:

— Du nouveau à l'hôpital, Bernard?

— Non, rien de neuf. Quelques foulures, et ces éternelles oreilles à déboucher!

— Et... la lettre?

— Quelle lettre?

— Celle que tu viens de lire? Elle venait de France?

— Oui, encore un éditeur.

— Et qu'est-ce qu'il dit?

— Je ne sais pas, je ne l'ai pas lue.

— Il m'a bien semblé que tu l'avais regardée, pourtant.

— Seulement en diagonale. Je commence à être habitué: «Cher docteur Dansereau, nous avons lu avec grand intérêt le remarquable manuscrit que vous nous avez fait parvenir, et c'est avec grand plaisir que...»

Bernard pose aussitôt son cigare et son verre, reprend la lettre, qu'il relit quatre fois, les yeux écarquillés. Oscar range son balai, Florence cesse de disposer les assiettes et le docteur Villeneuve, intrigué par ce silence soudain, pose son journal.

— De bonnes nouvelles?

— Oui, c'est un éditeur parisien qui accepte de publier mon texte, tout en me recommandant de l'abréger considérablement. D'après eux, le manuscrit ne devrait pas compter plus de trois cents pages...

— Qu'est-ce que vous allez faire?

— Je vais y réfléchir... Qu'est-ce que tu nous a préparé, Florence? Je meurs de faim.

Il y a bien longtemps que Bernard ne s'est intéressé au menu et qu'il n'a mangé d'aussi bon appétit. Après le repas, tandis qu'Oscar aidera Florence à laver la vaisselle, les deux médecins resteront longtemps attablés et noirciront des dizaines de feuilles. Ce soir-là, Bernard ne se couchera pas avant minuit. En se mettant au lit, il demandera à Florence si ce serait bien compliqué d'installer l'électricité dans l'étable.

* * *

Dès le lendemain matin, Florence se présentait au bureau de sœur Madeleine.

— Ma sœur, j'ai une proposition à vous faire. J'habite Longue-Pointe, à un mille à peine de l'asile. Il y a deux ans, quand il y a eu l'incendie, j'ai accueilli une dizaine de fous chez moi. Je me demandais si ça ne pourrait pas vous rendre service que j'en accueille encore quelques-uns. À leur sortie de l'asile, certains doivent se trouver bien démunis; je pourrais peut-être leur offrir le gîte, en attendant qu'ils se trouvent un emploi ou que leur famille vienne les chercher...

— C'est une excellente idée, mais j'ai bien peur de ne pouvoir vous dédommager. Le gouvernement...

— Je ne vous demanderais rien du tout, ma sœur.

— Rien du tout? Pardonnez ma surprise, mais je ne suis pas habituée à un tel désintéressement. Pourquoi donc me faites-vous une telle proposition, madame?

— Pourquoi? Parce que... Ma maison est bien grande, voyez-vous, et mes devoirs de charité me... J'ai toujours eu beaucoup d'admiration pour sœur Thérèse...

Au grand soulagement de Florence, qui n'avait pas prévu la question et qui ne savait plus quoi dire, sœur Madeleine s'était levée pour mettre fin à la conversation.

— C'est bien. Quand seriez-vous prête à commencer?

— Dès la semaine prochaine, ma sœur.

— Je vous remercie infiniment, madame, et je prierai le Seigneur pour qu'Il vous récompense comme vous le méritez.

— C'est moi qui vous remercie, ma sœur.

Florence était rentrée chez elle, satisfaite de la réussite de son plan. Mais elle était tout de même un peu inquiète: trouverait-elle quelque maison qui accepterait d'imprimer un livre en un seul exemplaire? Combien cela allait-il lui coûter? Il lui avait été facile de décacheter l'enveloppe de l'éditeur pour y glisser la lettre qu'Oscar lui avait apportée, mais comment s'y prendrait-elle pour que son livre soit posté depuis Paris?

En se mettant au lit, ce soir-là, elle s'était dit que Bernard, bien trop occupé à installer sa machine électrique dans la grange et à donner des bains aux patients, ne pourrait travailler sérieusement à son manuscrit. Il lui faudrait sans doute des mois avant d'y arriver... elle aurait bien le temps de voir venir... il suffirait de régler les problèmes un à un. Pour le moment, il avait repris le collier: c'était tout ce qui comptait.

Elle avait ensuite repensé à sa conversation avec sœur Madeleine et imaginait la supérieure prier pour elle, demandant au Seigneur de la récompenser pour son geste charitable... Elle avait un peu honte: comment le Seigneur réagissait-Il aux prières non méritées?

18

Le docteur Clément était un homme de pouvoir. À force d'exercices, il était depuis longtemps rompu à adopter en toute circonstance des attitudes conformes à la haute idée qu'il avait de lui-même. Quand il faisait des promenades en compagnie de sa femme ou de quelques amis, il lui arrivait, comme tout un chacun, de rêvasser doucement; craignant d'être surpris en flagrant délit d'oisiveté, il s'arrêtait alors subitement, à intervalles irréguliers, et plissait le front, comme s'il se livrait à d'intenses réflexions. L'effet était magique : ses proches étaient persuadés que son cerveau était en perpétuelle ébullition.

Il agissait de même avec ses collègues, et plus encore avec ses subalternes. Sa secrétaire entrait-elle à l'improviste dans son bureau de l'université qu'il était toujours occupé à lire ou à écrire quelque chose dans un de ses cahiers de notes. Jamais elle ne s'était doutée que les yeux de son patron s'étaient perdus entre deux lignes ou bien qu'il griffonnait quelque dessin dans les marges. Quand il lui dictait des lettres de routine, il s'installait à la fenêtre, les mains dans le dos, le regard perdu dans le lointain : peut-être proférait-il des banalités… néanmoins, cela n'empêchait pas son esprit de s'occuper à quelque tâche supérieure.

Quand sa secrétaire était venue, un matin de janvier, lui apporter son courrier, elle l'avait pourtant surpris, les pieds sur le bureau, les mains derrière la nuque et le sourire satisfait, à regarder le plafond. La chose était si rare qu'elle l'avait cru malade; aussi avait-elle hésité à déposer quelques lettres décachetées devant lui.

— Votre courrier, docteur.

— Plaît-il?

— Votre courrier... Dois-je le laisser sur votre bureau?

— Faites donc, j'y jetterai un coup d'œil dès que j'en aurai le temps. Si on me demande, dites que je suis très occupé.

— Bien, docteur.

Le docteur Clément avait de quoi être satisfait. Réélu avec une forte majorité au poste de conseiller municipal, il avait attiré l'attention de quelques organisateurs du Parti libéral, qui voyaient en lui un candidat de choix pour les prochaines élections. À la veille du jour de l'An 1882, il avait été invité à une réception donnée chez Wilfrid Laurier, à Saint-Lin. Il avait longuement discuté avec le chef de l'opposition et avait été séduit tant par ses manières distinguées que par son éloquence: non, la réputation de grand orateur que Laurier s'était acquise n'était pas surfaite. Il lui avait parlé de la concorde qu'il voulait créer entre les races du Canada et de sa vision d'un pays tout entier tourné vers le progrès matériel et moral. Le docteur Clément avait bu avec délectation ces paroles sages et teintées d'un sain libéralisme, puis avait avoué à Laurier qu'il se sentait lui aussi une âme de libéral, non pas à la manière française, par trop destructrice et païenne, mais à la britannique : un libéralisme empreint de justice et de modération dans le changement. Laurier avait apprécié ces propos et lui avait confié qu'il avait besoin d'hommes de sa trempe dans son équipe; il songeait même à lui confier un ministère.

Le docteur Clément jeta un coup d'œil à son courrier qui dormait sur le bureau, tout en laissant voyager encore quelques instants son imagination : il se voyait à Ottawa, livrant un discours enflammé devant le Parlement, puis sur un bateau qui l'amenait à Londres où on l'avait envoyé dans le cadre de quelque mission diplomatique importante. Quand il eut fait son plein de rêves, il poussa un long soupir et se pencha finalement sur les lettres qu'il avait reçues.

Après en avoir classé quelques-unes et s'être amusé à façonner des boulettes avec les autres, il tomba sur un court article d'une dizaine de pages, curieusement intitulé «Les aimants et les humeurs». Cette allitération le ravit et il lut avec grand intérêt la lettre de présentation. Le signataire de l'article, un certain docteur Dansereau, souhaitait lui soumettre un court résumé de ses recherches en vue d'une publication dans la *Revue médicale du Canada français* afin, disait-il, que ses théories fussent connues de ses compatriotes avant d'être publiées en France.

Le docteur Dansereau? Le nom lui rappela vaguement quelque chose, mais il ne prit pas la peine d'y réfléchir plus longtemps : si un éditeur français avait accepté de le publier, c'était, sans l'ombre d'un doute, un article digne de figurer dans sa revue. Il appela aussitôt sa secrétaire et lui demanda d'abord de réserver quelques pages pour ce texte dans le numéro du printemps, puis de chercher à contacter le plus rapidement possible ce docteur Dansereau, domicilié à Longue-Pointe, pour l'avertir de sa décision.

Quelques jours plus tard, après ses cours à l'université, le docteur Clément alla prendre un verre au club Saint-Denis en compagnie de quelques amis : le docteur Gingras, médecin à l'hôpital Notre-Dame, le docteur Forest, qui pratiquait à l'Hôtel-Dieu, et maître Hébert, avocat de la couronne. Les hommes discutèrent médecine et le docteur Clément en vint tout naturellement à parler de la lettre qu'il avait reçue du docteur Dansereau.

— Dansereau... C'est un nom qui me rappelle quelque chose, dit le docteur Gingras. C'était il y a bien longtemps, du temps de mes études à l'université... J'y suis : c'était un de mes condisciples, je me souviens même d'avoir pratiqué ma première autopsie en sa compagnie. Oui, c'est un souvenir inoubliable! Vous savez tous comment on devait procéder avant qu'on ait voté l'acte d'anatomie... Un drôle de type, assez idéaliste, et très intéressé par le fonctionnement du cerveau. Mais j'ignorais qu'il poursuivait des recherches, je croyais plutôt qu'il pratiquait tranquillement à Hochelaga. Qu'est-ce qu'il raconte?

— D'après ce que j'ai compris, il utiliserait des aimants qui auraient la propriété, quand on les appose sur le crâne de certains aliénés, de modifier leur humeur. Il fait état de plusieurs expériences qui semblent concluantes, mais j'avoue entretenir un doute : les fondements théoriques me semblent bien faibles... À franchement parler, je le soupçonne même de fumisterie. Vous vous souvenez tous des expériences de magnétisme de lord Durham... J'espère ne pas avoir fait d'erreur en acceptant son article avant de l'avoir lu.

— Mais ne nous avez-vous pas dit qu'il publierait un ouvrage en France?

— En effet, chez un éditeur très connu.

— Dans ce cas, aucun doute n'est permis: il doit s'agir d'une découverte importante. Vous avez bien fait de l'accepter, j'en aurais fait autant à votre place. Et maintenant, dites-moi, comment vous êtes-vous entendu avec Laurier?

Maître Hébert, qui n'avait été jusque-là qu'un témoin distrait de cette conversation, s'anima alors, et les quatre hommes ne reparlèrent plus de médecine de toute la soirée.

La mémoire est capricieuse et il arrive qu'une conversation qui ne nous était pas destinée y laisse, bien malgré nous, quelque trace. Maître Hébert jouissait d'une excellente santé et ne s'intéressait donc que de très loin à la médecine. La société des gens instruits étant à cette époque plutôt restreinte, il lui arrivait souvent, cependant, de fréquenter des médecins. Peut-être cela expliquait-il que son cerveau eût été habitué à enregistrer des fragments de conversations médicales...? Maître Hébert fut invité, quelques semaines après sa rencontre avec ses amis au club Saint-Denis, à une réception donnée à l'hôtel de ville. Comme il se promenait de groupe en groupe, dans l'espoir d'y trouver soit un contact politique intéressant, soit quelque jolie femme, il se trouva par hasard en présence du docteur Paquette, qui devisait en charmante compagnie. Il se mêla à la conversation, au cours de laquelle il apprit que le docteur Paquette était aliéniste; il tenta alors de se rendre intéressant en lui demandant s'il était au courant de certaines recherches récentes menées par un médecin de Longue-Pointe : il avait entendu dire qu'on avait trouvé un moyen d'influencer les humeurs des aliénés... Maître Hébert ne s'attendait pas à ce que cette phrase innocente, qu'il n'avait lancée que pour meubler une conversation jusque-là passablement décousue, déclenchât chez le docteur Paquette une réaction aussi vive.

— Maître Hébert, vous ne pouviez mieux tomber, lui dit le docteur Paquette après avoir entraîné son interlocuteur à l'écart, je suis le directeur médical de l'asile Saint-Jean-de-Dieu et tout ce qui concerne l'humeur m'intéresse prodigieusement. Vous disiez donc avoir entendu parler de recherches?

— Vaguement, très vaguement... si vous attendez de moi un exposé médical, j'ai bien peur de vous décevoir. Je suis avocat, voyez-vous, et...

— Personne n'est parfait. Où donc avez-vous entendu parler de ces recherches?

— Au club Saint-Denis, il me semble, où quelques amis médecins avaient glissé quelques phrases, tout au plus, à ce sujet. Si ma mémoire est bonne, le docteur Clément disait avoir reçu un article pour sa revue.

— Vous souvenez-vous du nom de l'auteur?

— Non, je suis désolé.

— Est-ce qu'il ne s'agirait pas par hasard d'un certain docteur Dansereau?

— C'est possible, oui.

— Et de quoi son article parlait-il?

— Écoutez, vous ne tirerez pas grand-chose de moi, je vous répète que je n'entends rien à la médecine...

— Pardonnez-moi de vous importuner avec mes questions, cher maître, mais ces recherches sont très importantes. Le docteur Dansereau est un de mes amis, voyez-vous, et il est un brin cachottier. Par modestie, sans doute, il n'a jamais parlé à ses collègues de cette publication et nous serions nombreux à vouloir le féliciter... Vous êtes sûr que vous ne vous souvenez pas du titre de son article?

— Non, je suis désolé. Mais maintenant que j'y pense, il me semble qu'il était question d'une machine électrique qu'on branchait sur le crâne des aliénés, ou quelque chose dans ce genre-là... Vous devriez en parler au docteur Clément: il vous renseignerait beaucoup mieux que moi.

— Je n'y manquerai pas. Je vous remercie infiniment, maître Hébert.

Le docteur Paquette alla encore serrer quelques mains, pour ensuite rentrer immédiatement chez lui. Une machine électrique... branchée sur le crâne des aliénés. C'était donc ça... Il passa la nuit à faire des plans et, le lendemain matin, dès neuf heures, il téléphona au docteur Clément.

— Dites-moi, cher ami, est-il vrai que vous ayez reçu un article d'un certain docteur Dansereau?

— En effet, et il sera publié dans notre prochain numéro.

— L'avez-vous encore sous la main?

— Non, malheureusement: il est déjà à l'imprimerie.

— Le contenu de ce numéro est-il arrêté?

— Presque entièrement, oui. Auriez-vous un article à nous soumettre?

— Je travaille actuellement à une recherche formidablement importante. Si mon intuition est juste, ce que je pourrai vérifier d'ici quelques jours, je vous enverrai un article qui fera beaucoup de bruit. Serait-ce trop vous demander de me réserver quelques pages?

— Certainement, cher ami. Nous connaissons la qualité de vos contributions et je suis certain que le comité de rédaction approuvera ma décision. Mais il faudra faire vite.

— Accordez-moi deux semaines, vous ne le regretterez pas. Je vous promets une bombe.

* * *

— Dieu vous bénisse, sœur Jeanne. Quoi de neuf ce matin?

— Dieu vous bénisse, docteur Dansereau. Vous aurez une dure journée, je le crains : Louis Campagna a déjà commencé à opérer, il vous attend. C'est le premier du mois, l'auriez-vous oublié?

— Non, je n'ai pas oublié. J'ai pris un peu de retard à cause de la tempête. Combien de patients?

— Une cinquantaine.

— Bon. Allons-y, puisqu'il le faut. Toujours pas de nouvelles du docteur Paquette?

— Non, c'est un peu étrange. D'après sœur Pudentienne, il aurait installé près de la salle d'hydrothérapie une espèce de laboratoire rempli de machines diaboliques et où on entend des cris affreux.

— Qu'est-ce qu'il fabrique?

— Personne ne le sait, il est le seul à posséder la clé de cette salle. Il y reste enfermé toute la journée avec des patients. Sœur Pudentienne a voulu y installer quelques fougères, mais il a fait une de ces colères... C'était la première fois dans l'histoire de l'asile que quelqu'un utilisait un pot de fougères comme projectile. Il fallait que ce soit un médecin... Mais, vous savez, sœur Pudentienne a beaucoup d'imagination, il ne faut pas toujours la croire sur parole, et puis elle n'a plus toute sa tête: hier encore, elle me demandait où se trouvait sœur Thérèse. Je lui ai répondu qu'elle était en voyage...

— Vous avez bien fait. Dieu vous bénisse, sœur Jeanne.

* * *

Louis Campagna était l'un des meilleurs gardiens de l'asile: c'était un homme doté d'une force herculéenne, mais il était d'une infinie douceur avec les patients. Avant d'entrer à l'hôpital, il avait été successivement briquetier, maçon, videur d'hôtel, cantonnier, ferblantier et homme fort dans un cirque. Bien qu'il eût travaillé comme quatre et qu'il eût toujours été d'une sobriété exemplaire, il n'avait jamais réussi, à cause de son épilepsie, à conserver ses emplois plus de quelques mois. Ses attaques étaient rares et très faibles – il ne lui aurait fallu la plupart du temps que quelques instants de repos pour se remettre à l'ouvrage – mais il inspirait une telle crainte à ses camarades de travail qu'on le congédiait sur-le-champ aussitôt qu'un début de crise le terrassait.

Depuis qu'il était à l'emploi de l'asile, tout le monde était satisfait de son travail. On faisait souvent appel à ses services pour contenir les patients agités et pour contrôler les bagarres – sa seule présence avait un effet dissuasif immédiat –, et aussi lorsqu'il fallait extraire des dents. Comme c'était un travail particulièrement pénible, on avait décidé depuis longtemps de regrouper tous les cas le même jour, généralement le premier de chaque mois. On avait installé à cet effet dans une salle du sous-sol, près des fournaises, un solide fauteuil en chêne équipé de courroies de cuir aux pieds et aux accoudoirs. Du matin au soir, Louis arrachait des dents. Il arrivait souvent qu'un malade demandât de les lui enlever toutes en même temps pour en finir en une fois avec ce calvaire.

Pour ces opérations, Louis était toujours assisté d'une religieuse, qui priait pour les patients et les réconfortait, et d'un médecin, chargé d'arrêter les hémorragies, d'extraire des gencives les morceaux de dents fissurées, de soigner les infections et de ranimer ceux qui s'étaient évanouis. Le docteur Villeneuve avait accompli cette tâche jusqu'à sa retraite; Bernard, qui avait ensuite pris la relève, avait, avec l'accord de sœur Madeleine, humanisé le traitement en offrant aux patients une rasade de brandy.

Au moment où Bernard entra dans la salle des tortures, Louis se lava les mains; dans le seau, l'eau était déjà rose.

— Bonjour Louis, vous avez commencé?

— Tout va bien, j'en suis à mon cinquième. Des cas légers. Aucun problème jusqu'ici, mais ça ne devrait pas tarder. Le prochain doit se faire enlever toutes les molaires, c'est complètement pourri. Le gars est costaud, mais il n'est pas trop brave; il s'est évanoui avant même d'arriver dans la salle. Sœur Angèle s'occupe de lui.

— Donnez-lui deux verres de brandy, ça va le calmer. C'est normal qu'il ait peur, mettez-vous à sa place.

— Justement, docteur, à propos de peur, il se passe quelque chose de bizarre… maintenant que nous avons le temps, j'aimerais vous en parler. C'est à propos du docteur Paquette.

— Ne me dites pas que vous lui avez arraché des dents?

— Non, malheureusement. Ce sont ses patients qui ont peur. J'en ai soigné deux ce matin, qui m'ont dit la même chose: «Quand on est passé une seule fois entre les mains du docteur Paquette, on n'a plus peur de l'arracheur de dents.» Qu'est-ce qu'il leur fait?

— Aucune idée.

— Ça me regarde pas, mais si j'étais vous, je ferais une enquête. C'est pas normal qu'ils me disent ça. Si sœur Thérèse était encore ici, elle le laisserait pas faire, ça, c'est certain.

— J'y verrai, c'est promis. Je prendrai le nom de ces patients, et j'irai les interroger.

— J'aime autant ça. J'ai une réputation à maintenir, moi.

* * *

Ce soir-là, Bernard et Oscar avaient mis du temps à rentrer à la maison. Il faisait un froid à faire péter les clous et les chemins n'avaient pas été déblayés. Par trois fois, ils avaient dû descendre pour aider le cheval à dégager la voiture enlisée dans la neige. La pauvre bête dépensait la moitié de son énergie à combattre le froid et elle avait du mal à respirer; la vapeur qui lui sortait des nasaux se transformant aussitôt en cristaux de glace, il fallait éviter autant que possible de la faire transpirer.

Ils avaient quitté l'asile à sept heures et il était passé neuf heures quand ils étaient finalement arrivés à l'étable. Après avoir frictionné le cheval, ils étaient allés vérifier leurs installations – la cuve recouverte d'une toile de caoutchouc, le transformateur, la bobine William et le petit poêle, qu'ils avaient aussitôt allumé.

— Dommage qu'on puisse pas traiter de patients pendant l'hiver... Et dire que, pendant ce temps-là, le docteur Paquette les électrocute.

— Qu'est-ce que vous dites, Oscar?

— Je dis ce que tout le monde sait: il leur place des fils électriques sur le crâne et il leur donne des chocs jusqu'à tant qu'ils s'évanouissent. Les patients m'en ont parlé.

— Et pourquoi ne se plaignent-ils pas?

— Parce qu'ils ont peur. Jamais ils en parleraient aux religieuses ou aux médecins. Le pire, c'est que ça marche : les patients sont prêts à faire n'importe quoi pour éviter d'y retourner, y compris à guérir. Mais il n'en a plus pour longtemps...

— Qu'est-ce que vous voulez dire?

— Vous allez garder le secret?

— Je le jure.

— C'est une idée de Wilfrid. Chaque jour, le docteur Paquette se fait apporter de la nourriture dans son laboratoire. Les fous qui travaillent aux cuisines sont d'accord : ils vont l'empoisonner.

— Mais c'est horrible!

— Vous trouvez? Pas moi.

— Écoutez, Oscar, vous connaissez bien les patients, essayez de les convaincre d'attendre encore une semaine. Je ne sais pas encore comment je vais m'y prendre, mais je vous jure qu'il va cesser ses expériences.

— Ce sera pas suffisant. Il faut qu'il parte.

— Il va partir. Accordez-moi une semaine.

— D'accord. Une semaine.

— Bon, maintenant, il vaudrait mieux rentrer, Florence va s'inquiéter.

* * *

Florence est en effet très inquiète. Elle regarde Bernard manger en silence. Il a les sourcils froncés et ne répond que par monosyllabes aux propos du docteur Villeneuve. Qu'est-ce qui le préoccupe tant? Peut-être devrait-elle attendre au lendemain? Peut-être au contraire devrait-elle en profiter pour lui parler maintenant? Un souci de plus, un de moins... Elle n'arrive pas à se décider.... Après le repas, il s'assoit dans la chaise berçante, s'allume un cigare, se verse un verre de brandy, fait cul sec, et se verse un autre verre, qu'il boit plus lentement.

— Es-tu allée au bureau de poste?

Impossible de reculer. Autant y aller tout de suite.

— Oui. Il y avait du courrier pour toi, plusieurs lettres même. J'ai ouvert les enveloppes, je me suis dit que tu aurais les doigts gelés en rentrant.

— Tu as bien fait, Florence. Où sont-elles?

— Sur le buffet.

Il se lève, prend la pile de lettres, commence à les lire. Le premier mensonge est bien passé, se dit Florence, il ne reste plus qu'à attendre le deuxième. Jamais elle n'a essuyé les assiettes si lentement. Les premières lettres le font sourire, il fume un peu plus calmement. C'est bon signe. Elle se félicite d'avoir placé sur le dessus les lettres de remerciement d'anciens patients. Ça y est : il lit maintenant la lettre de son éditeur... Il fronce les sourcils, relit, puis hausse les épaules. Attendre encore quelques instants, puis lui demander, mine de rien :

— Du nouveau?

— Pas grand-chose. Quelques anciens patients qui me remercient. Ça fait toujours plaisir... et une lettre de mon éditeur français.

— Qu'est-ce qu'il raconte?

— Il a des problèmes d'argent, il ne pourra pas publier mon livre cette année.

— Dommage.

— Ce n'est pas grave, du moment que mon article sera publié dans la *Revue médicale du Canada français*... Il y a quand même quelque chose de bizarre dans sa lettre.

— Quoi donc?

— Le style. Pour un éditeur, c'est décevant.

Les épaules de Florence baissent d'un cran et Oscar baisse le nez dans son assiette, rouge de honte.

* * *

Le lendemain matin, dès sept heures, Bernard se présente au bureau de sœur Madeleine. Il n'a pas dormi de la nuit. Le docteur Paquette est peut-être un individu détestable, mais de là à dénoncer un collègue... Non, il ne s'agit pas de le dénoncer, mais plutôt de lui sauver la vie. Tout de même, tout de même...

— Qu'est-ce que je peux faire pour vous, docteur Dansereau?

— Je voudrais parler à sœur Madeleine, c'est urgent.

— Elle n'est pas à son bureau, malheureusement. Mais vous pourrez la trouver au laboratoire du docteur Paquette. Elle n'avait pas l'air de bonne humeur.

— Merci, ma sœur, Dieu vous bénisse mille fois.

— Une fois suffit, docteur.

Serait-elle déjà au courant? Bernard traverse d'interminables corridors, puis il finit par arriver au laboratoire. Il ralentit le pas; la porte s'entrouvre, il prête l'oreille :

— Je suis très déçue, docteur Paquette, vraiment très déçue. Vous savez ce qui vous reste à faire.

19

La *Revue médicale du Canada français* était une publication prestigieuse, la seule du genre en Amérique française, mais parmi ses deux cents abonnés, presque tous médecins, bien rares étaient ceux qui la lisaient, ce qui, par ailleurs, n'enlevait rien à son prestige, bien au contraire.

Le numéro du printemps 1892 parut avec quelques semaines de retard. Que les exemplaires de la revue eussent été feuilletés distraitement ou qu'ils fussent allés dormir sur les rayons des bibliothèques universitaires, ce qui est certain, c'est que, pendant les six mois qui suivirent leur distribution, les articles qui y étaient rassemblés ne suscitèrent aucune réaction. Il en alla tout autrement à l'automne, quand tous les journaux du pays engagèrent une formidable polémique scientifique.

Tout cela commença lorsque le docteur Antoine Bussières, de l'Hôtel-Dieu de Québec, membre éminent du Parti conservateur et farouche partisan de l'ultramontanisme, lut la toute première page du numéro, dans laquelle le docteur Clément en présentait sommairement le contenu.

Dans un style mordant, le docteur Clément y attirait l'attention sur la remarquable contribution du docteur Paquette, aliéniste à Saint-Jean-de-Dieu, mais insistait surtout sur les circonstances troublantes de son départ de l'asile. N'était-il pas dramatique que cet éminent spécialiste des maladies mentales, qui avait étudié à Paris sous la direction de l'illustre professeur Charcot, fût obligé de s'exiler aux États-Unis pour poursuivre ses recherches? N'était-ce pas une lourde perte pour le Canada, qui avait tant besoin de médecins de qualité? Ne pouvait-on pas remettre en question la gestion de l'asile par les religieuses, qui semblaient résolument hostiles à toute recherche scientifique? Ces déplorables événements n'étaient-ils pas une preuve supplémentaire du bien-fondé des demandes répétées des nombreux esprits éclairés qui exigeaient que l'administration des hôpitaux fût enfin confiée au gouvernement? Il terminait sa présentation en formulant le souhait que le docteur Paquette pût poursuivre librement ses recherches dans un pays qui n'était pas écrasé par le poids de l'obscurantisme.

À la lecture de cette présentation, le docteur Bussières avait bondi de son fauteuil et il avait aussitôt rédigé un long article qui allait être publié dans *La Vérité*, un journal qui s'était donné le mandat de dénoncer les juifs, les francs-maçons, les partisans de l'école publique, la peinture hors des églises et le théâtre. Dans un texte émaillé de citations de Louis Veuillot, le docteur Bussières dénonçait la science sans âme et se félicitait du départ de ce docteur Paquette : s'il n'était pas capable de s'accommoder de l'administration éclairée des dévouées religieuses, qu'il aille répandre son venin matérialiste chez les protestants. Le Canada n'avait pas besoin de ces serpents visqueux.

Le docteur Clément répliqua dans les pages de *La Patrie*, et le débat se poursuivit, par journaux interposés, pendant toute une année. Cette polémique sur la place respective de la science et de la religion eut comme effet secondaire de mettre fin à la carrière politique du docteur Clément : Laurier, qui avait suffisamment de problèmes avec le clergé, eut tôt fait de l'écarter. Elle jeta aussi dans l'ombre le contenu pourtant exceptionnel de la *Revue médicale*, notamment un article fort intéressant du docteur Mantha, de Trois-Rivières, qui y présentait des découvertes concernant l'utilisation de la moisissure de pain dans le traitement des maladies infectieuses, de même qu'un article du docteur Masse concernant l'utilisation des graines de lin dans le traitement de la constipation chronique.

L'article du docteur Paquette, intitulé «De l'utilisation de l'électricité dans le traitement de certaines maladies mentales», faisait presque la moitié du numéro : il annonçait d'abord, fort modestement, que ses recherches ouvraient un nouveau continent à la science moderne et que l'électricité allait être au traitement des maladies mentales ce que la découverte du microscope avait été à la biologie. Il faisait ensuite état de guérisons spectaculaires de quelques cas d'hypermanie et de folie circulaire, puis se lançait dans de vagues considérations théoriques agrémentées de formules mathématiques fort élégantes, bien que parfaitement inutiles.

Faute d'endroit où poursuivre ces expériences, ces recherches n'eurent pas de suite au Canada français. Un an plus tard, l'article parut en traduction anglaise dans la prestigieuse *American Review of Medecine*, publiée à Harvard. Ce traitement connut une courte vogue tout à la fin du XIXe siècle : ayant causé quelques décès, par suite d'arrêts cardiaques, il fut abandonné rapidement. Une cinquantaine d'années plus tard on allait redécouvrir cette méthode et l'employer sur une grande échelle.

«Les aimants et les humeurs», l'article du docteur Dansereau, dédicacé à la mémoire de sœur Thérèse-de-Jésus, était placé pour sa part à la fin du numéro. Il passa presque complètement inaperçu. Était-ce à cause de la description de l'appareil, inutilement compliquée, ou encore de l'insistance de l'auteur sur le fait que sa machine n'était pas destinée à guérir mais simplement à modifier positivement l'humeur des aliénés?... On n'eût pas su le dire.

* * *

Au cours des mois suivants, Bernard reçut en tout et pour tout deux lettres de lecteurs. La première, fort curieusement, venait de Finlande. Comment son article était-il parvenu en ce lointain pays? Cela restait un grand mystère... Un médecin finlandais, qui avait pris connaissance de son article, avait reproduit sa machine et l'avait expérimentée sur une dizaine de patients, avec des résultats fort satisfaisants.

La seconde lettre parvenait de Montréal: un jeune étudiant, qui désirait entreprendre des études en médecine et qui avait montré par conséquent un vif intérêt pour cet article, lui disait avoir appris par un oncle missionnaire que les Chinois traitaient certaines maladies en enfonçant des aiguilles dans le corps des patients et qu'il croyait lui-même qu'il était possible d'influencer non seulement l'humeur, mais aussi le choix de carrière des nouveau-nés en pratiquant un léger massage à des endroits précis du corps juste avant de leur sectionner le cordon ombilical. Bernard, que cette théorie intéressait, correspondit avec le jeune étudiant jusqu'à ce qu'il eût terminé ses études de médecine et qu'il fût devenu un brillant obstétricien. Le jeune homme s'appelait Lionel Bienvenue: avec un nom semblable, comment ne pas croire à la prédestination?

Bien qu'il n'eût reçu que ces deux lettres, Bernard n'éprouva pas une trop grande déception. Du moment que l'article était publié, il considérait avoir rempli ses engagements envers sœur Thérèse. Il était en outre persuadé que, quels que fussent les détours, la science suivrait inexorablement son cours. Rien n'allait l'empêcher non plus de poursuivre lui-même tranquillement ses expériences.

Si son article n'avait pas provoqué les vagues qu'il avait escomptées, ses traitements, en revanche, lui avaient valu une avalanche de lettres de remerciement. Parmi ses anciens patients, plusieurs avaient quitté l'asile et tous ceux qui savaient écrire donnaient régulièrement de leurs nouvelles. Il reçut même des lettres d'Italie. L'un de ses patients, qui avait étudié le solfège à la fanfare de l'asile, s'était découvert des talents de chanteur, qui l'avaient mené jusqu'à l'opéra de Milan. Un autre avait repris sa carrière d'architecte; il dessinait déjà les plans de résidences secondaires pour millionnaires mégalomanes mais voulait se spécialiser dans les églises. Il avait envoyé à Bernard quelques esquisses où les églises étaient à la fois incroyablement compliquées et très harmonieuses, enjolivées d'un grand nombre d'arcades et de galeries, de multiples rosaces et de flèches interminables. Bernard les examinait, le soir, au coin du feu, un peu comme on étudie des cartes routières de pays qu'on ne visitera jamais, pour le simple plaisir de se payer des voyages imaginaires.

Un autre de ses patients s'était exilé au Manitoba, où il était devenu cultivateur et poète; s'il n'arrivait à publier ses premiers poèmes dans aucune maison d'édition sérieuse, il tenterait d'en publier quelques exemplaires à compte d'auteur. Il ne visait pas non plus les prix littéraires, sachant d'avance que ce genre de récompense était depuis toujours, pour une raison obscure, interdite aux auteurs d'humeur joyeuse... Si seulement quelques-uns de ses textes pouvaient être mis en musique... Peut-être ces chansons deviendraient-elles populaires et les chanterait-on dans les noces et les réceptions de familles...

D'autres étaient devenus qui maçon ou facteur rural, qui voiturier, confiseur ou tisserande; on comptait aussi un grand nombre de femmes devenues mères de famille et quelques moines contemplatifs.

Chaque jour, Florence se rendait au bureau de poste du village pour y chercher le courrier. Sur le chemin du retour, elle triait les lettres. Il y avait encore parfois, de loin en loin, des réponses d'éditeurs européens. Elle les ouvrait avec d'infinies précautions – les enveloppes pouvaient toujours être utiles –, les lisait sans l'ombre d'un remords et les mettait au feu dès qu'elle arrivait à la maison. Elle déposait les autres sur le bahut et tout le monde avait hâte d'entendre Bernard en faire la lecture, le soir, après le souper.

* * *

Un bain, un lit, quelques fils électriques, et un mensonge... Il avait suffi, somme toute, de bien peu de chose pour qu'ils se remettent à vivre leur vie d'hommes et pour que le cœur du temps recommence à battre... Les journées pouvaient bien raccourcir, le soleil pâlir et l'hiver s'étirer jusqu'à la nuit des temps, Florence était heureuse. Elle essuyait lentement la vaisselle du petit déjeuner, enfin seule dans sa grande maison. En ce matin du 4 octobre

1893, ses hommes avaient mangé de bon appétit ses crêpes au sirop, puis ils s'en étaient allés travailler : Bernard et Oscar à l'asile, et le docteur Villeneuve dans la grange. Par la fenêtre de la cuisine, elle pouvait voir ce dernier rentrer quelques bûches. Il ranimerait le feu, puis passerait le reste de la journée à surveiller le pauvre Pierre-Henri Champagne, que Bernard avait ramené avec lui la veille. Combien de temps mettraient-ils à lui extirper son malheur, à celui-là? D'après le docteur Villeneuve, il faudrait poursuivre le traitement toute la journée, peut-être même davantage. À l'exception d'Oscar, jamais il n'avait vu d'homme aussi malheureux. Était-ce bien prudent? Florence n'aimait pas qu'on prolonge les traitements outre mesure. Il ne fallait pas oublier que ces hommes et ces femmes retourneraient vivre en société, peut-être même dans leur famille.

Ce soir, après le souper, ils le réveilleraient pour lui poser quelques questions (à quoi donc pouvait leur servir la récitation des prières et des tables de multiplication?), et ils décideraient sans doute de le libérer. On le garderait pour la nuit et, le lendemain, après le déjeuner, Florence l'accompagnerait jusqu'au village, d'où il prendrait le tramway qui l'emmènerait jusqu'à Montréal. Elle le regarderait partir, puis irait au bureau de poste avant de rentrer à la maison. Bernard ramènerait un autre patient, et la vie continuerait. Ils installeraient leur fou ou leur folle dans le bain et resteraient avec lui une grande partie de la soirée. Ne devrait-elle pas suggérer à Bernard de ralentir son rythme de travail, de prendre quelques soirées de congé? À son âge, n'était-il pas temps qu'il se repose?

Après avoir rangé la vaisselle, Florence remit sa bague, qu'elle enlevait toujours pour éviter que l'or ne se ternît, et se dirigea vers le salon. Non, Bernard ne devait pas s'arrêter... L'oisiveté ne valait rien aux hommes : sœur Thérèse avait parfaitement raison. Toutes les mères du monde n'avaient-elles pas dit un jour ou l'autre, en regardant leurs enfants se livrer à quelque bricolage : «Au moins, ils ne font rien de mal» ?

Florence sourit, puis elle continua le travail qu'elle avait commencé la veille : avec des ciseaux de chirurgien, il s'agissait de couper les extrémités fanées des fougères qui décoraient chacune des fenêtres de la maison.

Achevé d'imprimer sur les presses de
Metrolitho inc. - Sherbrooke
le deuxième trimestre mil neuf cent quatre-vingt-dix